UN BOXEUR GENTILHOMME
EUGÈNE BROSSEAU

Gilles Janson

UN BOXEUR GENTILHOMME

EUGÈNE BROSSEAU

1895-1968

Les éditions du Septentrion remercient le Conseil des Arts du Canada et la Société de développement des entreprises culturelles du Québec (SODEC) pour le soutien accordé à leur programme d'édition, ainsi que le gouvernement du Québec pour son Programme de crédit d'impôt pour l'édition de livres. Nous reconnaissons également l'aide financière du gouvernement du Canada par l'entremise du Programme d'aide au développement de l'industrie de l'édition (PADIÉ) pour nos activités d'édition.

Illustration de la couverture : Photo d'Eugène Brosseau au début de sa carrière de boxeur à La Casquette. (Archives de Clément Brosseau)

Révision : Solange Deschênes

Correction d'épreuves : Sophie Imbeault

Mise en pages et maquette de la couverture : Folio infographie

Si vous désirez être tenu au courant des publications
des ÉDITIONS DU SEPTENTRION
vous pouvez nous écrire au
1300, av. Maguire, Sillery (Québec) G1T 1Z3
ou par télécopieur (418) 527-4978
ou consulter notre catalogue sur Internet :
www.septentrion.qc.ca

1300, av. Maguire
Sillery (Québec)
G1T 1Z3

Dépôt légal – 2e trimestre 2005
Bibliothèque nationale du Québec
ISBN 2-89448-420-8

Diffusion au Canada :
Diffusion Dimedia
539, boul. Lebeau
Saint-Laurent (Québec)
H4N 1S2

Ventes en Europe :
Distribution du Nouveau Monde
30, rue Gay-Lussac
75005 Paris

Préface

LORSQU'UN AUTEUR s'investit dans l'écriture d'une biographie, il s'engage à gravir un massif. Le sommet est invisible, la pente abrupte. À l'effort du marathonien s'ajoute l'infinie patience du chercheur. Car aucune vie n'est simple. Si des exploits et des revers la jalonnent, il y a des coins obscurs, un jardin secret. Ce sont ces espaces qu'il faut explorer, comprendre ; ils définissent l'essentiel.

Grâce à cette œuvre de Gilles Janson, j'ai découvert un athlète exceptionnel, un combattant au cœur de lion, un homme d'honneur, un père aimant.

Si le nom d'Eugène Brosseau a sombré quelque peu dans l'oubli, c'est que l'histoire du sport au Québec n'en est qu'à ses premières armes, probablement parce que le sport n'a pas encore pleinement intégré la place qui lui revient dans notre univers culturel. Au fil du temps, grâce à un devoir de mémoire de plus en plus manifeste, des noms refont surface, des exploits sont révélés, la contribution de ceux-là à notre patrimoine collectif est reconnue.

Cette biographie d'Eugène Brosseau n'est pas un simple compte-rendu d'une carrière pugilistique. C'est davantage une œuvre qui emprunte à toutes les facettes de l'époque et qui met en scène, dans le respect de leur vie propre et avec toute la rigueur de l'historien, les personnages qui ont influencé à la fois la carrière d'Eugène Brosseau, le sport de la boxe et l'évolution du sport au Québec.

Cette œuvre de Gilles Janson nous convie à une aventure étonnante autant que particulière au cœur d'un Québec encore marqué par de vieilles traditions. L'auteur signe par conséquent un ouvrage nécessaire qu'il rend fascinant par la vivacité du récit et des aptitudes de narrateur d'expérience.

Ce livre prend donc place parmi les ouvrages d'importance qui remontent le fil du temps et nous rendent notre patrimoine.

Paul Ohl
Québec, le 8 septembre 2004

Remerciements

L'idée de cette biographie d'Eugène Brosseau est née d'un appel téléphonique que me fit, voilà quelques années, le fils d'Eugène, Bernard Brosseau, malheureusement décédé depuis. Il sollicitait mon appui pour l'aider à faire entrer son père au Temple de la renommée du sport du Québec. À cette époque, mes recherches m'avaient déjà permis d'entrevoir le rôle important joué par son père dans la jeune histoire du sport québécois et j'acceptai d'emblée d'entreprendre les démarches auprès des responsables du Temple de la renommée pour faire admettre ce grand athlète qui, au début du xxe siècle, suscitait fierté et passion chez les siens. Mes démarches restèrent sans réponse. Je pensai alors qu'une biographie serait la meilleure façon de faire connaître les exploits de ce grand boxeur. Je dois donc, à titre posthume, remercier Bernard Brosseau sans qui ce livre n'aurait probablement jamais été écrit. Par la suite, je contactai Clément, un autre fils d'Eugène. Disons qu'une chaleureuse collaboration s'est établie entre nous. Je veux souligner ici la confiance qu'il m'a témoignée en mettant à ma disposition de nombreux et précieux documents rassemblés par son père durant toute sa carrière et sans lesquels cette biographie serait encore plus incomplète. C'est aussi grâce à Clément que j'ai pu discuter pendant quelques heures, en sa compagnie, avec Huguette et Pauline et connaître certains aspects plus personnels de la vie de leur père. Qu'ils reçoivent ici le témoignage de ma reconnaissance. Je tiens également à remercier Roger Brosseau que j'ai rencontré en quelques occasions avec son frère Bernard et qui a pu retracer certaines des photos qui illustrent cette biographie.

Un grand merci également à tous ceux qui ont bien voulu lire mon manuscrit et me suggérer des améliorations. Tout d'abord, une pensée spéciale à Diane Polnicky pour sa patience, sa connaissance de la langue, ses interrogations et son œil averti traquant, entre autres, la virgule vagabonde, le r en trop ou le t manquant. Je ne veux surtout pas oublier Robert Gagnon. Sa pratique quotidienne de l'histoire, sa rigueur, ses suggestions, souvent judicieuses, font de cette biographie un ouvrage moins imparfait. Que Robert Lahaise soit assuré de ma gratitude pour la lecture attentive de mon manuscrit et ses nombreuses et judicieuses suggestions. Enfin, merci à Gilles Neault, amateur de sports et lecteur trop indulgent de ma prose.

Table des sigles

AAUC	Athletic Amateur Union of Canada
AAU of US	Athletic Amateur Union of United States
AAAN	Association athlétique d'amateurs Le National (devient par la suite Association athlétique amateur nationale)
BAAA	Boston Amateur Athletic Association
CAC	Club athlétique canadien
MAAA	Montréal Amateur Athletic Association
NBA	National Boxing Association (États-Unis)
NYAC	New York Athletic Club
RAF	Royal Air Force
YMCA	Young Men Christian Association
YMHA	Young Men Hebrew Association

CHAPITRE 1

L'amateur

Enfance et adolescence

Peu connu aujourd'hui, Eugène Brosseau, que l'on surnommait *Gentleman Gene*, fut certainement l'un des meilleurs boxeurs poids moyens nés au Canada et, sans aucun doute, l'un des plus grands athlètes de l'histoire sportive du Québec. Seule une mystérieuse maladie le priva du titre mondial. Nous retracerons ici la vie et la fulgurante carrière de ce Montréalais et, à travers lui, nous découvrirons plusieurs aspects ignorés de l'histoire du sport au Québec.

Eugène Brosseau naît à Montréal le 7 décembre 1895, rue Laval, dans la paroisse Saint-Jean-Baptiste. Il est baptisé le lendemain, jour de l'Immaculée-Conception, sous le nom de Joseph-Eugène-Omer Brosseau[1]. Nous connaissons peu de chose de sa famille et de son enfance. Son père, Joseph-Ernest Brosseau, est le fils de Toussaint Brosseau, médecin vétérinaire et de Marie Longtin, de La Prairie[2]. Comptable, il occupe un emploi plutôt nouveau à la fin du XIXe siècle, dans une ville qui voit l'industrie se développer et le secteur des services prendre de l'expansion. Vers 1900, il devient gérant et représentant de la succursale montréalaise de l'importante compagnie Nordheimer Piano & Music Co. dont le siège social est à Toronto. Le 11 septembre 1888, il épouse, à la cathédrale de Montréal, Marie-Louise Charron, fille de Jean-Baptiste Charron, cultivateur à La Prairie, et d'Émilie Riendeau. Joseph-

1. Registre des baptêmes, mariages et sépultures de la paroisse de Saint-Jean-Baptiste (Montréal), 8 décembre 1895.

2. Registre des baptêmes, mariages et sépultures de la paroisse de Saint-Jacques-le-Mineur (Montréal), 11 septembre 1888.

Marie-Louise Charron, mère d'Eugène Brosseau, est la fille de Jean-Baptiste Charron, cultivateur aisé de La Prairie, petit village situé sur la rive sud du Saint-Laurent, face à Montréal. Elle épouse, le 11 septembre 1888, à la cathédrale de Montréal, le futur père d'Eugène, Joseph-Ernest Brosseau. Ce dernier appartient à la petite bourgeoisie canadienne-française et semble bien intégré à la vie urbaine. Sa disparition, vers 1914, reste, pour nous, inexpliquée. (Photo provenant des archives de Clément Brosseau.)

Ernest semble plutôt instable et déménage fréquemment sa famille. Après avoir quitté la rue Laval, il emménage sur la rue de la Visitation, puis sur la rue Ontario et se fixe pour 5 ou 6 ans sur la rue Saint-Denis près de la rue Laurier[3]. Vers 1914, il n'est plus question de lui dans les sources que nous avons consultées. Nous n'avons pu expliquer cette mystérieuse disparition. Eugène, qui avait alors environ 19 ans, se fixe à La Prairie, le village de ses ancêtres, avec sa mère et, sans doute aussi, ses sœurs Louise, Ernestine et Corinne ainsi que ses frères Antonio et William.

Les familles Brosseau et Charron ont des racines profondes sur la rive sud du fleuve, face à Montréal, particulièrement à Longueuil et à La Prairie, et Eugène fréquentera durant toute sa vie cette région. L'ancêtre, Denis Brosseau, meunier, originaire de Bretagne, arrive en Nouvelle-France en 1669. Il exerce d'abord son métier dans la région de Trois-Rivières. Puis, il quitte cette ville pour s'installer à Montréal pendant quelques années. Vers 1687, il traverse le fleuve et s'installe pour plus de vingt ans à La Prairie

3. Ces informations sont tirées du *Lovell's Montreal Directory*, 1895 à 1915.

Eugène Brosseau, alors qu'il était étudiant à l'École de médecine comparée et de sciences vétérinaires, affiliée à l'Université Laval, succursale de Montréal (1914-1915), jouait au hockey pour cette université. On le voit ici, le deuxième à partir de la gauche, assis au deuxième rang. (Carte postale imprimée par J. O. Dubuc, Victoriaville, archives de Clément Brosseau.)

où les Jésuites lui louent le moulin à vent. Il décédera cependant à Trois-Rivières en 1711. Les descendants de Denis habiteront Laprairie pendant près de deux cents ans et c'est à Saint-Philippe de La Prairie qu'Eugène rencontrera son épouse. Du côté maternel, les ancêtres de Marie-Louise Charron habiteront Longueuil pendant plusieurs générations et c'est à Saint-Hubert que le père de Marie-Louise, Jean-Baptiste Charron, épouse Émilie Riendeau.

Les informations que nous détenons sur la vie d'Eugène Brosseau avant les débuts de sa carrière de boxeur sont minces. Celui-ci semble vivre dans un milieu plutôt aisé, contrairement à la majorité des jeunes hommes qui deviennent boxeurs professionnels à son époque et qui proviennent de milieux très modestes et même défavorisés. Selon un de ses fils, il aurait fait ses études primaires à l'école Saint-Louis du Mile End. Une incursion dans les archives de cette école n'a pu confirmer cette information. De ses études secondaires, nous ne savons rien. A-t-il terminé des études classiques : mystère ? Mais, chose exceptionnelle pour un futur boxeur, il commence des

BEST BASEBALL PICTURES INSIDE

INTERNATIONAL EDITION.

THE NATIONAL POLICE GAZETTE.

THE LEADING ILLUSTRATED SPORTING JOURNAL IN THE WORLD.

COPYRIGHT FOR 1916 BY RICHARD K. FOX PUBLISHING COMPANY, THE FOX BUILDING, FRANKLIN SQUARE, NEW YORK CITY.

RICHARD K. FOX
President and Editor

NEW YORK: SATURDAY, OCTOBER 21, 1916.

VOLUME CIX.—No. 2045
Price 10 Cents

WILBERT ROBINSON.

WHO LED THE BROOKLYN BASEBALL TEAM TO VICTORY IN THE NATIONAL LEAGUE PENNANT SERIES.

The National Police Gazette, fondée à New York en 1845, par un immigrant irlandais, fut pendant un certain temps la « lecture favorite » d'Eugène Brosseau. Cette publication semble circuler assez largement dans les milieux sportifs montréalais. On pouvait la lire, entre autres, à la salle de lecture de la Palestre nationale, rue Cherrier. Ses pages couvraient abondamment l'actualité sportive et particulièrement le monde de la boxe. Magazine à sensation très populaire dans la deuxième moitié du XIXe siècle et les premières décennies du XXe siècle, il attirait ses lecteurs par d'abondantes illustrations et des textes sur les crimes les plus divers, le burlesque et autres sujets que certains considéraient comme obscènes et même carrément pornograhiques. Au mois de mai 1901, une vaste campagne pour éradiquer, entre autres, « les journaux immoraux » à Montréal prouve la popularité de cette publication. Cette chasse aux vices trouve son origine dans une longue lettre de Mgr Paul Bruchési au maire Raymond Préfontaine. L'archevêque de Montréal écrit : « Mais, un autre champ encore est ouvert à votre vigilance, monsieur le maire [...]. Je veux parler de certaines librairies où l'on vend, même à des enfants, non seulement des livres dangereux, mais de la littérature pornographique épicée d'illustrations tout à fait obscènes. Ces librairies doivent être connues. On m'a rapporté quelques-unes des publications que des jeunes gens y avaient achetées. Jamais je n'aurais cru à tant de perversité ; [...]. » Cette campagne semble principalement dirigée contre *The National Police Gazette*. Ce magazine passait en contrebande et de grandes quantités se retrouvaient en vente dans plusieurs « librairies ». À la suite de descentes de police et d'officiers des douanes, onze libraires, dont A. Déom, sont priés de comparaître en justice. L'un d'entre eux déclare que lui et ses confrères « n'ont jamais vendu d'exemplaires de la [*National] Police Gazette* [...] aux jeunes gens. Leurs seuls clients [...] étaient des personnes âgées, qui les auraient fait venir elles-mêmes de l'étranger, si elles ne les avaient trouvées à Montréal ». (Page couverture de *The National Police Gazette*, 15 mars 1916. Ce numéro faisait partie des documents ayant appartenu à Eugène Brosseau.)

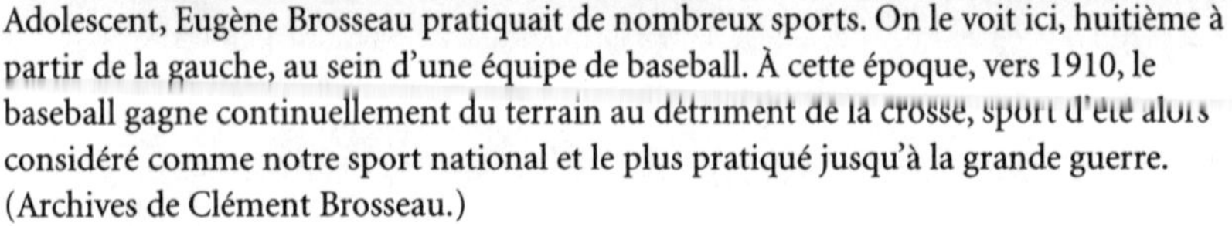

Adolescent, Eugène Brosseau pratiquait de nombreux sports. On le voit ici, huitième à partir de la gauche, au sein d'une équipe de baseball. À cette époque, vers 1910, le baseball gagne continuellement du terrain au détriment de la crosse, sport d'été alors considéré comme notre sport national et le plus pratiqué jusqu'à la grande guerre. (Archives de Clément Brosseau.)

études universitaires. Comme son grand-père paternel, il choisit de devenir vétérinaire. En effet, le 9 septembre 1914, le Bureau des médecins vétérinaires de la province de Québec lui décerne un brevet d'aptitude lui donnant « les droits et privilèges d'étudier la médecine vétérinaire » à l'École de médecine comparée et de science vétérinaire, affiliée à l'Université Laval, succursale de Montréal[4]. Les registres de l'École nous apprennent que, lors de son inscription, il réside à La Prairie. Il reviendra vivre à Montréal après son mariage en 1921. En 1914, l'École s'installe dans un superbe édifice situé à l'angle des rues Saint-Hubert et De Montigny (aujourd'hui Maisonneuve). Brosseau ne terminera jamais ses études universitaires, mais il fréquente l'université pendant deux ans. Il suit et réussit très bien des cours de physionomie comparée, de chimie, de pathologie générale et de pathologie comparée, de matières médicales et d'anatomie[5].

---

4. Archives de la famille Brosseau. Brevet d'aptitude décerné à Joseph-Omer-Eugène Brosseau, par le Bureau des médecins-vétérinaires, 9 septembre 1914.

5. Archives de l'Université de Montréal, fonds de l'École de médecine vétérinaire. Liste des étudiants.

L'origine de son goût pour les sports reste obscure. Il est fort plausible qu'Eugène ait hérité son amour du sport de son père. Comme comptable, Joseph-Ernest appartenait à une profession qui comptait dans ses rangs plusieurs passionnés de la chose sportive et de nombreux administrateurs de clubs et d'associations athlétiques. Il semble que son père lisait régulièrement le grand journal américain *The National Police Gazette*, fondé en 1845, et qui se proclamait « the Leading Illustrated Sporting Journal in the World[6] ». Ce journal deviendra la « lecture favorite » de son fils[7]. Une chose est sûre, dès son enfance et durant son adolescence, Eugène pratique avec passion différents sports. Il excelle particulièrement dans la course à pied et un journaliste anglophone écrit qu'il est un « expert » en natation. Sa mère, qui suivra plus tard avec anxiété sa carrière de boxeur, s'intéresse à ses succès au baseball, à la crosse et au hockey. Au mois d'avril 1920, il confiera à un journaliste qui l'interviewe, qu'il est « a lover of all sports between men » et qu'il adore les chevaux[8].

Le monde sportif chez les francophones avant Brosseau

À l'aube du XXe siècle, au moment où le jeune Brosseau émerveille sa mère en s'affirmant dans plusieurs sports, les Canadiens français investissent de façon significative le domaine sportif, domaine qui, jusqu'aux années 1890, était surtout réservé aux Canadiens anglais. Parmi les organisations francophones qui naissent à la fin du XIXe et qui se veulent les promoteurs de l'activité physique et du sport, l'Association athlétique d'amateurs Le National (AAAN), fondée le 2 avril 1894, fait figure de pionnière. Dès ses premières années d'existence, elle rassemble des équipes de baseball, de crosse, de souque à la corde, de football, de hockey et un club cycliste. Elle reçoit l'appui indéfectible du journal *La Presse*, qui exhorte ses lecteurs à encourager « par tous les moyens cette jeune association canadienne-française ». L'arrivée de l'AAAN joue un rôle important dans la création d'un public d'amateurs de sports. En organisant des concours, en décernant des prix, en fondant des clubs, en participant à des championnats, en créant des vedettes, en stimulant l'intérêt des journaux, elle contribue à l'intégration des francophones au monde sportif. Très vite, les initiatives dans le

6. *The National Police Gazette*, 21 octobre 1916, p. 1.
7. *Le Miroir*, Montréal, 15 mars 1931, p. 6.
8. *The Evening Echo* (Halifax), 8 avril 1920, p. 14.

domaine du sport se multiplient chez les francophones montréalais. Leur présence se raffermit. D'autres associations se créent. Elles viennent appuyer les efforts de l'AAAN pour répandre le goût et la pratique du sport chez leurs compatriotes. Le 12 novembre 1895, une trentaine de « gais lurons » se réunissent au Cabinet de lecture paroissial pour jeter les bases du club Le Montagnard. Cette organisation, bâtie autour d'un club de raquetteurs, possède bientôt des clubs de cyclistes, de baseball et de hockey. Elle construit, à l'angle des rues Rachel et Saint-Hubert, une grande patinoire couverte qui devient rapidement le rendez-vous de notables francophones montréalais. La même année est créé le club cycliste Le Voltigeur qui sert de pivot à un club de crosse et de baseball et à une équipe de souque à la corde. L'Association athlétique d'amateurs Mascotte est mise sur pied en 1897. Sa principale activité est le baseball, mais, dès 1898, elle loue un local au 1248, rue Ontario Est, entre les rues Montcalm et Wolfe, où elle aménage un gymnase et une salle avec tables de billard et de pool[9]. Le 6 mai 1900, elle publie le premier numéro d'un hebdomadaire paraissant le dimanche et intitulé *La Mascotte*. Dans son texte de présentation, le journal dit répondre « à la demande d'une centaine de sportsmen de Montréal, désireux d'avoir une feuille canadienne-française pour prendre les intérêts de nos clubs sportiques[10] canadiens-français[11] ». À l'été 1899, la fondation de la Société canadienne pour l'avancement du sport s'inscrit dans ces actions de valorisation physique, intellectuelle et morale de l'homme canadien-français, guetté, selon les contemporains, par la dégénérescence engendrée par la société moderne où la lutte pour la vie est de plus en plus âpre et où la concurrence élimine les plus faibles. La Société se donne le mandat de convaincre les Canadiens français des bienfaits du sport. Pour répandre ses idées, elle fonde *Le Sport illustré*. Cet hebdomadaire refuse de se cantonner dans la simple description d'événements sportifs. Il veut lutter contre ce préjugé d'une grande partie des intellectuels canadiens-français qui croient que le sport est « une institution anglaise » et que seuls ceux qui ont honte « de leur descendance française » peuvent

9. Ces informations sur le sport chez les Canadiens français à la fin du XIXe siècle sont tirées de mon ouvrage intitulé : *Emparons-nous du sport. Les Canadiens français et le sport au XIXe siècle*, Montréal, Guérin, 1995 et de mon article intitulé : « Sport et modernité : *Le Devoir*, 1910-1920 », dans *Le Devoir, un journal indépendant (1910-1995)*, Québec, Presses de l'Université du Québec, 1996, p. 79-92.

10. À cette époque, l'adjectif sportique est employé au lieu de l'adjectif sportif.

11. *La Mascotte*, 6 mai 1900, p. 2.

2 LE SPORT ILLUSTRÉ

LE SPORT ILLUSTRE

A. MARION,

Editeur Propriétaire.

73 Rue St. Jacques, - Montreal.

ABONNEMENT

$3.00 par année, strictement payable d'avance.

PRIX DES ANNONCES

10 Cents la ligne.

MONTREAL, 10 JUIN, 1899

PROSPECTUS.

Est-il bien nécessaire, avec un titre comme celui qui figure au frontispice du journal, de dire ce que sera ce dernier né de la presse canadienne ?

Le sport illustré c'est plus que du sport relaté ; c'est le sport en action, c'est le sport en exemple, c'est presque le sport triomphant.

Que de préventions, que de préjugés il a dû vaincre au Canada pour arriver ainsi de l'affirmation de son importance à l'exercice de sa vertu d'abord, puis à l'imposition de sa suprématie.

N'avait-on pas été jusqu'à dire de lui que c'était une institution anglaise que ceux-là seuls d'entre nos compatriotes pouvaient patronner qui rougissaient de leur descendance française.

Comme si le régime français au Canada n'avait pas été toute une épopée sportique dont les records sont enregistrés à Boston, à Détroit et sur tout le cours du Mississipi jusqu'à la Nouvelle Orléans !

Comme s'il n'y avait pas au Manitoba et au Nord-Ouest toute une race de métis affirmant par son existence même et surtout par sa langue qu'elle est née d'une race de coureurs de plaines, française autant que sportique !

Comme si la raquette, avant d'être le snow-shoe que chaussent aujourd'hui les clubs anglais pour faire sportiquement le tour de la Montagne ici, l'hiver, n'avait pas porté dix fois nos pères à la conquête de la Baie d'Hudson !

Comme si le sport industriel du flottage du bois sur les affluents de l'Ottawa et jusque sur les rivières du Michigan n'était pas fait presqu'exclusivement par des gens qui parlent le français !

Comme si les chasseurs et les trappeurs blancs des régions sub-arctiques, dans ce sport de Nemrod digne des plus grands héros scandinaves, parlaient à Dieu, le seul être dont ils sentent toujours le voisinage immédiat, autrement qu'en français !

Comme si les bucherons canadiens amenés par Wolseley sur le Nil, au Soudan, avaient en jouant de l'aviron exprimé leurs sentiments sportiques autrement qu'en français !

Comme si le 65ième, dans ses longues marches au Nord-Ouest, avait dû emprunter à un autre idiôme que le sien propre, les chants sportiques qui le menèrent victorieux à la Butte aux Français !

Comme si la crosse qui fut si longtemps le sceptre de la royauté sportique des Anglais en notre pays n'était pas un instrument de jeu français apporté ici par Champlain !

Comme si le National avait dû abjurer quelque article de sa foi religieuse ou patriotique pour arracher aux clubs anglais l'an passé, le titre de champion qu'ils détenaient depuis des années !

Comme si les Montferrand, les Duchêne, les Mercier, les Laberge, les Vincent, les Beaudry, les Piché, les Cyr, les Barré, n'avaient pas en toute occasion, dans leur sport respectif, fait hommage à leur famille nationale des succès remportés par eux, soit à Montréal, soit sur l'Ottawa, soit sur le Yukon !

Elle est finie et, nous l'espérons bien, finie pour jamais, cette tradition au nom de laquelle on laissait se fortifier autour du nom français tous ces autres éléments de la population, alors que nous, fils des découvreurs, des conquérants et des colonisateurs de ce pays, nous en étions réduits à regarder les ébats sportiques des autres races par-dessus les clôtures de leurs champs d'exercices.

Elle est finie, grâce à ces clubs de raquettes, d'escrime, de tobaggan, de canotage, de natation, de crosse, de tir, de baseball, de pêche et de chasse qu'a fait surgir dans notre province, en ces dernières années, la patriotique initiative de maint concitoyen.

Elle est finie, grâce au patronage flatteur qu'ont mainte fois accordé au sport les représentants civils ou politiques des pouvoirs constitués, les Coursol, les Joly, les Chapleau et les Mercier, pour n'en mentionner que quelques-uns.

Elle est finie grâce surtout à la large publicité que nos journaux quotidiens ont donnée au sport en général et plus particulièrement à ces jeux athlétiques qui, renouvelés de la Grèce antique, en autant que le comporte la modification des mœurs opérée par le christianisme, sont encore le plus puissant facteur de la vigueur nationale.

Elle est finie enfin, grâce à cette concentration sportique qu'entreprend d'effectuer au Canada, en faisant appel à toutes les adhésions depuis celles des vieillards jusqu'à celles des jeunes gens, cette ligue de zélateurs qui vient de se constituer à Montréal, sous le nom de Société Canadienne pour l'avancement du Sport.

On trouvera en 4e page, au procès verbal même de sa séance de fondation, tous les renseignements voulus sur l'objet de cette société et ses moyens d'action dans la tâche patriotique qu'elle s'impose ; qu'il nous suffise de dire ici, que notre journal est acquis au mouvement qu'elle vient de lancer, qu'il en sera le propagateur infatigable.

Dans ce rôle que nous osons comparer à celui du clairon dans l'armée, le "Sport Illustré" se contentera en temps de paix, loin peut-être derrière les troupes au champ de manœuvre, de faire entendre les sonneries pacifiques du Déploiement, du Ralliement, du Pas Gymnastique, de la Retraite et du Drapeau, mais vienne jamais la bataille, il réclamera l'honneur comme le droit de marcher en tête des troupes de première ligne, sonnant la charge, le clairon d'une main et l'épée de l'autre.

LA REDACTION.

Si l'on excepte *Le Courier athlétique*, publié à Montréal pour la première et dernière fois le 20 août 1892, *Le Sport illustré* est la première tentative sérieuse pour établir une presse sportive francophone au Québec. Cet hebdomadaire s'ajoute aux preuves de l'émergence d'une culture sportive chez les francophones dans les années 1890-1900. Il se veut le prolongement de la Société canadienne pour l'avancement du sport, créée, comme lui, en 1899. Six numéros seront publiés entre le 10 juin et le 22 juillet 1899. Lors de sa parution, *La Presse* publiait une chronique sportive quotidienne depuis 1895. (Prospectus de cet hebdomadaire, publié dans *Le Sport illustré*, vol. 1, nº 1, Montréal, samedi 10 juin 1899, p. 2.)

le patronner. Ce journal proclame qu'il faut mettre fin à « cette tradition au nom de laquelle on laissait se fortifier autour du nom français tous les autres éléments de la population, alors que nous, fils des découvreurs, des conquérants et des colonisateurs de ce pays, nous étions réduits à regarder les ébats des autres races[12] par-dessus les clôtures de leurs champs d'exercice[13] ».

La Casquette

Brosseau, qui dit aimer tous les sports, raconte que « son goût de la boxe lui vint à la suite de nombreuses lectures sur la carrière de Mike Gibbons[14] ». Pour s'identifier à son idole, il se fera couper les cheveux en brosse, coupe qu'il conservera toute sa vie. Au cours de sa carrière, plusieurs commentateurs sportifs compareront d'ailleurs son style à ce boxeur américain. Gibbons, né le 20 juillet 1887, à St. Paul, dans le Minnesota, boxa de 1908 à 1922, dans les catégories mi-moyen (145 livres) et moyen (158 livres), comme Brosseau. Le grand spécialiste de la boxe, Nat Fleischer, écrit qu'il rencontra la crème des boxeurs de ces deux catégories et qu'il se tira souvent de ces combats avec les honneurs de la guerre. Il le considère comme un boxeur scientifique, un superbe artiste du ring, un athlète habile et intelligent possédant une technique éblouissante[15]. C'est avec un tel modèle en tête que Brosseau commence son entraînement au gymnase du Club athlétique canadien à l'été de 1914. Ce club, dirigé par le dynamique George W. Kendall, connu sous le nom de George Kennedy, abritait ses activités dans un édifice construit sur la rue Sainte-Catherine, au coin de la rue Saint-André. Brosseau, qui s'inscrit cette année-là à l'École de médecine comparée et de science vétérinaire qui venait tout juste d'ouvrir ses portes au coin des rues Saint-Hubert et Maisonneuve, pouvait, à la sortie de ses cours, en quelques minutes de marche, se rendre au gymnase de Kennedy. Il y jouait au handball, mais, surtout, s'exerçait à frapper sur des sacs de sable et des punching bags. Il pratiquait la boxe simulée, son jeu de pieds, l'art de la feinte et toute une variété de crochets et de punchs. Après une

12. Il faut se garder de donner au mot race le sens péjoratif qu'il possède depuis la Seconde Guerre mondiale. À l'époque, il a généralement le sens de peuple ou nation.

13. *Le Sport illustré,* 10 juin 1899, p. 2.

14. *Le Miroir*, Montréal, 15 mars 1931, p. 6.

15. Nat Fleischer, *The 1965 ring record book and boxing encyclopedia*, New York, The ring book shop, 1965, p. 705-706.

Frankie Fleming est à droite de la photo. Cette photo est particulièrement intéressante lorsque l'on sait qu'elle a été envoyée à un dénommé Joe Sheers par William « Bill » Brosseau, le frère d'Eugène. Fleming fut étroitement mêlé à la carrière d'Eugène Brosseau et les deux hommes furent de bons amis. Cet Irlandais, né à Toronto, mais très tôt établi à La Prairie, fut l'un des premiers entraîneurs du jeune Brosseau. Tous les deux s'engagent presque en même temps dans la RAF pendant la grande guerre et, lorsqu'il deviendra professionnel, Brosseau passera un hiver complet au camp d'entraînement de son ami à Rawdon. Le 27 février 1913, Fleming battait par knock-out Benny Leonard (un Juif américain dont le vrai nom est Benjamin Leiner) qui deviendra, le 28 mai 1917, champion mondial des poids légers. Il rencontra plusieurs vedettes du ring, dont Johnny Kilane, Freddie Welsh (champion mondial de 1914 à 1917) et Eddie Wallace. Il sera membre du conseil d'administration d'une piste de course à La Prairie et il travaillait au service des paris mutuels de la piste Blue Bonnets. Il décède le 13 octobre 1960, à l'âge de 69 ans. (Archives de John Fleming, de Candiac, neveu de Frankie Fleming.)

saison à s'exercer en solitaire, il se croit assez habile, l'automne venu, pour affronter de véritables boxeurs. Continuant son éducation pugilistique, il s'entraîne alors avec des hommes possédant différents styles[16]. À la même époque, il fréquente Frankie Fleming, dans son gymnase de La Prairie, qui l'aide à améliorer sa technique et sa connaissance de la théorie de la boxe[17]. Fleming, né à Toronto et établi à La Prairie depuis longtemps, y a son camp d'entraînement. Excellent boxeur, il détiendra les titres de champion poids plume (112 livres) et champion poids léger (135 livres) du Canada. Les deux hommes deviendront de bons amis. Lors du décès de Fleming, le 13 octobre 1960, Brosseau rappelle cet épisode. « Je passais, dit-il, mes étés chez mes grands-parents à La Prairie où demeurait Fleming et c'est là que je fis sa connaissance. Par la suite, je me suis souvent entraîné avec lui au club [athlétique] Canadien[18]. » Il dira, 17 ans après sa rencontre avec le champion, que ce dernier fut « le boxeur le plus scientifique de son temps[19] ».

C'est à cette époque, probablement au début de l'année 1915, qu'Armand Vaillancourt, excellent lutteur et « gérant du Penthatlon », organisme regroupant les sections sportives de l'Association La Casquette, le découvre et l'amène au siège de l'association, situé sur la rue du Mont-Royal, coin Mentana, où il s'inscrit à la section de lutte et de boxe.

La Casquette est l'une des nombreuses organisations sportives francophones qui, depuis la fin des années 1890, surgissent comme des champignons du sol montréalais. Au moment où Eugène Brosseau s'inscrit à La Casquette, elle est en plein essor. Pendant les années 1912-1917, elle surpasse, par le dynamisme de ses dirigeants, la diversité de ses activités et le nombre de ses membres, l'autre grande association sportive canadienne-française, l'AAAN, connue à compter de 1919 sous le nom de Palestre Nationale. La Casquette connaît des débuts très modestes. Œuvre de deux jeunes hommes à peine sortis de l'adolescence, elle naît le 28 juillet 1907, près du parc Lafontaine. Charles N. Chamberland, son principal fondateur,

---

16. Brouillon d'une lettre d'Eugène Brosseau au secrétaire du Canadian Hall of Fame de Toronto, datée du 9 janvier 1961. Cette lettre est conservée dans les archives de Clément Brosseau.

17. *Le Canada*, 10 avril 1917, p. 2 écrit : « Brosseau, qui est compatriote de Frankie Fleming, apprit les premières notions du *manly art* avec ce dernier, il y a deux ans tout au plus. »

18. *La Presse*, 15 octobre 1960, p. 26.

19. *Le Miroir*, *op. cit.*

Charles-N. Chamberland. Né à Stantead, le 11 décembre 1889, Chamberland fut, durant les douze années d'existence de La Casquette, le véritable pilier de cette association. C'est lui qui remet à Brosseau une médaille d'or pour souligner l'obtention du championnat du Canada des mi-moyens le 8 mai 1915 et qui, après cet exploit, engage le jeune boxeur comme instructeur de boxe à La Casquette. Il le défend devant les membres de l'AAUC qui l'accusent de professionnalisme à l'automne 1916. On le retrouve, en pleine nuit, sur le quai de la gare Windsor pour accueillir Eugène qui vient de se couvrir de gloire à San Francisco en 1917. Le 5 juin 1931, *La Presse* écrit que Chamberland « a toujours voulu propager les bonnes idées sportives chez notre jeunesse. Il se réclame de l'école de Pierre de Courbertin et du capitaine [Georges] Hébert. Il a toujours regardé le sport comme un moyen et non comme un but. Nombreux sont les athlètes comme les moniteurs formés sous sa direction et dont les noms sont aujourd'hui populaires. Très actif, C. Chamberland a dirigé des ligues d'à peu près tous les sports ainsi que des campagnes et des revues sportives. Opposé au sport payé, il s'est invariablement séparé de ses élèves quand ceux-ci ont cessé d'être de véritables amateurs ». (*La Presse*, 14 avril 1917, p. 16).

n'a que 17 ans, lorsque, avec son camarade Léo Savard, il jette les bases de cette nouvelle association sportive. Chamberland naît le 11 décembre 1889, à Stanstead, dans les Cantons-de-l'Est, près de la frontière américaine. Il a quatre ans lors du déménagement de ses parents à Montréal. Après ses études primaires, il commence des études classiques chez les pères du Très-Saint-Sacrement, à Terrebonne, qu'il termine chez les Jésuites, au Collège Sainte-Marie, rue Bleury. À sa sortie du collège, il s'inscrit à l'École polytechnique de Montréal, qu'il quitte au bout de trois ans, pour poursuivre des études, qu'il ne terminera pas, à la Faculté de droit de la succursale de l'Université Laval à Montréal. Pendant ses années de collège et d'université, ambitieux et débordant d'énergie, il fréquente de nombreuses organisations politiques et littéraires. Au Collège Sainte-Marie, il collabore au journal *L'Humaniste*. À l'université, il fonde, avec Henri Gauthier, le journal *Le Blé qui lève* et, avec le futur médecin Gustave Lacasse, le journal *L'Étudiant*. En 1914, il est membre, entre autres, des Chevaliers de Colomb, de la Société des artisans et de la Société Saint-Jean-Baptiste. Durant toute l'existence de La Casquette, c'est-à-dire de 1907 à 1919, il en sera le président et le « gérant général ». Au début, La Casquette n'est qu'un regroupement plus ou moins informel d'une douzaine d'amis qui se réunissent successivement au domicile de chacun des membres et qui organisent des activités sociales et sportives. En 1910, le père de l'un d'eux leur prête une « boutique » qui devient « leur palais sportif ». Cette année-là, l'Association possède ou loue un camp d'été au Sault-au-Récollet[20]. Au mois d'avril 1911, elle fait parler d'elle pour la première fois dans le journal *Le Devoir*. Elle organise le 24 mai, pour le *Victoria Day* (la Fête de la reine), sa première « olympiade », à laquelle « les athlètes canadiens-français sont invités à participer ». Les participants peuvent s'inscrire dans deux catégories, l'une composée d'écoliers et l'autre de « jeunes gens » de 25 ans et plus. À cette fête sportive, il y aura course à pied, lancement du disque et du poids, parties de crosse et de baseball[21]. À la même époque, l'Association occupe un nouveau local « sur le parc Lafontaine ». Ces nouvelles activités font connaître l'Association dans ce que l'on appelle à l'époque « le Nord de la ville », et amènent de nouveaux membres. Au mois de décembre 1911, La Casquette s'installe dans un nouvel édifice, situé sur l'avenue Papineau,

20. *Le Devoir*, 22 mars 1913, p. 10; *La Presse*, 20 avril 1914, p. 6.
21. *Le Devoir*, 25 avril 1911, p. 4.

près de la rue Marie-Anne[22]. L'année suivante verra les débuts d'une expansion fulgurante. Les membres du bureau de direction, de jeunes notables du quartier qui débordent d'idées et de projets, mettent sur pied toute une gamme de « sections » sportives, littéraires et sociales et pensent déjà à la construction d'un véritable centre culturel et sportif qui serait pour les Canadiens français ce que la Young Men Christian Association (YMCA) et la fameuse Montreal Amateur Athletic Association (MAAA) sont pour les Montréalais de langue anglaise[23]. Bien entendu, les dirigeants ne pensent qu'aux garçons et aux jeunes hommes. Même si quelques signes montrent que les mentalités changent, l'heure n'est pas encore venue où les jeunes Canadiennes françaises pourront devenir membres d'une association sportive de leur nationalité. Il faudra attendre l'ouverture de la Palestre nationale, au mois de janvier 1919, pour voir la création de sections féminines au sein d'une organisation prônant les bienfaits de l'activité physique. Le développement de La Casquette l'amène à préciser ses buts : elle veut « maintenir éveillée notre jeunesse nationale tant [au] physique qu'au moral. Elle regroupe autour d'elle les jeunes Canadiens français pour leur apprendre à se mieux connaître, à s'apprécier davantage et à se défendre en bloc contre quelque ennemi que ce soit de notre religion ou de notre race. Elle veut arracher la jeunesse aux milliers de mauvaises tentations qui l'attendent à la sortie des écoles et des collèges ». Elle veut développer des jeunes gens qui seront à la fois des athlètes et des intellectuels énergiques, combatifs, pleins d'initiative, sains moralement comme physiquement et qui pourront se mesurer à armes égales avec les nationalités qui vivent à Montréal et évoluer avec aisance dans un milieu où la concurrence est vive. Au niveau sportif, La Casquette dit défendre le « vrai et bon sport », c'est-à-dire le « plus pur » amateurisme. Ses clubs, proclame-t-elle, « ne se mesureront qu'avec les clubs strictement amateurs[24] ». Malgré ces bonnes intentions, elle n'hésitera pas à enfreindre cette règle et ses équipes de baseball et de hockey se joindront à des ligues semi-profesionnelles.

À l'automne 1912, devant l'augmentation et la diversification de ses activités, La Casquette adopte un mode d'organisation plus sophistiqué, mode qu'elle conservera, pour l'essentiel, tout au long de son existence. Elle se dote d'un bureau de direction de douze personnes, élues annuellement

22. *Le Devoir*, 9 décembre 1911, p. 6.

23. *Le Devoir*, 18 octobre 1912, p. 4.

24. *La Presse*, 20 avril 1914, p. 6.

Édifice de La Casquette tel que l'on peut le voir aujourd'hui. Sa construction débute à l'automne 1912 à l'angle de l'avenue du Mont-Royal et de la rue Mentana. La Casquette en prend possession au début de l'année 1913. À l'époque, on écrit que le « style de l'édifice est strictement moderne, aux lignes sévères donnant l'assurance de la solidité absolue ». Cet édifice de trois étages est occupé par une salle de billard et de pool au sous-sol, un cinéma au rez-de-chaussée, un fumoir, une salle de conférence, une salle de lecture, une bibliothèque et des bureaux administratifs au deuxième étage et un vaste gymnase au troisième étage. C'est là que, de 1915 à 1917, Brosseau s'entraîne et donne des leçons de boxe. (Photo prise par Micheline Janson en 2003.)

par les membres réunis en assemblée générale. Elle forme des comités qui dirigeront ses activités. Sur le plan sportif, elle crée des comités de baseball, de crosse, de billard et de pool, de lutte et de boxe, de hockey, de raquette à neige, de toboggan et de gymnastique. Sur le plan culturel, apparaissent les comités d'art dramatique, de bibliothèque, de musique, de danse et des conférences. Certaines tâches administratives sont confiées aux comités des locaux, de réception, de recrutement, de publicité. Il y a aussi un comité de secours mutuels[25]. Chaque année, l'Association tient son grand euchre[26] et son bal, où fraternise une partie de l'élite francophone montréalaise. Face à l'afflux de nouveaux membres et au développement constant des activités,

25. *Le Devoir,* 18 octobre 1912, p. 4.

26. Jeu de cartes très populaire à l'époque et qui se prononce *yoo-ker*.

le local de la rue Papineau s'avère bientôt trop exigu. Au mois de novembre 1912, lors d'une réunion du bureau de direction, la décision est prise de transporter le siège de l'Association dans un bel édifice « actuellement en construction » à l'angle sud-ouest de l'avenue du Mont-Royal et de la rue-Mentana. « L'édifice comprend un vaste sous-sol et trois étages solidement construits en fer, pierre et brique, le tout absolument à l'épreuve du feu [...]. Le style de l'édifice est strictement moderne, aux lignes sévères donnant l'assurance de la solidité absolue[27]. » Entre la fin du mois de février et le début du mois de mars 1913, La Casquette occupe graduellement ce *labarum*[28], comme le désignent certains chroniqueurs et où se regroupera « toute la jeunesse nationale ». Au sous-sol, on trouve les allées de quilles, nouvelle activité pour l'Association, et les tables de billard et de pool. Le rez-de-chaussée est occupé par un cinéma. Le premier étage comprend un fumoir, la salle de conférence, une salle de lecture, la bibliothèque et les bureaux de l'administration. Un vaste gymnase et, chose relativement nouvelle pour l'époque, des bains et des douches occupent entièrement le dernier étage. Les responsables du hockey louent la patinoire Ontario et une entente est conclue avec le « bain » Lévesque, situé angle des rues Marie-Anne et Boyer, pour permettre à la nouvelle section de natation et de polo aquatique de s'entraîner. Après son installation sur la rue du Mont-Royal, naissent de nouvelles sections: course à pied, escrime, « rugby », cyclisme. Chose étonnante pour l'époque, l'Association met sur pied, au mois d'octobre 1913, une section d'aviation[29]. Préoccupée par le développement intellectuel de ses membres, l'Association organise également des « classes spéciales » d'anglais, de dessin industriel, de mathématiques et de comptabilité.

Les sections sportives de La Casquette bourdonnent d'activités. Ses clubs participent régulièrement aux divers tournois et championnats organisés par les autres associations sportives montréalaises, aussi bien francophones qu'anglophones. Ainsi, elle est l'une des rares associations sportives canadiennes-françaises à envoyer ses athlètes à des tournois de la MAAA, la plus importante association de sport amateur du Canada avant la Première Guerre mondiale. Chaque année, ses gymnastes s'inscrivent

27. *Le Devoir*, 14 novembre 1912, p. 4.

28. Étendard sur lequel l'empereur romain Constantin fit placer la croix et le monogramme de Jésus-Christ avec l'inscription « Par ce signe tu vaincras ».

29. *Le Devoir*, 29 octobre 1913, p. 4.

aux épreuves pour l'obtention du trophée Thomas L. Paton, emblème de la suprématie en « gymnastique[30] ». On songe même à envoyer certains des meilleurs aux compétitions internationales de Rome, qui se déroulent au mois de septembre 1913. Ses athlètes participent aux *Caledonians Games* et aux tournois de l'Association athlétique amateure de la police de Montréal. En 1914, La Casquette envoie un de ses coureurs au célèbre marathon de Boston. Le 24 juin 1915, pour relancer les festivités de la Saint-Jean qui battent de l'aile depuis quelques années, elle met sur pied un « festival sportif » qui sera cette année-là la principale activité de la fête nationale. Elle affirme à cette occasion que « cette nouvelle manière de célébrer notre fête nationale est appelée à produire les meilleurs effets : réveiller nos compatriotes et leur inculquer l'amour et le respect d'un corps sain enveloppé d'un esprit clair[31] ». Un grand marathon, gagné par Édouard Fabre, héros du jour au Québec depuis sa récente victoire au marathon de Boston, couronne cette fête qu'on veut voir se répéter tous les ans[32]. Dans les courses en raquettes, un autre fameux coureur et bon boxeur de La Casquette, Eugène Clouette, termine souvent premier. Pour faire connaître ses activités et répandre le goût du sport chez ses compatriotes, l'Association lance, à la fin de l'année 1914, une revue sportive, *Le Bulletin des sports*, qui, espère-t-elle, deviendra « l'organe canadien-français par excellence au point de vue sportif ». Cette revue mensuelle publiera au moins 32 numéros et semble disparaître au mois de novembre 1917[33].

Les choses vont si bien que les dirigeants de La Casquette décident d'abandonner l'édifice de l'avenue du Mont-Royal, dont ils étaient si fiers, pour un bâtiment encore plus vaste. Le projet est évalué à trois cent cinquante mille dollars. Pour financer cette construction, une première émission d'obligations d'une valeur de vingt-cinq mille dollars est lancée au mois de janvier 1914 et trouve immédiatement preneurs. Au mois d'avril, les plans du « nouveau *clubhouse* », préparés par les architectes Morissette et Doucet, sont publiés dans *La Presse*. Ce « temple » sera construit « à l'automne, en face du parc Lafontaine ». L'édifice sera encore plus spacieux que le précédent et, de plus, sera doté d'une grande piscine intérieure. À

30. *La Presse*, 1er mai 1915, p. 13.

31. *Le Devoir*, 10 juin 1915, p. 6.

32. *La Presse*, 25 juin 1915, p. 3.

33. L'auteur possède dix numéros de cette revue pratiquement introuvable, dont le nº 32 de novembre 1917.

cette date, l'Association compte environ 1200 membres, ce qui en fait l'une des plus importantes, sinon la plus importante institution du genre chez les Canadiens français[34]. La guerre, qui commence en Europe le 3 août 1914, l'obligera à suspendre et finalement à abandonner ce projet grandiose. Sauf ce malheureux contretemps, les événements européens qui entraînent l'entrée en guerre du Canada ne semblent pas, au début du moins, affecter le dynamisme de l'Association qui, pour quelques années encore, poursuit son expansion. En 1917, pour fêter son dixième anniversaire, elle lance une vaste campagne pour recruter 1000 nouveaux membres[35]. Cette campagne ne semble pas avoir obtenu le succès espéré. Les difficultés s'accumulent et, au début de l'année 1918, un projet de fusion avec l'AAAN, l'autre grande association sportive canadienne-française, également ébranlée par la guerre, est soumis au bureau de direction. Après de nombreuses discussions, le projet achoppe[36]. Cependant, les dirigeants ne baissent pas les bras et, presque aussitôt après cet épisode, ils se réunissent et adoptent un plan d'implantation de succursales dans toutes les paroisses montréalaises. Mais les brèches causées par la guerre, brèches élargies par l'imposition de la conscription au mois de juillet 1917, forcent l'Association à réduire d'une façon radicale ses activités. Le 16 mai 1918, son président Charles N. Chamberland déclare: «Notre association a actuellement un plus grand nombre de membres engagés dans la grande guerre (c'est le cas d'Eugène Brosseau) qu'il ne lui en reste au pays. C'est à regret que les directeurs [...] sont forcés de fermer pour l'été[37].» Parmi ces «membres engagés», plusieurs seront tués ou blessés. L'une des pertes les plus lourdes pour La Casquette fut celle de René Lefebvre, l'entraîneur de l'équipe de gymnastes depuis 1913, tué à la bataille de Courcelette, le 16 septembre 1916. Après la fermeture de son siège social, à l'été de 1918, La Casquette s'étiole. Elle organise son dernier marathon pour la fête de la Saint-Jean, le 24 juin 1918. Le mois suivant, son club de baseball fusionne avec Le Richmond et L'Athlétique. Une promenade de son club de raquette à l'île Sainte-Hélène, au mois de février 1919, semble être son chant du cygne.

---

34. *La Presse*, 20 avril 1914, p. 6.

35. *La Presse*, 9 novembre 1917, p. 6.

36. *La Presse*, 4 janvier 1918, p. 10; 8 janvier 1918, p. 10; 9 janvier 1918, p. 11 et 11 janvier 1981, p. 6.

37. *La Presse*, 16 mai 1918, p. 6.

Des débuts prometteurs

Eugène Brosseau, lors de son arrivée à La Casquette, s'inscrit à une association sportive et culturelle parmi les plus dynamiques chez les Canadiens français. Une association qui jouit de cadres solides et qui est avantageusement connue. Une association qui, dès 1913, prend part à des tournois et des championnats de boxe importants. C'est là que, très rapidement, il connaîtra ses premières heures de gloire et deviendra l'idole d'un large public. Au moment où il joint ses rangs, probablement au début de l'année 1915, il a 19 ans. Ayant déjà acquis les rudiments du pugilat avec Frankie Fleming, c'est tout naturellement qu'il s'intègre à la section de lutte et de boxe dirigée par Armand Vaillancourt.

Son inscription à La Casquette lui permettra de participer à des tournois de championnat. Dès 1912, La Casquette accordait une large place à la boxe et mettait à la disposition de ses athlètes du ring des ressources importantes. Elle s'efforçait d'engager de bons entraîneurs, par exemple J. Hill, anciennement de la St. Patrick AAA, champion amateur poids léger de Montréal. Chose plus importante encore, elle rassemblait une phalange de jeunes boxeurs talentueux, suscitant parmi eux l'émulation. Déjà au printemps 1913, les boxeurs de l'Association affrontaient, au gymnase de la MAAA, les meilleurs pugilistes des autres clubs montréalais pour le titre de champion amateur de la Cité. Lorsque le jeune Brosseau entre au gymnase de la rue du Mont-Royal, il y trouve un milieu stimulant, une somme de talents et d'expériences et la possibilité de se battre régulièrement devant le public attiré par les soirées de boxe hebdomadaires présentées à l'Association. Il saura en profiter rapidement.

La première mention que nous avons d'un combat public d'Eugène Brosseau est celle de sa rencontre avec un dénommé Thorton, au gymnase de La Casquette, le mercredi soir, 10 mars 1915. Les journaux du lendemain ne désignent pas le vainqueur. *La Patrie* écrit simplement : « Nos jeunes [...] boxeurs ont charmé le public par l'art qu'ils ont mis dans leur travail. » Elle se dit certaine que, dans peu de temps, ces « valeureux gaillards [seront] capables de se défendre avec avantage[38] ». Quelques semaines plus tard, le 9 avril, Brosseau rencontre Goodson. Les journaux ne sont pas plus bavards sur l'identité du vainqueur[39]. Cette discrétion de la presse s'explique aisé-

38. *La Presse*, 10 mars 1915, p. 11 ; *La Patrie*, 11 mars 1915, p. 6.

39. *La Presse*, 9 avril 1915, p. 12.

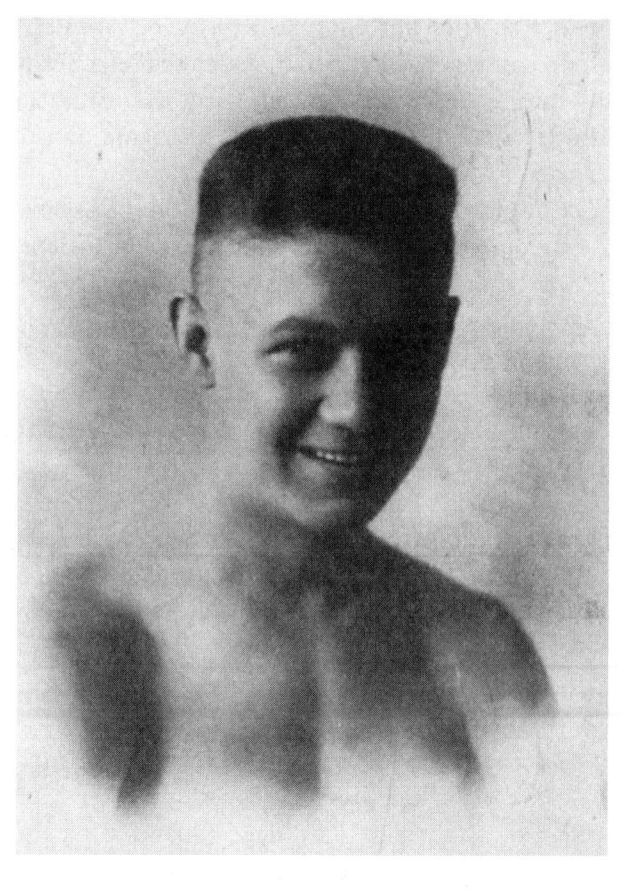

Photo d'Eugène Brosseau au début de sa carrière de boxeur à La Casquette. Nous le voyons ici avec sa fameuse coupe de cheveux « en brosse », qu'il conservera jusqu'à son décès en 1968. Il avait adopté cette coupe, dit-on, pour s'identifier à son idole, le boxeur Mike Gibbons. (Archives de Clément Brosseau.)

ment : Brosseau est encore un inconnu. Les choses vont bientôt changer. Le temps n'est pas loin où ce jeune boxeur fera la manchette. À cette époque, Brosseau s'entraîne tous les soirs pour le tournoi des championnats amateurs de lutte et de boxe de la Cité qui se tiendront sous les auspices de la MAAA le 15 avril. Il essuie une défaite aux mains de Joseph-Albert Rivet, de l'Association athlétique de la police, ce qui n'est pas déshonorant pour une première participation à un championnat[40]. Son inexpérience explique sûrement cet échec. Voilà un peu plus d'un mois, il mettait les gants pour son premier combat en public. Mais Brosseau apprend vite, très vite. Il veut réussir et prend les moyens pour y arriver.

40. *La Presse*, 14 avril 1915, p. 6 ; *Le Devoir*, 16 avril 1915, p. 6. Comme Brosseau, Rivet fréquente Frankie Fleming et, à l'occasion, participe à son entraînement.

Presque aussitôt, une nouvelle occasion de s'illustrer se présente à lui. Les vendredi et samedi 7 et 8 mai, se tiennent en effet, au Westmount Arena (presque à l'endroit de l'ancien Forum), sous les auspices de l'Amateur Athletic Union of Canada (AAUC), les championnats de boxe amateur du Canada.

C'est la première fois dans l'histoire de la boxe au Canada que les championnats amateurs du pays se disputent dans la métropole canadienne. Le journal *La Patrie* parle avec un peu d'exagération d'une « gigantesque entreprise[41] ». Brosseau s'inscrit parmi les premiers à ce tournoi qui verra s'affronter des athlètes de Toronto, de Boston et de Montréal. Des boxeurs de Winnipeg et d'Ottawa avaient promis leur participation, mais ne viendront pas. Pour se préparer, Brosseau s'entraîne avec le champion des poids plumes canadien chez les professionnels, son ami Frankie Fleming. Ce même Fleming, deux semaines plus tard, tiendra tête pendant dix rounds au champion mondial, Freddie Welsh, soulevant l'enthousiasme des 3000 spectateurs rassemblés au parc Sohmer. Les conseils du champion portent fruit et les journalistes qui couvrent le tournoi remarquent une nette amélioration du style de Brosseau depuis les championnats montréalais du mois précédent. Le samedi soir, 8 mai, au Westmount Arena, devant quelques milliers d'amateurs, Eugène Brosseau sort de l'anonymat et décroche ses premiers lauriers d'éclatante façon. Il bat Mark Corets de la Boston AAA par décision des juges, après trois rounds[42]. La bataille a été rude, Corets obtenant l'avantage dans les deux premiers rounds, mais Brosseau livre un troisième round décisif et, se servant avec efficacité de sa gauche, il arrache la victoire. Le même jour, il devait rencontrer Holt, de la Schamrock AAA, mais, ce dernier s'étant brisé une main lors de sa victoire en demi-finale le jour précédent, Brosseau est déclaré vainqueur par défaut. À 19 ans, au début d'une carrière qui sera fertile en surprises, il devient le champion du Canada dans la classe des mi-moyens[43]. Le 21 mai, lors de la clôture de la saison de boxe à La Casquette, pour souligner l'événement, le président Chamberland lui remet une médaille d'or.

41. *La Patrie*, 10 mai 1915, p. 6.

42. Les combats de boxe entre amateurs durent généralement trois ronds de trois minutes chacun, alors que la durée des combats entre professionnels varie beaucoup à cette époque, se situant ordinairement entre 10 et 15 rounds.

43. *La Patrie*, 7, 8 et 10 mai 1915, p. 6 ; *Le Devoir*, 8 mai 1915, p. 8 ; *La Presse*, 10 mai 1915, p. 9.

La notoriété que lui procure le titre de champion canadien pousse les dirigeants de l'Association à l'engager comme instructeur de boxe au mois d'août[44]. Malgré son jeune âge et son peu d'expérience, il a démontré à leurs yeux des qualités exceptionnelles.

La boxe au québec (1835-1915)[45]

Brosseau devient boxeur à un moment clé de l'histoire de la boxe au Québec. En effet, comme dans plusieurs pays, la boxe fut, pendant longtemps, plus ou moins tolérée et souvent carrément interdite au Canada. Dans ce domaine comme dans plusieurs autres, la Première Guerre mondiale allait changer les mentalités. Les autorités militaires, qui voient dans ce sport un excellent moyen d'entraîner les soldats au combat, lui procureront une légitimité sociale inconnue auparavant.

La boxe telle que nous la connaissons aujourd'hui naît en Angleterre au XVIIIe siècle. Elle s'implante sur les rives du Saint-Laurent avec l'arrivée des Britanniques. Dès cette époque, elle provoque la controverse. En 1834, le journal *Le Canadien* souhaite l'interdiction de « cet amusement grossier » qu'il considère comme « une tache sur le caractère anglais[46] ». Par contre, l'année suivante, lors d'un combat au Vieux Théâtre, à Québec, ses partisans parlent de « noble art » et « d'exhibition scientifique » pour la désigner[47] et, dans une conférence prononcée le 7 mars 1848, devant les membres de l'Institut canadien de Montréal[48], sir Étienne-Paschal Taché préconisera son enseignement aux étudiants des collèges classiques. Il y voit un moyen pour la future élite de « se mettre à l'abri des insultes de la basse classe [...] persuadé que notre position sociale nous impose l'obligation de pourvoir avant tout à notre sûreté personnelle[49] ». Selon lui, la pratique de ce sport s'avère également utile « sous le point de vue national, placés

---

44. *Le Devoir*, 26 août 1915, p. 6.

45. Pour une histoire de la boxe au Québec de 1822 à 1922, voir : Gilles Janson, « La boxe au Québec (1822-1922) : de l'illégalité à la légitimité », dans *Bulletin d'histoire politique*, vol. 11, n° 2, p. 87-100.

46. *Le Canadien*, 13 août 1834, p. 1.

47. *Le Canadien*, 21 septembre 1835, p. 2.

48. Étienne-Paschal Taché, « Du développement de la force physique chez l'homme », dans J. Huston, *Répertoire national ou recueil de littérature canadienne, vol. IV*, Montréal, Lovell et Gibson, 1850, p. 362-401.

49. *Ibid.*, p. 384.

Combat de boxe en Angleterre vers 1823. La boxe telle que nous la connaissons aujourd'hui naît en Angleterre au XVIIIe siècle. Jack Broughton en publie les premières règles à Londres, le 16 août 1743. Comme on le voit sur cette gravure, la boxe à ses débuts met en présence des « gentlemen » qui respectaient les règles du sport amateur et considéraient les combats entre professionnels comme un acte vulgaire. On remarquera que les deux adversaires portent des gants de boxe ; il est donc faux de croire qu'avant l'adoption des règles du marquis de Queensberry, en 1891, les pugilistes se battaient toujours à poings nus. (Gravure tirée de *Diorama anglais ou promenade pittoresque à Londres, renfermant les notes les plus exactes sur les caractères, les mœurs et usages de la nation anglaise, prises dans différentes classes de la société*, par M. S…, ouvrage orné de vingt-quatre planches gravées, Paris, Chez Jules Didot l'Aîné, libraire et Baudoin Frères, libraires, 1823. Cet ouvrage est conservé dans la collection des livres rares de l'UQAM, cote YG51.)

comme nous le sommes vis-à-vis d'une autre population qui le tient fort en honneur et le pratique encore davantage[50] ».

L'augmentation de la popularité de la boxe à la fin des années 1870 et les fréquentes protestations que soulèvent les combats amènent les autorités à légiférer. Le 11 février 1881, lors d'un long débat sur cette question à la Chambre des communes, à Ottawa, un député indigné décrit les rencontres de boxe comme « les restes d'un siècle barbare, les reliques d'une époque oubliée […] ; elles sont, dit-il, incompatibles avec l'esprit éclairé du dix-neuvième siècle ». La presse populaire qui se développe alors, se nour-

50. *Ibid.*, p. 372.

rissant de faits divers et de sensationnalisme, fournit à un autre député l'occasion pour fustiger les comptes rendus immoraux « qu'en donnent fréquemment les journaux [...], comptes rendus qui n'ont de l'attrait que pour la classe d'individus qui assistent à ces luttes brutales et démoralisatrices[51] ». À la suite de ce débat passionné, une loi est adoptée le 21 mars 1881[52]. Elle défend, sous peine d'amende ou de prison, toute rencontre où l'enjeu est une somme d'argent, un *prize fight* comme on dit à l'époque, autrement dit, les combats entre professionnels. La boxe amateur, qui, ordinairement, met en présence des « gentlemen » demeure permise. Le 10 janvier 1887, la Ville de Montréal adopte à son tour son propre règlement « pour interdire les représentations de pugilat » sur son territoire[53].

Ce règlement n'empêche pas de nombreux Montréalais de suivre avec un intérêt évident, grâce au télégraphe et aux journaux, les grands championnats qui ponctuent l'histoire de la boxe aux États-Unis. Ainsi, les quotidiens du Québec débordent pendant plusieurs semaines de longs articles relatant le moindre incident entourant la préparation de la rencontre de James J. Corbett, le champion mondial des poids lourds, contre l'aspirant Robert « Bob » Fitzsimmons, à Carson City, au Nevada, rencontre qui aura lieu le 17 mars 1897. Ce combat, qui se déroule au fin fond des États-Unis, suscite des débats acrimonieux dans la presse d'ici, indice d'un intérêt certain pour la boxe chez une large fraction de la population de plus en plus urbanisée du Québec. Pour le journal montréalais *La Minerve*, proche du clergé catholique, ces spectacles sont le signe de « peuples dégénérés » et elle met en garde la jeunesse « sur le scandale du Nevada » qui ne peut que « dégrader l'homme en faisant juger de sa valeur non par la hauteur de son intelligence mais par la force de ses muscles[54] ». Dans la même veine, Rodolphe Le Fort signe un texte d'une hargne peu commune dans les pages de l'hebdomadaire *Le Monde illustré*. Il y compare les spectateurs des combats de gladiateurs de la Rome antique, des êtres débauchés, immondes, puants, infects, comme ceux qui applaudissent les exploits de Corbett et Fitzsimmons. Selon lui, on y entend « les mêmes hurlements de

51. *Débats des communes*, 11 février 1881, p. 991-997.

52. Statuts du Canada, 21 mars 1881, 44 vict., chap. 30, « Acte concernant les combats de boxeurs », p. 178-180.

53. Ville de Montréal, Gestion de documents et archives, *Règlement pour interdire les représentations de pugilat (nº 153)*, 10 janvier 1887.

54. *La Minerve*, 27 février 1897, p. 2.

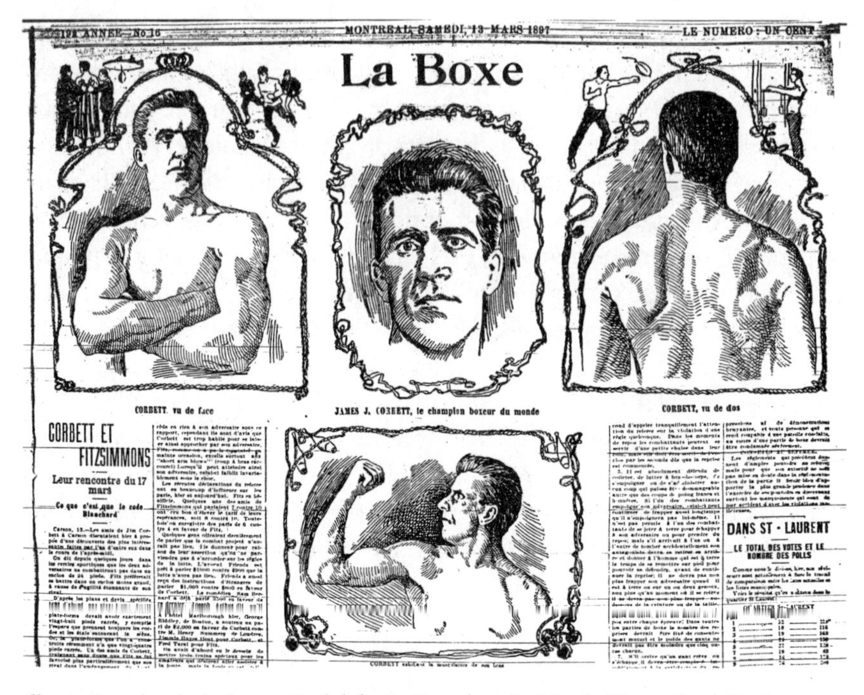

12e ANNÉE — No 16 | MONTRÉAL, SAMEDI, 13 MARS 1897 | LE NUMÉRO : UN CENT

La Boxe

CORBETT, vu de face

JAMES J. CORBETT, le champion boxeur du monde

CORBETT, vu de dos

CORBETT ET FITZSIMMONS

Leur rencontre du 17 mars

Ce que c'est que le code Blanchard

DANS ST-LAURENT

LE TOTAL DES VOTES ET LE NOMBRE DES POLLS

Illustrations incriminées par Rodolphe Le Fort dans *Le Monde illustré*. Pour Le Fort, cet étalage de dos, de poitrines et de biceps n'est qu'« une vilaine et malpropre exhibition de chairs ». Ces dessins paraissent en première page de *La Patrie*. Ils représentent James J. Corbett pris sous différents angles et prouvent la grande place qu'accorde la nouvelle presse populaire à un combat qui, il ne faut pas l'oublier, aura lieu à Carson City, au Nevada, à des milliers de kilomètres des villes de Montréal et de Québec. Pour se dédouaner de relater en long et en large un événement que plusieurs considèrent comme dégradant, les quotidiens *La Patrie*, *La Presse* et *Le Soleil* allèguent qu'ils doivent en parler car tout le monde, même les gamins, commentent ce fameux combat. (*La Patrie*, 13 mars 1897, p. 1.)

fauves, les mêmes cris de bêtes féroces ». Pour lui aussi, les journaux sont les grands responsables de cette dépravation moderne, eux qui illustrent leurs articles avec les dos, les poitrines et les biceps des boxeurs. Devant tant d'horreur, il s'écrit : « Une charcuterie, vous dis-je ! une vraie charcuterie humaine, une vilaine et malpropre exhibition de chairs[55] ». *La Vérité*, journal ultramontain, se joint à ceux qui déplorent que les médias donnent une telle publicité à un événement aussi avilissant. Le journal de Tardivel

55. *Le Monde illustré*, 27 mars 1897, article intitulé : « Corbett-Fitzsimmons », signé Rodolphe Le Fort, p. 755.

s'en prend tout particulièrement à un éditorial de *La Presse* qu'on « dirait [...] rédigé par un juif de sang[56] » et qui conteste la pertinence du règlement municipal de 1887.

Par contre, *La Presse*, journal populaire qui table beaucoup sur la nouvelle, le sport et le fait divers pour augmenter et rejoindre la plus large clientèle possible, écrit dans l'éditorial incriminé par *La Vérité* que « du moment que cette passion [produite par le combat de Carson City] agite les masses au point où les journaux les plus indifférents sont contraints, par leurs intérêts les plus immédiats, de s'occuper de la chose et d'y consacrer chaque jour un espace copieux; du moment que les gamins eux-mêmes s'intéressent à l'événement [...], c'est donc que la masse a raison contre les règlements[57] ». *Le Soleil* de Québec, comme son confrère de Montréal, voit dans le championnat mondial l'occasion d'augmenter son tirage. Toute la capitale étant « sur pied dans l'attente du résultat », il faut donner aux lecteurs ce qu'ils réclament. La stratégie porte fruit et, le lendemain de la rencontre Corbett-Fitzsimmons, les exemplaires décrivant les détails de la fameuse bataille qui enflamme l'Amérique s'envolent rapidement. Preuve supplémentaire de l'engouement provoqué par le combat du 17 mars, l'immense foule rassemblée à Montréal, rue Saint-Jacques devant les bureaux de *La Presse*, et qui suit, minute par minute, grâce au télégraphe, le déroulement de cette lutte épique. Les tenants de l'ordre moral contre-attaquent et la polémique rebondit quelques mois plus tard à propos de la projection cinématographique du célèbre combat. Sous le titre « Un monument de puritanisme », *La Presse* du 3 juin 1897 attaque férocement sir Oliver Mowat qui veut, par un amendement à la loi de 1881, interdire la projection du film du combat de Carson City. Le journal ridiculise l'homme politique qui épouse les idées « d'une foule de vieilles sorcières appartenant à une multitude de sociétés » allant de l'Armée du salut aux sociétés de tempérance[58]. À Montréal, malgré l'opposition du maire Richard Wilson-Smith, le film est projeté au théâtre Queen's,

56. *La Vérité*, 27 mars 1897, p. 2-3. Le journal fait, selon toute vraisemblance, allusion à Jules Helbronner qui était Juif et signait une chronique ouvrière dans *La Presse* sous le pseudonyme de Jean-Baptiste Gagnepetit. L'éditorial de *La Presse* n'est pas signé, mais les deux allusions aux Juifs dans le texte de *La Vérité* nous laissent penser qu'il en est l'auteur.

57. *La Presse*, 17 mars 1897, p. 5.

58. *La Presse*, 3 juin 1897, p. 1.

deux juges ayant persuadé l'avocat de la ville que les règlements municipaux ne défendaient pas ce genre de spectacle. *La Presse* et *La Patrie* s'en réjouissent[59].

Dans la métropole, le règlement de 1887 n'empêche pas la fréquence des rencontres. Les combats ont souvent lieu la nuit, à l'extérieur des limites de la ville, dans des granges ou des maisons abandonnées. Dans les années 1890, les endroits habituellement mentionnés sont les municipalités du Sault-au-Récollet, de Sainte-Cunégonde, de Saint-Henri, de Lachine et de Maisonneuve. Avec l'élection du maire Raymond Préfontaine au début de l'année 1898, la tolérance l'emporte pour quelque temps sur la coercition. Des *prizes fight* ont lieu au parc Sohmer devant des foules importantes[60]. Au mois de mai, la majorité des membres de la Commission de police recommandent d'amender le règlement « de manière de permettre les parties de boxe[61] ». Des pressions de la puissante Citizens' League font reculer l'administration municipale. La présentation de combats professionnels demeure un crime[62]. Cette ligue parviendra même à empêcher la tenue à Montréal des championnats canadiens de boxe amateur à la fin de l'année 1899. Ils auront lieu à Toronto[63].

Devant tant de vigilance, les combats se font rares à Montréal. Les promoteurs déplacent leurs activités vers les villes de Maisonneuve (annexée à Montréal en 1918) et de Québec, où les autorités se montrent plus tolérantes. Dans la capitale, des foules qui dépassent parfois 2000 personnes accourent au parc Savard applaudir les athlètes du ring. *La Presse* publie régulièrement les longues descriptions des combats télégraphiées de Québec, par son « correspondant particulier ». Dans la description qu'il fait, le 16 avril 1902, de la rencontre entre Alf Allan, boxeur professionnel d'Ottawa, et Mike Murphy, de Québec, il affirme que l'événement « fait le sujet de conversation dans tous les cercles de la haute et de la commune

59. *La Presse*, 15 juin 1897, p. 2 et *La Patrie*, 15 juin 1897 et 19 août 1897. Le film sera présenté à Québec, à « la Patinoire de la Grande Allée » le 18 octobre 1897. Voir *Le Soleil*, 15 octobre 1897, p. 4 et 18 octobre 1897, p. 4. Rappelons qu'à cette époque le cinéma en est encore à ses premiers balbutiements. Le premier film projeté au Canada l'a été à Montréal, le 27 juin 1896, au Café-concert Palace, sur la rue Saint-Laurent.

60. Combat devant 3000 personnes au parc Sohmer, *La Presse*, 13 avril 1898, p. 2 ; 10 mai 1898, p. 10 et 12 mai 1898, p. 1.

61. *La Presse*, 26 mai 1898, p. 2 et 5.

62. *La Presse*, 29 mai 1898, p. 6.

63. *La Presse*, 22 novembre 1899, p. 2 ; *La Patrie*, 7 décembre 1899, p. 2.

société». Dans la «foule immense» qui se presse au parc Savard, il a remarqué «des députés, plusieurs de nos *clubmen* les plus en vue, des échevins, des employés civils, des limiers et un chef de police». Il note également la présence de «jolies minois» féminins, attirés, pense-t-il, par Murphy «qui est joli garçon[64]». À Maisonneuve, le chef de police O'Farell organise lui-même un tournoi de boxe au profit des pauvres de la municipalité[65].

Le décès, le 6 avril 1904, à Québec, du boxeur Louis Drolet, lors de son combat contre George Wagner, conduit les autorités à faire respecter la loi. Le lendemain du décès, *La Patrie*, jusqu'alors plutôt partisane de la tolérance et voulant faire oublier ce péché, lance un appel en faveur d'une plus grande sévérité. «Il y a eu mort d'homme hier à Québec, dans une arène de pugilat, écrit-elle. Les parties de boxe sont-elles maintenant permises parmi nous? Le procureur général a-t-il retiré l'ordre qu'il avait donné de ne plus tolérer ces combats dans les limites de la province de Québec? Nous savons que la défense des autorités fut respectée et obéie durant un certain laps de temps à Montréal. Mais comme ce qui était prohibé ici était permis dans la vieille capitale, un relâchement général se produisit. N'a-t-on pas vu à Québec même des ministres provinciaux encourager de leur présence ces exhibitions repoussantes de forces brutales? Espérons que l'issue fatale du match d'hier fournira [...] l'occasion d'édicter de nouvelles mesures prohibitives[66].» Le 13 avril, une rencontre, pourtant munie de l'autorisation du conseil municipal de Maisonneuve, est interrompue par la police sur ordre du substitut du procureur général[67].

Cette interdiction de la boxe professionnelle heurte de nombreux intérêts et va à l'encontre des goûts de larges portions de la population. Les élites sont loin d'être unanimes à trouver pernicieux les effets de ce sport sur la santé des boxeurs et le moral des spectateurs. Dans de telles conditions, il ne faut pas se surprendre d'assister, peu de temps après l'incident mortel de Québec, à la reprise des combats dans certaines petites municipalités du Québec. Sur l'île de Montréal, Maisonneuve autorise et tolère à nouveau les spectacles de boxe sur son territoire. À Montréal même, les élus municipaux ferment souvent les yeux, intervenant si les pressions

64. *La Presse*, 16 janvier 1902, p. 3.
65. *La Presse*, 20 novembre 1902, p. 3.
66. *La Patrie*, 7 avril 1904, p. 4.
67. *La Presse*, 9 et 13 avril 1904, p. 3.

de groupes prohibitionnistes se font trop insistantes. Cette tolérance permet toutes les combines. Au mois de novembre 1913, dans une lettre au *Devoir*, un lecteur dénonce cette situation. Il demande pourquoi des clubs sportifs offrent régulièrement des rencontres de boxe. « Sur quel règlement municipal s'appuient-ils ? Nous l'ignorons. Nous ignorons également pourquoi l'on ferme les yeux [...] sur les agissements de ces organisations, anglaises pour la plupart, lorsque l'on est si sévère et si rigoureux pour les associations de la partie Est », c'est-à-dire la partie francophone. Le signataire qualifie le règlement de 1887 de démodé et « puant le puritanisme à cent lieues à la ronde[68] ». Cette lettre, signée « Boxeur », provient sans doute d'un dirigeant du Club athlétique canadien (CAC), la plus puissante institution de sport professionnel au Québec et où les actionnaires sont très majoritairement francophones[69]. Cette organisation s'intéresse, entre autres, à la lutte, au baseball, à la crosse et possède le club de hockey Le Canadien. En 1913, elle cherche depuis quelques années à investir le monde de la boxe et utilise son influence dans les cercles de pouvoir pour faire amender les lois et règlements qui entravent son essor. Elle soutient une campagne de presse favorable à ce sport et embrigade même un jésuite qui croit la boxe apte à « extirper la bête de l'enfant[70] » et un pasteur protestant qui affirme avec conviction que la boxe a donné à la nation anglaise « son aplomb et sa force[71] ».

Les mentalités évoluent dans un sens favorable aux intérêts des promoteurs. Cependant la police veille, obligeant les promoteurs à être prudents dans l'organisation de combats. La guerre aplanira les derniers obstacles. Le 15 mars 1915, huit mois après le début des hostilités en Europe, la Ville de Montréal modifie son règlement. Les combats publics sont maintenant permis. Aussitôt le journal *L'Autorité* proclame que « d'ici quelque temps la boxe sera aussi populaire que la lutte, le baseball et le hockey » à Montréal et que des foules de huit à dix mille personnes accourront voir les athlètes du ring au parc Sohmer[72]. *La Presse* se montre aussi enthousiaste et souligne les « efforts des grands clubs sportifs » de Montréal,

68. *Le Devoir*, 12 novembre 1913, p. 4.

69. Cette organisation, fondée en 1905, sera juridiquement reconnue le 22 septembre 1908.

70. *La Presse*, 1er décembre 1913, p. 6.

71. *La Presse*, 10 mai 1915, p. 4 ; *Le Soleil*, 11 mai 1915, p. 3.

72. *L'Aurorité*, 28 mars 1915, p. 4.

Bureau de Direction du Club Athlétique Canadien Incorporé

ARTHUR BERTHIAUME, Gérant de la "Presse", Président Honoraire.
HECTOR BISAILLON, Président.
U. P. BOUCHER, Vice-Président.
GEO. W. KENDALL, Secrétaire-Trésorier.

Directeurs :

F. X. DeGRANPRÉ.
N. DORVAL.
RAPHAEL OUIMET.
JOS CATTARINICH.

Quelques-uns des actionnaires du Club Athlétique Canadien Incorporé :

Son Honneur le Maire, J. J. Guerin.
Jos. Tarte, Directeur de "La Patrie".
Dr E.-P. Lachapelle, Contrôleur.
Jos. Ainey, Contrôleur.
A. N. Brodeur, Echevin.
Dr Eudore Dubeau, Echevin.
Jas. Robinson, Echevin.
Georges Marcil, Echevin.
U. H. Dandurand, Echevin.
Hon. Sénateur L. O. David.
Honoré Gervais, M. P.
Robert Bickerdike, M.P.
N. Séguin, M.P.
H. B. Ames, M.P.
Clément Robillard, M.P.P.
Godfroy Langlois, M.P.P.
G. W. Stephens, Commissaire du Port.
Hon. Louis Payette, ancien Maire.
Hon. H. Laporte, ancien Maire.
G. W. Ross, Directeur-Gérant, M. S. R.
Duncan McDonald, Gérant M. S. R.
Dr A. de Martigny.
Dr A. H. Desloges.
Dr J. P. Marin.
Dr Albert Demers.
Dr François de Martigny.
L. P. Deslongchamps, gérant "Le Devoir".
Ludger Gravel.
H. F. Lauzon, Imprimeur.
F. Michaud.
L. G. Beaubien, banquier.
R. R. Monthriand, architecte.
John Black.
Chef Tremblay.
Jean Hudon.
L. G. Beaubien.
L. A. Lussier.
Jos. Bonhomme.
J. W. Wilson.
Georges Brunelle.
St-Amour.
S. L. E. Cuddy, rue Dorchester.
L. E. Ouimet, Ouimetoscope.
A. Morache.
Eug. Tremblay.
A. Côté.
A. Sauvageau.
J. Pélequin.
P. J. McDonough.
H. Plante.
A. P. Pigeon.
A. Leroux.
P. J. O'Neil.
G. L. Shepherd.
A. J. Bussière.
E. H. Carroll.
R. Hurtubant.
A. Gaboury.
W. Barrett.
A. Lamalice.
H. Bertrand.
W. H. O'Donnell.
W. H. Clancy.
N. P. Martin.
J. E. Hébert.
Dr P. Holland.
Dr R. Bonnier.
Dr S. Langevin
Zéphirin Lapierre.
Georges Lapratte.
Albert Cloutier.
P. B. Saint-Marie.
W. Lallel.
Chs. Leclerc.
P. McKenna.
F. Giroux.
O. L. Hénault.
J. P. Gadbois.
E. Bouillon.
P. R. Bisaillon.
L. P. Dufresne.
E. Authier.
L. J. Henrichon.
E. Courteau.
Dr A. H. Deloges.
W. J. Kearns.
G. H. Kendall.
Ed. Lafond.
A. Roy.
R. Bouchard.
F. Delville.
L. Harmant.
W. Mackay.
J. A. E. Gravel.
T. McGuire.
D. Payette.
J. A. Sauvé.
R. Roger.
C. R. Desrochers.
T. Beauchamp.
E. Charron.
F. X. Lachapelle.
W. Savage.
G. Gauthier.
A. Laurier.
J. B. Temple.
S. Forget.
Jos. Bélisle.
J. E. Deslauriers.
J. H. Kant.
A. Chapdelaine.
Geo. Lanouette.
Léo. Bertrand.

LE

CLUB ATHLETIQUE CANADIEN

INCORPORÉ

Capital autorisé	$100,000
Stock ordinaire	50,000
Stock préférentiel	50,000

(Les actions sont de $10.00 chacune, payables 10 p. c. comptant et 10 p. c. tous les trois mois.)

Environ 3,500 actions sont souscrites et un montant approximatif de $20,000 payé.

UN DERNIER APPEL

Il ne nous reste plus que $5,000 dollars environ sur notre émission de $20,000. Nous voulons fermer cette souscription rapidement, c'est pourquoi nous faisons un DERNIER APPEL et une dernière offre à nos amis, donc, à tous ceux qui souscriront et verseront 20 pour cent comptant sur le montant de leurs actions, nous donnerons :

POUR 5 PARTS Une entrée générale au Parc Sohmer à toutes les séances de lutte organisées par le Club.

POUR 10 PARTS — Un siège d'orchestre.

POUR 20 PARTS Un siège d'estrade que l'on pourra retenir pour toute la durée de la saison.

Il ne faut pas oublier que quand les rois du tapis, tels que Hackenshmidt, paraîtront sur la scène du Parc Sohmer, les sièges d'estrade seront portés à 2, 3 et 5 dollars.

Bureaux Provisoires du Club :

Chambre 48, 97 rue Saint-Jacques

TEL. MAIN 4567.

Le soir on peut s'adresser 544 rue Sherbrooke Est.

TELEPHONE EST 3813.

Encart publicitaire du Club athlétique canadien (CAC). Fondé en 1905 par le docteur Joseph-Pierre Gadbois et George W. Kendall – mieux connu sous le nom de George Kennedy – et incorporé en 1908, le CAC, dont les actionnaires sont majoritairement francophones, devient sous l'impulsion de Kennedy la plus puissante institution de sport professionnel au Québec. Le Club se lance dans l'organisation de clubs de baseball, de crosse, de hockey et de rencontres de boxe et de lutte. Dans le domaine du hockey, il possède le club Le Canadien depuis 1910. C'est dans son gymnase situé sur la rue Sainte-Catherine, près de la rue Saint-André, que Brosseau entreprend, en 1914, sa carrière de boxeur et son premier combat comme professionnel, en janvier 1919, sera organisé par George Kennedy. (*Le Nationaliste*, 13 novembre 1910, p. 5.)

responsables, selon elle, de cette nouvelle popularité de la boxe dans la métropole. « Il ne se passe pas une semaine, écrit-elle, sans que nous ayons l'avantage d'assister à une exhibition de pugilat et nous ne craignons pas de dire que ces séances sont intéressantes au plus haut point[73]. » Le 26 mai 1916, le maire de Montréal, Médéric Martin et son épouse rehaussent de leur présence la soirée de boxe organisée par le club Hochelaga. Il était maintenant de mise de voir et de se faire voir à un tel spectacle. La légalisation entraînera la multiplication des clubs et des académies de boxe. Les combats publics prolifèrent.

L'entrée de Brosseau sur la scène sportive se produit au bon moment. Grâce à la guerre, la boxe acquiert le statut d'un sport socialement acceptable. Sans cette légitimité sociale, il est difficile d'imaginer ce nouveau champion dans la peau d'une vedette applaudie par le public francophone et anglophone. En effet, il est peu probable qu'un athlète pratiquant un sport illégal et contesté par plusieurs acteurs sociaux influents puisse devenir l'idole de milliers d'amateurs. Le nouveau contexte créé par la légalisation de la boxe permettra l'épanouissement de son immense talent et de sa popularité.

Parti pour la gloire

Dès ses débuts dans le ring, Brosseau prouve qu'il a l'étoffe d'un champion. Grâce à ses aptitudes, il décroche immédiatement le poste d'entraîneur à La Casquette, où tous les vendredis soirs il travaille à la formation de futurs champions. Avec les récents amendements apportés aux règlements municipaux, une carrière de boxeur professionnel n'est plus nécessairement synonyme de combats plus ou moins clandestins, de maigres gains financiers et n'entraîne pas la réprobation de la majorité de la population. Il n'est donc pas étonnant que Brosseau ait songé sérieusement, pendant un moment, à devenir professionnel. L'abolition de la répression pousse plusieurs associations sportives à organiser des tournois de boxe professionnelle. Les promoteurs cherchent de nouveaux athlètes à présenter aux spectateurs toujours plus nombreux et souvent plus exigeants. L'obtention du titre de champion canadien attire sur Brosseau les regards de l'important promoteur sportif et gérant du Club athlétique canadien (CAC),

73. *La Presse*, 15 décembre 1915, p. 11.

George Kennedy. Il faut se rappeler que Brosseau commença son entraînement comme boxeur au CAC en 1914. À l'été 1915, ils fréquentent tous les deux le Club nautique de Longueuil et c'est peut-être à cet endroit que Kennedy réussit à le persuader d'embrasser une carrière professionnelle. Kennedy a-t-il reçu l'aide de Frankie Fleming pour emporter la décision ? C'est fort possible, car l'ami de Brosseau se bat à l'occasion sous les auspices du CAC. Toujours est-il que les journaux annoncent bientôt les débuts de Brosseau comme boxeur professionnel. Il doit rencontrer, le 13 octobre 1915, le « fameux » Tommy Ryan, de Lancaster, au gymnase du CAC. *Le Devoir* croit que ce combat, qui verra « le début d'un Montréalais dans l'arène professionnelle », sera sensationnel et l'attend avec impatience. *La Presse* de son côté prédit que les débuts de Brosseau comme professionnel « ménagent des surprises ». Le jeune boxeur cause en effet toute une surprise. Le soir du combat, il brille par son absence. Une semaine plus tard, à la suite des commentaires désobligeants causés par son désistement de dernière minute, il sent le besoin de s'excuser. Il écrit une lettre à Albert Laberge, responsable de la page sportive de *La Presse*, dans laquelle il dit qu'après « mûre réflexion [il a] momentanément renoncé au projet de devenir professionnel[74] ». Il assure « que ce n'est pas la peur » qui a guidé sa décision, « mais bien un cas de force majeure ». Il est difficile d'expliquer ce dénouement, car, à l'automne de 1915, ses liens avec le monde de la boxe professionnelle sont multiples. Non seulement il fréquente Kennedy et Fleming, mais il participe aussi à l'entraînement de deux boxeurs professionnels : Johnny Lore et le Juif new-yorkais Johnny Lustig, venus se battre à Montréal. Comme Brosseau étudie à cette époque la médecine vétérinaire à l'université, on peut présumer qu'il a voulu donner la priorité à ses études en renonçant « momentanément » à une carrière de boxeur professionnel. Il faut aussi savoir qu'en 1915 le professionnalisme dans le sport est encore dévalorisé au profit du sport amateur, considéré par plusieurs comme le seul « vrai et bon sport ». Cette conception était particulièrement répandue parmi une partie des élites, entre autres dans le milieu universitaire qu'il fréquente. De plus, il espère, malgré la guerre, participer aux Jeux olympiques prévus pour 1916. Cependant, la tentation a été forte.

---

74. *Le Devoir*, 9 octobre 1915, p. 8 ; 13 octobre 1915, p. 4 et 14 octobre 1915, p. 6 ; *La Presse*, 8 octobre 1915, p. 6 ; 11 octobre 1915, p. 3 ; 13 octobre 1915, p. 11 et 20 octobre 1915.

Après ce flirt avec le professionnalisme, Brosseau retourne, pour quelques années, chez les amateurs. Un journal anglophone de Montréal le félicite de cette sage décision. Dans les premiers mois de l'année 1916, il se maintient en forme en participant à quelques tournois organisés par La Casquette. L'Association de l'avenue du Mont-Royal semble éprouver de la difficulté à trouver des adversaires à la mesure de son champion. La MAAA ayant décidé, à cause de la guerre, de ne pas présenter le tournoi pour les championnats de la Cité, La Casquette organise le sien les 8 et 15 mars. Hughes, de la MAAA, qui devait rencontrer Brosseau lors de ce « festival athlétique », se désiste le soir du combat. Brosseau est déclaré vainqueur par défaut[75].

À ce moment-là, une nouvelle chance de s'illustrer sourit à Brosseau. On se rappellera que, lors des championnats canadiens du mois de mai 1915, il avait décroché le titre de champion canadien, en battant Mark Corets, le représentant de la Boston AAA. Lorsque George W. Brown, directeur de cette association, organise, pour les 3 et 4 avril 1916, le « National Amateur Boxing Championship » des États-Unis, au Mechanic's Hall de Boston, c'est tout naturellement qu'il pense au champion amateur canadien de la catégorie des mi-moyens. Le 22 mars, il écrit une lettre à Charles N. Chamberland, sollicitant la présence de boxeurs de La Casquette[76]. Il se dit prêt à payer le voyage — 16,15 $ aller et retour, selon une note griffonnée sur la lettre. Le dimanche 2 avril, les boxeurs Jos. Chevalier et Eugène Brosseau, accompagnés d'Armand Vaillancourt, le directeur du Penthatlon, et de Lucien Riopel, l'un des directeurs de La Casquette, prennent le train pour Boston. Brosseau et Chevalier se sont minutieusement préparés grâce à l'aide de l'entraîneur Harry Tompkins et aux conseils d'Armand Vaillancourt.

Pour la première fois de sa jeune carrière, Brosseau quitte sa ville natale. Il ne se rend pas outre-frontière pour rencontrer un obscur boxeur, dans une petite ville de la Nouvelle-Angleterre, mais pour se battre à Boston, pour le titre de champion amateur des États-Unis. L'événement rassemble près d'une cinquantaine de boxeurs regroupés dans huit catégories, allant des athlètes de 105 livres aux poids lourds. Ces hommes proviennent d'une vingtaine de villes différentes, dont deux villes cana-

75. *Le Devoir*, 1er mars 1916, p. 4 ; 8 mars 1916, p. 4 ; 9 mars 1916, p. 8 et 14 mars 1916, p. 4 ; *La Patrie*, 2 mars 1916, p. 2.

76. Archives de Clément Brosseau, fils d'Eugène.

BOSTON ATHLETIC ASSOCIATION
EXETER STREET, BOSTON, MASS.

ATHLETIC DEPARTMENT

THOMAS J. HALPIN, CAPTAIN

GEORGE V. BROWN, MANAGER

March 22nd, 1916.

Mr. Charles M. Chamberlaine,
#510 Ave. Mont-Royal Est.
Montreal, Canada.

Dear Sir:

Will you kindly advise me at once how much expenses Eugene Brosseau, your Canadian 145 lb. champion, would want to come to our National Boxing Championships on April 3rd and 4th. Kindly advise me before Saturday, March 25th.

Very truly yours,

Geo V Brown

$16,15 aller et retour

Lettre de George W. Brown, directeur de la Boston Athletic Association, à Charles N. Chamberlaine (sic) lui demandant d'autoriser Eugène Brosseau à participer aux National Boxing Championships qui auront lieu à Boston les 3 et 4 avril 1916. On y apprend, grâce à une note griffonnée sur la lettre, que le voyage aller et retour Montréal-Boston coûtait 16,15 $. Charles-N. Chamberland avait sans doute rencontré Brown lors du tournoi des championnats canadiens de boxe amateur tenus à Montréal, les 7 et 8 mai 1915. Des boxeurs de Boston participaient à ces championnats. Le directeur de La Casquette fera appel aux services de Brown en février et mars 1917 pour trouver un adversaire digne de Brosseau. (Archives de Clément Brosseau.)

diennes : Montréal et Toronto. Pour Montréal, seuls les boxeurs de La Casquette figurent au programme. Un journal montréalais souligne fièrement qu'il s'agit des seuls représentants « de nationalité canadienne-française ». On imagine aisément la pression pesant sur les épaules du jeune athlète de vingt ans, qui compte à peine un an d'expérience et qui devra combattre sans les encouragements de son public habituel. Comment réagira-t-il ? Saura-t-il résister à la pression et garder son sang-froid ? Ses admirateurs sont vite rassurés. Dès le premier soir du tournoi, il défait facilement l'Italien A. Colianni, de Pittsburgh. Il l'expédie au tapis au début du deuxième round. Le même soir, il arrache la décision dans sa rencontre avec Martin Burke, de la Catholic AAA, de La Nouvelle-Orléans, dont le style s'apparente, selon les analystes, à celui de l'ancien champion mondial des poids lourds, Bob Fitzsimmons. C'est couvert de sang, l'arcade sourcilière de l'œil droit fendue et une joue déchirée, que Burke quitte l'arène après les trois rounds réglementaires. Le lendemain, 4 avril, Brosseau poursuit sur sa lancée. Il fait d'abord face à celui que les connaisseurs considèrent comme l'un des meilleurs boxeurs amateurs mi-moyens des États-Unis, Roy Helton, de Kansas City. Eugène triomphe au terme d'un combat très dur. Selon les journalistes de Boston, il s'agit du combat le plus furieux — certains parlent de sauvagerie — jamais vu dans une rencontre d'amateurs à Boston. Tous sont unanimes pour proclamer qu'il s'agit de l'événement de la soirée et du meilleur combat des cinquante-trois livrés au cours du tournoi. Après cette victoire difficile, seul M. Stark, champion de la ville de New York, se dresse entre Brosseau et le championnat. À la fin d'un combat « animé » de trois rounds, où le Montréalais n'a jamais été véritablement en danger, les juges lui accordent la victoire. Les milliers de spectateurs présents applaudissent à l'annonce du verdict.

Le jeudi matin, 6 avril, le jeune boxeur souriant qui descend du train à Montréal transporte dans ses poches la grosse médaille d'or du champion et détient maintenant le titre de champion amateur mi-moyen (145 livres) d'Amérique. Revenu parmi ses compatriotes, il tient à exprimer sa gratitude aux Bostoniens pour leur chaleureuse réception et particulièrement aux journalistes américains qui lui ont consacré de nombreuses colonnes. Que de chemin parcouru en si peu de temps ! À son arrivée en sol canadien, un journaliste, emporté par l'enthousiasme, écrit : « Eugene from Montreal is about the best 145 pounds amateur boxer that the North American continent has. » Il ajoute que tous ses confrères de Boston voient en Brosseau « the best in his class that they have seen in a long time ». Cette reconnaissance par des « étrangers » rehausse son prestige chez les siens. Pour Édouard-Charles Saint-Père, rédacteur sportif au journal *Le Canada*, Brosseau, en balayant tous ses adversaires, a prouvé que les Canadiens français sont de vrais hommes[77]. Après la conquête de ce championnat, la réputation de l'athlète de La Casquette atteint un public plus large. Elle traverse la frontière américaine et surprend les amateurs de Toronto. Selon le *News*, ces derniers doivent dorénavant admettre que les talents pugilistiques canadiens ne sont pas tous concentrés dans la Ville Reine[78].

Brosseau ne reste pas longtemps à se croiser les bras. À Boston, immédiatement après son triomphe, il est pressenti par les organisateurs de la fête du 250e anniversaire de la ville de Newark, au New Jersey, venus dans la capitale du Massachusetts pour convaincre les champions du tournoi de se rendre chez eux pour se battre les 19 et 20 mai prochain. Brosseau accepte immédiatement. Mais, pour des raisons que nous ignorons, le projet tombe à l'eau.

Le jour même du retour de Brosseau dans la métropole canadienne, Charles N. Chamberland recevait une lettre de Norton W. Crow, secrétaire de l'AAUC. Crow félicite La Casquette pour les succès de son boxeur à Boston et demande à son président d'envoyer Brosseau défendre son titre de champion canadien des mi-moyens[79]. Les championnats auront lieu à l'aréna de Toronto, les vendredi et samedi 21 et 22 avril. Dès le 7 avril, le *Toronto Star*, commentant la victoire de Brosseau à Boston, écrit : « Eugène Brosseau *l'Habitant* de Montréal est apparemment un très bon boxeur. Sa prochaine apparition à Toronto attirera sans doute beaucoup de monde. » Ici, la politique, qui n'est jamais bien loin, rejoint le monde du sport. Les multiples victoires de Brosseau deviennent la revanche d'un peuple qui se sent humilié. Rappelons-nous que l'adoption du règlement XVII, au mois de juin 1912 qui à toutes fins utiles abolit les écoles « bilingues » dans la province voisine, et les attaques répétées de nombreux Anglo-Canadiens contre la tiédeur des Canadiens français à s'enrôler dans l'armée pour aller combattre en Europe ont rendu la fibre patriotique de ces derniers très

---

77. Sur les championnats de Boston, voir : *La Presse*, 29 mars 1916, p. 6 ; 4 avril 1916, p. 6 ; 5 avril 1916, p. 10 ; 6 avril 1916, p. 5 ; *Le Canada*, 1er, 6, et 7 avril 1916, p. 2 ; *La Patrie*, 5 avril 1916, p. 6 ; *Le Bulletin des sports*, avril 1916, p. 10-11. Pour les articles en anglais, nous avons les coupures de journaux conservées par Clément Brosseau. Malheureusement, ces articles sont datés, mais ne mentionnent pas le titre des journaux. Il s'agit de journaux de Boston et de Montréal (sans doute le *Montreal Herald* et le *Montreal Star*).

78. Article du *News* de Toronto, cité en anglais dans *Le Canada*, 7 avril 1916, p. 2.

79. Lettre de N. H. Crow à Chas. N. Chamberlain (sic), 6 avril 1916, archives de Clément Brosseau.

sensible. Ce contexte explique en partie qu'un journaliste du *Canada* ait réagi vivement à l'expression « apparemment un bon boxeur ». Il se dit persuadé de la victoire de Brosseau « si la police ne saute pas dans l'arène pour empêcher ce *bilingue* de rosser ses rivaux ». Il ajoute : « Brosseau cogne et cogne dur, en Habitant, quoi ! » Après la victoire du jeune Montréalais, le *Globe* de Toronto avoue que ses rivaux « se sont sauvés à son approche ». Cette affirmation réjouit les compatriotes de Brosseau. C'est là, dit-on, un aveu qui « fera énormément plaisir à tous ceux qui savent que les athlètes canadiens-français ont toujours tenu leur bout à Toronto. Après le club de crosse National et l'équipe de hockey du Canadien, nous voici avec un pugiliste qui n'a pas froid aux yeux. Les *bilingues* vont assurément très bien[80] ».

Mais, pour l'instant, nous n'en sommes pas encore là. Une semaine après l'invitation de l'AAUC, Brosseau hésite encore à se rendre à Toronto, où les amateurs souhaitent pouvoir admirer son style rapide et rude. Finalement, accompagné de son fidèle entraîneur Armand Vaillancourt, il prend le train pour la capitale ontarienne. Son arrivée sur les rives du lac Ontario provoque un vent de panique. Un journal local confesse : « Most of the Toronto boxers dropped out of the tournoi rather than meet Brosseau. » Cette situation se confirme le vendredi 21 avril, lorsqu'un dénommé Russell, au lieu d'affronter le boxeur montréalais, se découvre une maladie opportune et lui accorde par le fait même une victoire par défaut. Le lendemain, H. Taylor, un militaire noir du 95e régiment, s'avère une proie facile. Selon le journal *La Patrie*, l'entrée de Brosseau dans l'arène « fit reculer d'épouvante le soldat ». Ce dernier essaya bien quelques feintes mais, au deuxième round, « un formidable coup de poing à la mâchoire le fit rouler » au pays des rêves, abrégeant ainsi « son supplice ». Le *Montreal Herald* confirme que Brosseau a conservé son titre de champion canadien à 145 livres « with ridiculous ease ». Deux semaines plus tard, l'AAUC condamne le « manque d'esprit sportif » et suspend les boxeurs qui, impressionnés par la réputation de l'athlète montréalais, ont fui l'arène. Avec ce triomphe facile — sans gloire diront certains — le boxeur de La Casquette continue à accumuler les médailles d'or : sa quatrième depuis son entrée dans l'univers de la boxe voilà un an à peine[81]. Après son passage à Toronto,

80. *Le Canada*, 7 avril 1916, p. 2.

81. *Le Canada*, 12 avril 1916, p. 2 ; *Le Devoir*, 14 avril 1916, p. 4 ; *La Patrie*, 12, 24 avril et 10 mai 1916, p. 6 ; *The Montreal Herald*, 24 avril 1916 ; *The Montreal Star*, 24 avril 1916.

des commentateurs de cette ville le considèrent comme le meilleur boxeur amateur de sa catégorie sur le continent.

De retour à Montréal, Brosseau, espérant peut-être atténuer les propos de ceux qui, parmi ses compatriotes, considèrent ses succès à Toronto comme la douce revanche d'un peuple injustement traité, se déclare très satisfait de l'accueil reçu dans la Ville Reine. Il souligne l'empressement particulier de la direction de l'AAUC à son endroit et la réception royale offerte par les amateurs de Toronto[82]. C'est à ce moment-là que, malgré ses coups de poings dévastateurs, s'esquisse sa réputation d'homme courtois. Le temps n'est pas loin où Peter Spanjaardt, *sport editor* au *Montreal Star*, lui décernera le titre de *Gentleman Gene*, surnom que reprendront tous les journalistes sportifs, qu'ils soient de langue anglaise ou française[83].

Après les succès remportés à Boston et Toronto, Brosseau devient de plus en plus, pour les organisateurs de compétitions de boxe, la locomotive publicitaire, l'attraction principale pour remplir les salles. Un exemple : lorsque les militaires du 65e régiment (Fusiliers Mont-Royal) organisent, le jeudi 11 mai 1916, une soirée au profit du régiment, ils insistent dans leur publicité sur la présence de Brosseau au programme[84].

En cette période de guerre, les militaires font sentir de façon significative leur présence dans le monde de la boxe. Avec l'aval de la MAAA qui, pour le temps du conflit mondial, abandonne la compétition sportive, les Irish Canadian Rangers (199e régiment) reçoivent de la puissante association le mandat d'organiser les championnats de boxe amateur de la Cité. Lors de la réunion des principales associations sportives montréalaises au siège social de la MAAA, rue Peel, les personnes présentes souhaitent ardemment que Brosseau accepte de participer à ces championnats. Sa présence, pensent-ils, augmentera le nombre de spectateurs et les inscriptions des boxeurs. Comme les responsables croient que des milliers d'amateurs se bousculeront pour assister au tournoi, ils délèguent le lieutenant McEvenue, des Irish Canadian Rangers, auprès du Conseil municipal de Westmount afin d'obtenir la permission d'utiliser l'aréna, l'un des rares endroits couverts sur l'île de Montréal pouvant accueillir de grandes foules. Westmount accepte que les championnats y soient présentés le samedi 27 mai. Le dernier combat devra cependant être terminé avant minuit, car

---

82. *La Presse*, 24 avril 1916, p. 11.

83. *The Montreal Star*, 6 août 1958, p. 40.

84. *La Presse*, 9 mai 1916, p. 10.

les règlements de la municipalité défendent, entre autres, toutes activités sportives publiques le jour du Seigneur[85].

Brosseau consent, sans se faire prier, à rehausser de sa présence le prestige des championnats locaux. Quelques jours avant leur présentation, un événement fortuit lui fournira l'occasion de mettre les gants contre un excellent boxeur professionnel, populaire à Montréal, « le petit Juif de New York, » Eddie Wallace qui doit se battre le 23 mai, au parc Sohmer, contre le champion du monde des poids plumes, Johnny Kilbane. Après une séance d'entraînement au gymnase du CAC, Wallace remarque un jeune homme qui suit avec intérêt ses moindres mouvements dans l'arène. Il lui lance un « come on kid [...] and we'll see what you can do ». Le boxeur s'exécute et saute dans le ring. Quelques rounds plus tard, Wallace a fait un voyage au plancher ; il a les deux yeux tuméfiés et le visage enflé. Après le passage de la tornade, il demande qui est ce boxeur. C'est Brosseau, répond un membre de son équipe. Lorsque, le lendemain, Wallace, accompagné de George Kennedy, se rend au parc Atwater lancer la première balle à une partie de baseball, un journaliste ironique s'amuse de son costume brun, de son chapeau gris, de sa chemise rose, de ses bottes de cuir avec bordure mauve qui se marient parfaitement avec ses yeux que les coups de poings de Brosseau ont colorés de mauve et de vert. Le reporter qualifie le style du boxeur amoché, de « post-post impressionniste[86] ».

À la mi-mai, Brosseau annonce son intention de passer de la catégorie des poids mi-moyens à celle des poids moyens (158 livres). Il trouve de plus en plus difficile d'atteindre et de conserver le poids de 145 livres. Il avoue que, lors des tournois de Boston et de Toronto, la nécessité de s'astreindre à une diète sévère l'a affaibli et a gâché son plaisir de boxer. Si le succès ne suit pas son passage dans une catégorie supérieure, il affirme qu'il abandonnera la boxe. À cette occasion, il doit encore se défendre contre la rumeur qui veut qu'il joigne les rangs professionnels. Pure fabulation, prétend-il[87].

Le 27 mai, journée des championnats de Montréal, plus de quarante boxeurs, provenant d'une quinzaine de clubs et associations, figurent au

85. *Le Devoir*, 27 mai 1916, p. 8 et 29 mai 1916, p. 4.

86. *News* (Toronto), 23 mai 1916. Article intitulé : « For a Really Chic Scheme Apply to Mr. E. Wallace, the Only Ultra-Modern Box Fighter » ; *The Montreal Star*, 23 mai 1916.

87. Coupure d'un journal anglophone, datée du 15 mai 1916, qui provient des archives de Clément Brosseau.

programme. Brosseau s'inscrit dans les catégories des poids mi-moyens et des poids moyens. Jugé trop lourd lors de la pesée réglementaire, il boxera désormais chez les moyens. Devant une belle assistance, où les soldats sont nombreux, il défait facilement, en demi-finale, Chadwick, des Irish Canadian Rangers. Après moins d'une minute, l'arbitre arrête le combat, l'Irlandais « étant fini ». En finale, la tâche sera beaucoup plus ardue. W. E. (Billy) Hughes, de la MAAA, s'avère un adversaire coriace. Dès le premier round, Brosseau se lance à l'attaque avec impétuosité et envoie Hughes au tapis d'un dur coup à la mâchoire. Ce dernier se relève immédiatement et, se rendant compte qu'il fait face à un boxeur intelligent et puissant, se montre moins téméraire dans les deux rounds suivants. Il se défend avec habileté et acharnement. Par une décision controversée, les juges accordent finalement, par une faible marge, la victoire à Brosseau. Si les journalistes et les spectateurs sont divisés sur le verdict rendu, tous considèrent le tournoi comme l'un des meilleurs jamais présentés à Montréal et la majorité d'entre eux décrivent le combat Brosseau-Hughes comme l'événement de la soirée. Dans son papier, le rédacteur sportif Elmer W. Ferguson, du *Montreal Herald*, remarque que Brosseau, nouveau champion poids moyen de Montréal, s'est grandement amélioré depuis le dernier championnat de la ville en 1915. Il possède, écrit-il, une gauche efficace, une défense solide et il cogne dur[88].

Au moment où Brosseau devient boxeur, la saison de boxe s'étend de l'automne au printemps. Durant l'été, notre boxeur s'adonne aux travaux des champs chez des parents, à La Prairie. Il garde la forme en pratiquant différents sports : marche et course à pied, natation dans le Saint-Laurent, entraînement régulier. Il fréquente le club nautique de Longueuil. À l'été de 1916, il participe à une course en canot de 12 milles, organisée par ce club. Les cinq équipages qui s'affrontent parcourent la distance Longueuil-Boucherville, font du portage dans les îles de Boucherville et remontent le fleuve jusqu'à Longueuil. Brosseau et son coéquipier, Owen Masson, terminent seconds.

L'automne revenu, il remet les gants et livre, lors de différents événements sportifs, des combats à des adversaires qui souvent ne font pas le

88. *Le Devoir*, 27 mai 1916, p. 8 et 29 mai 1916, p. 4 ; *La Presse, 29* mai 1916, p. 10 ; *The Montreal Herald*, 29 mai 1916.

Les gagnants d'une course en canot de 200 milles. Comme on le voit, Brosseau était un passionné de tous les genres de sport. Il jouait, entre autres, au baseball, au hockey, au water-polo et il fut l'un des premiers athlètes à faire du ski aquatique au Québec. (*La Presse*, 19 juillet 1916.)

poids. Ainsi, à la fin du mois d'octobre 1916, il paraît au *smoking concert*[89] de la Stanley AAA, au coin des rues Bélanger et Christophe-Colomb. « Bob[90] » Labelle, ex-champion professionnel poids moyen du Canada, qu'on lui impose comme adversaire, est une proie facile. Le jeudi soir, 16 novembre, cette fois au « concert-boucane » organisé par le club de baseball de La Casquette, il fait face à nouveau à Labelle. Le gymnase de l'avenue du Mont-Royal est bondé. Plus de 500 personnes voient l'athlète de La Casquette remporter la victoire « sans avoir trop à se dépenser ». Les profits

89. Les journaux de langue anglaise parlent de *smoking concert* et ceux de langue française de « concert-boucane ». Lors de ces soirées, on distribue tabac, cigares et cigarettes. On peut y voir le même soir des rencontres de lutte et de boxe, des tours de force, des acrobaties et y entendre des chants, des concerts, des « déclamations ».

90. Les anglophones le surnomment « Bob » Labelle et les francophones le nomment Ovila Labelle.

de la soirée sont divisés entre le club de baseball et le 178e régiment canadien-français récemment formé. Pour Xiste E. Narbonne, rédacteur sportif du *Devoir*, cette victoire confirme, une fois de plus, que Brosseau « est un pugiliste de premier ordre, fort, scientifique, rapide et courageux ». Il vante son « coup de poing terrible » et son « jugement parfait ». Avec des armes pareilles, il se dit assuré « que notre champion amateur décrocherait en peu de temps le championnat mondial des poids mi-moyens s'il acceptait d'entrer dans les rangs professionnels[91] ».

C'est justement ce relent de professionnalisme qui flotte autour de Brosseau qui amène l'AAUC, section Québec, à se pencher sur son statut d'amateur. À cette époque, les règles régissant l'amateurisme sont très strictes et toute rencontre sportive d'un amateur avec un professionnel conduit à l'expulsion du fautif des rangs amateurs. Or, le jeune boxeur montréalais a fauté deux fois plutôt qu'une depuis le début de sa carrière. Plusieurs observateurs lui prêtent d'ailleurs l'intention de devenir professionnel. Le 27 novembre, réunis au siège de la MAAA, les dirigeants de l'AAUC hésitent à condamner celui qu'ils considèrent comme le boxeur amateur le plus prometteur du Canada. Finalement, ne demandant qu'à être convaincus de la bonne foi de Brosseau et se rendant vraisemblablement aux arguments de Charles N. Chamberland, président de La Casquette, qui allègue que les profits du « concert-boucane » furent versés à une œuvre éminemment patriotique en ces temps de guerre, le soutien d'un régiment canadien-français, ils déclarent le « champion d'Amérique » exempt de toute tache de professionnalisme[92].

Au moment où tombe le verdict, Brosseau accède à de nouvelles responsabilités au sein de La Casquette. En effet, à l'automne de 1916, le Penthatlon, club sportif de l'Association, subit une réorganisation complète et son athlète vedette est nommé conseiller au comité de direction du club, en plus d'occuper la fonction de professeur de boxe. Cette nomination prend une importance particulière quand on sait que l'AAUC vient de confier à La Casquette la responsabilité d'organiser les championnats de boxe amateur de la Cité, championnats qui auront lieu au printemps de 1917 : une première pour une association sportive canadienne-française.

---

91. *La Presse*, 8 novembre 1916, p. 6 ; 16 novembre 1916, p. 7 et 17 novembre 1916, p. 6 ; *Le Devoir*, 16 et 17 novembre 1916, p. 6.

92. *Le Devoir*, 28 novembre 1916, p. 4.

On compte bien mettre à contribution les talents multiples de Brosseau dans l'organisation de cet événement[93].

À La Casquette, tous veulent profiter des qualités physiques exceptionnelles du jeune prodige. Comme Brosseau « est un bon patineur » et possède « une certaine expérience au jeu de hockey », Lucien Riopel lui demande de jouer pour le club de l'Association, convaincu qu'il rendra « de précieux services » à l'équipe. Brosseau accepte avec empressement mais, pour des raisons que nous ignorons, il est absent de l'alignement lorsque la saison commence[94].

Peut-être a-t-il décidé de consacrer toutes ses énergies à sa passion principale : la boxe. Toujours est-il qu'après les émotions causées par les accusations de professionnalisme Brosseau se mesure, le 18 décembre, à un excellent boxeur qu'il connaît bien pour l'avoir déjà affronté deux fois, W. A. (Billy) Hughes, de la MAAA. Nous ne connaissons pas le résultat de cette rencontre[95].

1917, l'année de San Francisco

Au début de l'année 1917, toutes les ressources de La Casquette sont employées à l'organisation des championnats de lutte et de boxe amateurs de Montréal qui auront lieu les 18 et 19 avril au parc Sohmer. Pour préparer les boxeurs de l'Association, Brosseau donne ses cours trois soirs par semaine, alors qu'en temps ordinaire il n'enseigne que le vendredi soir. Un journaliste qui assiste à une séance d'entraînement déclare que la boxe enseignée avec intelligence vaut la peine d'être vue. Il vante les effets bénéfiques des exercices sur ses compatriotes. « Rien ne vaut, dit-il, l'excellente pratique des sports pour faire de nos jeunes hommes de superbes types dont la souplesse et l'endurance n'ont d'égale que la maîtrise avec laquelle [ils] dirigent et commandent les mouvements de leurs muscles. » La boxe telle qu'elle est enseignée et pratiquée par Brosseau devient pour certains observateurs « une école de discipline, d'énergie, de contrôle de soi-même, une école pour apprendre à affirmer sa volonté ». Les visiteurs qui entrent au gymnase de l'avenue du Mont-Royal s'imprègnent d'une atmosphère où les muscles saillent, les torses ruissellent, les poitrines sifflent et où

93. *La Presse*, 5 décembre 1916, p. 6.
94. *La Presse*, 21 novembre 1916.
95. *La Presse*, 13 et 18 décembre 1916, p. 6.

s'épanouit, sur le visage des boxeurs, un sourire de satisfaction. Les cours dispensés par Brosseau se révèlent si efficaces que le *Montreal Daily Star* reconnaît que les boxeurs de La Casquette « were in far better physical condition and training than any of the other competitors[96] ».

À cette époque, Brosseau est déjà si populaire que plusieurs organisations sportives se l'arrachent et se servent de son nom pour attirer les amateurs de boxe aux événements qu'elles présentent. La Casquette doit intervenir. Elle rappelle que Brosseau lui appartient, et qu'à l'avenir il ne prendra part à aucun combat qui ne sera pas contrôlé par elle. Pour permettre à sa vedette de montrer ses talents, elle organise, pour le 21 février, une « grande séance publique » où figurera Brosseau. Mais où trouver un adversaire crédible à une pareille merveille ? Pour résoudre ce dilemme, Charles N. Chamberland s'adresse à P. Halpin, directeur du New York Athletic Club (NYAC), aux dirigeants de la Young Men Hebrew Association de la même ville et à George W. Brown, de la Boston Amateur Athletic Association (BAAA). C'est finalement un boxeur qu'il connaît bien, puisqu'il l'a déjà vaincu, Mark Corets, de Boston, qui se présente devant Brosseau, le soir du 21 février. Enfin ! disent ses admirateurs, « Brosseau fera face à un adversaire à peu près de sa force ». Rien n'y fait et, malgré l'excellente réputation de Corets à Boston, Brosseau montre « une supériorité incontestable » et remporte la victoire[97].

Pour choisir les meilleurs athlètes de La Casquette pour les championnats de Montréal, Armand Vaillancourt prépare un grand tournoi, qui aura lieu le 22 mars. Comme nous l'avons vu, les succès de Brosseau ont attiré les regards des Américains sur l'Association canadienne-française et, depuis deux ans, ses dirigeants ont tissé des liens étroits avec les grands clubs sportifs de la côte est des États-Unis. Alors que l'organisation du tournoi marche rondement, Chamberland reçoit un télégramme de P. Halpin du NYAC, lui demandant de permettre à Brosseau de se rendre à New York pour prendre part aux championnats de la métropole américaine, le 10 mars. Accord conclu : Brosseau, accompagné du fidèle Armand Vaillancourt, sera à New York le jour convenu. Cependant, les championnats ayant été remis, les deux athlètes restent à Montréal. Les directeurs du Penthatlon profitent tout de même de l'occasion pour demander à Halpin de choisir,

96. *Le Bulletin des sports*, vol. 3, nº 29, 1er mai 1917, p. 3 ; *The Montreal Daily Star*, 19 avril 1917.

97. *La Presse*, 13 et 15 février 1917, p. 6 et 22 février 1917, p. 5.

parmi les trois meilleurs boxeurs amateurs poids moyens de New York, un adversaire digne de Brosseau. Mécontents des choix proposés par le NYAC, les Montréalais, qui ne veulent pas « opposer des seconds violons » au champion d'Amérique, télégraphient à leur vieille connaissance, George W. Brown, de la Boston AAA. Celui-ci accepte d'envoyer son meilleur homme. Malheureusement, l'homme choisi, Edward Walker, champion de la Nouvelle-Angleterre, se brise une jambe quelques jours avant le tournoi du 22 mars. Finalement, Brosseau doit se rabattre sur un boxeur montréalais, un dénommé Monnary, de la Shamrock AAA, qu'il défait facilement[98].

Dans les premiers mois de l'année 1917, Brosseau s'engage sérieusement dans l'organisation des championnats de Montréal, mais sa préoccupation principale demeure sa préparation pour les championnats amateurs des États-Unis, organisés sous les auspices de l'Amateur Athletic Union de ce pays et qui auront lieu, encore une fois, au Mechanic's Hall de Boston, les 2 et 3 avril. Ces rencontres prennent pour Brosseau une importance particulière, car cette fois-ci il se battra dans la catégorie poids moyen (158 livres). En vue de cette importante compétition, il s'entraîne régulièrement avec Armand Vaillancourt et il sert de partenaire d'entraînement à son ami Frankie Fleming. Lors de son départ pour Boston, le soir du 31 mars, en compagnie de Vaillancourt, *Le Devoir* souligne fièrement qu'il est « le seul Canadien français qui prendra part au tournoi ». Les vingt-trois boxeurs participant aux championnats nationaux proviennent de toutes les parties des États-Unis. La tâche s'annonce difficile pour le jeune Montréalais de 21 ans. De nouveau, il se montre supérieur à tous les boxeurs amateurs de sa catégorie sur le continent. En semi-finale, il défait d'abord son adversaire le plus sérieux, le champion en titre Adolphe Kauffmann, du Trinity Club de New York. Le même soir, il s'assure du championnat des poids moyens en dominant complètement, durant les trois rounds réglementaires, S. Lagonia, du Bronxdale Athletic Club de New York. Ce qui réjouit particulièrement les amateurs de boxe du Québec, de plus en plus nombreux, c'est l'unanimité des journaux de Boston, qui soulignent les qualités exceptionnelles du Montréalais. La plupart des grands quotidiens d'ici reproduisent l'article du *Boston Evening Record* qui

98. *La Presse*, 8 mars 1917 ; 16 mars 1917, p. 6 ; 17 mars 1917, p. 29 et 23 mars 1917, p. 7.

écrit : « Eugène Brosseau [...] l'amateur qui se rapproche le plus des grands professionnels, peut retourner chez lui [...] en riant des boxeurs de 158 livres que les États-Unis et le Canada ont produits. Brosseau est un vrai champion et ce qu'il fait à ses adversaires est cruel à dire. Il les a fait frapper dans le vide, [...] Ils n'ont rencontré que son ombre ». Pour les journaux montréalais, Brosseau vient de se couvrir de gloire. *Le Canada* rappelle que sa rapide ascension « au championnat d'Amérique est un fait unique dans les annales de la boxe amateur au Canada ». Pour le rédacteur sportif de ce journal, « son triomphe rejaillit sur toute la race. » Le 5 avril, en soirée, vu l'heure tardive de l'entrée du train à la gare Windsor, seuls quelques amis et les dirigeants de La Casquette attendent le héros sur le quai. Le président Chamberland promet cependant que l'Association organisera une fête en l'honneur de son athlète le plus célèbre et reconduit un Brosseau fatigué à son domicile[99].

Une semaine après cette victoire éclatante, les journaux montréalais s'interrogent sur un éventuel voyage de Brosseau en Scandinavie pour prendre part à un tournoi de boxe qui aurait lieu au mois de mai. Ce voyage n'aura pas lieu. Les conditions de navigation peu sûres sur l'Atlantique Nord en cette période de guerre, ou les dépenses occasionnées par un tel voyage, ont peut-être fait reculer les initiateurs du projet[100].

De retour chez lui, Brosseau replonge dans l'organisation des championnats de Montréal. La Casquette centre sa publicité sur le « champion d'Amérique » qui par sa participation donnera du lustre aux championnats locaux. « Il est possible, écrit *Le Devoir*, que ce soit là la seule occasion, la seule chance que nous ayons d'ici longtemps de voir Brosseau à l'œuvre. » Les organisateurs insistent également sur le caractère français du tournoi : une première dans l'histoire au Québec. Selon eux, le fait que l'événement soit présenté par une institution canadienne-française, dans un quartier francophone — le parc Sohmer étant situé au coin des rues Notre-Dame et Papineau —, devrait inciter leurs compatriotes à assister en foule aux rencontres des 18 et 19 avril. Le journal d'Henri Bourassa a constaté que, « lorsque ces championnats étaient disputés à la M.A.A.A. [dans l'ouest de la ville], la salle était remplie par les membres de cette organisation. [...]

99. *La Presse*, 31 mars 1917, p. 16 ; 3 avril 1917, p. 6 ; 4 et 5 avril 1917, p. 6 et 7 avril 1917, p. 16 ; *Le Canada*, 10 avril, p. 2.

100. *La Presse*, 9 avril 1917, p. 11.

Les Canadiens français [...] n'ont presque jamais eu la chance de voir [...] ces épreuves sportives [...] qui sont ce qu'il y a de mieux dans le sport amateur». Pour encourager les jeunes boxeurs à s'inscrire, *La Presse* rappelle que Brosseau «est parti au bas de l'échelle et qu'il a conquis le titre de champion d'Amérique». Parmi les officiels du tournoi, on remarque des notabilités du monde sportif montréalais: les rédacteurs sportifs du *Devoir*, Xiste E. Narbonne, et de *La Presse*, Albert Laberge, également chroniqueur artistique et écrivain, l'échevin Louis Rubenstein, Lucien Riopel, de La Casquette et Émile Maupas, lutteur populaire, entraîneur, culturiste et... sculpteur. Cinquante-six athlètes s'inscrivent, dont vingt-trois boxeurs appartenant à six clubs. Brosseau s'inscrit dans deux catégories: 158 et 175 livres. Comme prévu, le mercredi soir, 18 avril, 2000 spectateurs le voient prendre une facile et douce revanche sur Joseph-Albert Rivet, de l'Association athlétique de la police. Ce dernier, on s'en rappellera, l'avait battu lors des championnats de Montréal, deux ans plus tôt. À cette époque, Brosseau n'était qu'un bleu dans le monde de la boxe. Que de chemin parcouru en si peu de temps! Brosseau écrase l'athlète policier. «Il fait pleuvoir sur lui une grêle de terribles *swings* de sa droite et de sa gauche. Grâce à son agilité sur ses pieds et à son adresse à bloquer, Brosseau évite la plus grande partie des coups de Rivet qui, souvent, frappe dans le vide.» En résumé, il lui sert la même médecine que celle qu'il avait administrée aux deux boxeurs new-yorkais vaincus à Boston. Pourtant, après les trois rounds réglementaires, dominés d'une façon on ne peut plus évidente, selon les observateurs, par le boxeur de La Casquette, des juges inexpérimentés exigent un round supplémentaire. Selon un journaliste, cette décision incompréhensible soumettait Rivet «à l'humiliation de servir de jouet à Brosseau» et ne l'empêche pas de subir une défaite cuisante. Le lendemain, Brosseau gagne par défaut contre Victor Orléans. À la fin de la saison de boxe, comme à tous les étés, Brosseau retourne aux travaux des champs et à la pratique de sports estivaux[101].

L'automne 1917 marque pour le jeune pugiliste montréalais le faîte de sa carrière chez les amateurs et la confirmation de son incontestable supériorité sur tous les boxeurs amateurs poids moyens de l'Amérique du Nord. La saison commence sur une note facile. Pour obtenir l'attention des jour-

---

101. *La Presse*, 12 avril 1917, p. 6; 13 avril 1917, p. 7; 14 avril 1917, p. 16; 17, 18 et 19 avril 1917, p. 6.

Page du programme du tournoi de boxe amateur organisé par l'Olympic Club de San Francisco au profit de la Croix-Rouge américaine les 22 et 23 novembre 1917. (*Official Program of the Great International Boxing Tournament, at the Civic Auditorum San Francisco, Cal., in aid of the American Red Cross*, archives de Clément Brosseau.)

naux, le Penthatlon met à l'affiche, lors de sa première soirée sportive, un combat entre sa vedette et l'athlète de l'Association athlétique de la police, Joseph-Albert Rivet. La publicité insiste sur le fait que Rivet est le seul boxeur à avoir vaincu Brosseau, se gardant bien de préciser que lors de cet exploit le boxeur de La Casquette commençait dans la carrière et qu'au printemps précédent, il s'était servi de l'athlète policier comme d'un *punching bag*. Mais, assurent des journalistes complaisants, Rivet veut se venger et s'entraîne avec ardeur, constance et détermination. De plus, ajoutent les scribes, il ne faut pas rater la dernière occasion de voir Brosseau avant son départ pour un camp d'entraînement militaire. Le 5 novembre, soir de la rencontre, Rivet brille par son absence, ce qui n'empêche pas les 500 spectateurs qui remplissent le gymnase de La Casquette d'applaudir frénétiquement l'entrée de Brosseau. Pour *Le Devoir*, la foule acclame son idole. Aux accusations de lâcheté lancées contre lui, Rivet répond par une lettre ouverte expliquant s'être blessé au genou en s'entraînant avec son frère, le boxeur Georges Rivet. Il précise qu'il n'est pas un lâcheur et qu'il n'a « jamais reculé devant un rival quelle que soit sa réputation[102] ».

Après cet épisode burlesque, Brosseau doit songer aux choses sérieuses. Sa conquête, au printemps dernier, à Boston, du titre de champion poids moyen des États-Unis a attiré sur lui l'attention de l'Olympic Club de San Francisco, à l'autre bout du continent. Le 6 avril 1917, trois jours après qu'il eut ridiculisé ses adversaires à Boston, le gouvernement américain avait déclaré la guerre à l'Allemagne. Aussitôt s'étaient organisés, à travers les États-Unis, différents événements destinés à venir en aide au corps expéditionnaire envoyé en Europe. C'est dans ce contexte, que, vers le 19 avril, les directeurs de l'Olympic Club adressaient un télégramme à Brosseau l'invitant à participer à un tournoi ouvert à tous les champions d'Amérique et dont les recettes seront versées à la Croix-Rouge américaine. Le tournoi aura lieu les jeudi et vendredi 22 et 23 novembre. Le club sportif de San Francisco se dit prêt à payer les coûts du voyage et du séjour du Montréalais dans la ville de la côte du Pacifique, coûts estimés à 250 $, somme rondelette pour l'époque[103].

Entre-temps, le Canada impose la conscription. Au mois d'octobre, Brosseau passe l'examen médical de l'armée canadienne. Classé A, il est jugé apte pour le service outre-mer. Il peut être appelé sous les drapeaux à tout moment. Au début de novembre, il demande à l'armée la permission de se rendre à San Francisco. *The Montreal Star* appuie la démarche du « great French-Canadian ». Ce journal considère comme un honneur que Frederick T. Rubien, secrétaire général de l'Amateur Athletic Union of United States (AAU of US), choisisse Brosseau, un athlète de qualité, pour représenter le Canada au grand tournoi de la Croix-Rouge. Ce geste, affirme le quotidien, ne peut que renforcer les liens entre les soldats des deux pays partis combattre les « Boches » en France. L'armée canadienne accepte sans doute ces arguments, car le lundi soir, 12 novembre, Brosseau, accompagné de son ombre et entraîneur, Armand Vaillancourt, quitte la gare Bonaventure pour San Francisco. Cinq jours plus tard, nos deux athlètes atteignent les rives du Pacifique. *La Presse* et *Le Devoir* ne doutent

102. *La Presse*, 23 et 29 octobre 1917, p. 10; 6 novembre 1917, p. 6; *Le Devoir*, 6 novembre 1917.

103. *La Presse*, 19 avril 1917, p. 6 et 6 novembre 1917, p. 10.

pas un seul instant que leur compatriote fera honneur aux Canadiens français[104].

Signe évident de l'importance du tournoi, Eddie Graney, promoteur de boxe bien connu et, selon le *San Francisco Call and Post*, « the World's most famous referee, » accepte d'arbitrer les combats principaux qui se dérouleront au Civic Auditorium. Le jeudi soir 22 novembre, Brosseau se débarrasse très aisément, en moins d'un round, d'Izy Eisenhardt, de San Francisco. Il émerveille les Américains par « son agilité, sa science, sa sûreté de coup d'œil et la précision de ses coups ». Le vendredi s'annonce plus difficile : le boxeur canadien doit, dans la même soirée, affronter deux hommes de la Reine du Pacifique : Jack Barkley et, surtout, Peter Towne, champion de la côte Ouest. Barkley ne résiste pas deux rounds. Towne peut-t-il faire mieux ? Les journalistes américains le pensent. Conscient qu'il s'agira du plus difficile combat de la carrière de leur compatriote, ils admettent que Brosseau est le champion en titre, mais ajoutent aussitôt que Towne est « the greatest man in the middleweight rank on this coast ». Comme Brosseau, le Californien, selon eux, pratique de la boxe intelligente et scientifique. Malheureusement, comme leurs confrères de Boston, quelques mois plus tôt, ils doivent se rendre à l'évidence : aucun boxeur amateur de 158 livres, canadien ou américain, n'est de taille à arrêter Brosseau. Comme Barkley, Towne se retrouve au plancher avant la fin du deuxième round. Devant un tel talent, une si grande puissance de frappe, certains chroniqueurs sportifs de San Francisco mettent en doute le statut d'amateur du boxeur montréalais. Il se bat comme un professionnel, écrivent-ils. Ils comparent d'ailleurs son style à celui du champion professionnel Mike Gibbons. Montréal devrait le chérir, car il lui apportera la renommée et la gloire. Si la métropole canadienne ne sait reconnaître la valeur de l'un des siens, un chroniqueur américain suggère d'adopter Brosseau. « He's San Francisco type of a boxer », un athlète au physique presque parfait et un des rares boxeurs amateurs ayant provoqué un tel enthousiasme dans cette grande ville californienne. Le *Daily News*, de San Francisco, résume les impressions de plusieurs spectateurs qui ont vu Brosseau à l'œuvre : « Attaquant tout le temps ses adversaires, Brosseau évite leurs coups en penchant la tête [...]. Il riposte comme un professionnel de l'arène. Il se bat dans les prises de corps comme peu de champions pourraient le faire et frappe avec une force et une adresse phénoménales. [...] Brosseau est courageux comme pas un [...]. Il possède un jugement et un sang-froid extrêmement

Photo d'Eugène Brosseau prise à San Francisco. Elle appartient à une série de photos prises lors du fameux tournoi organisé par la Croix-Rouge américaine. Tout au long de sa carrière, ces photos serviront à illustrer des articles parus dans divers journaux aussi bien anglophones que francophones. Lors du passage du boxeur chez les professionnels, en 1919, on leur ajoutera un cadre de carton proclamant : « Eugène Brosseau futur champion du monde *middleweight.* » (Archives de Bernard Brosseau.)

remarquables. Il ne demande pas grâce et il ne fait pas grâce non plus. Ses mouvements sont harmonieux ; chacun d'eux cependant est calculé. » Dans le *San Francisco Chronicle*, George Green, entraîneur à l'Olympic Club en rajoute : « Le Canadien est un boxeur naturel, écrit-il, je crois que vous verrez rarement son égal parmi les amateurs. De fait, au point de vue de la perfection de son jeu, il se rapproche plus du professionnel que de l'amateur. L'adresse avec laquelle il évite les coups [...] est quelque chose de merveilleux. [...] Il m'a paru le meilleur homme du tournoi et je lui décerne la palme[105]. »

Les trois victoires foudroyantes de Brosseau, en deux jours et en moins de cinq rounds, amènent les organisateurs d'un autre tournoi, au bénéfice de la Croix-Rouge, à réclamer la présence du boxeur canadien-français. Le mercredi soir, 28 novembre, dans une arène de Portland, en Oregon, moins d'une semaine après avoir tout balayé devant lui à San Francisco, Brosseau peut reprendre les paroles de Jules César : « Je suis venu, j'ai vu et j'ai vaincu. » Ce soir-là, gît à ses pieds Jack McNerney[106], du Mulnomah Club de l'endroit. Ce dernier reçoit « une si terrible raclée » que ses seconds « jettent l'éponge » au deuxième round[107].

Ici, à Montréal, les nouvelles reçues de la Californie et de l'Oregon provoquent une joie intense chez les admirateurs de Brosseau, de plus en plus nombreux. Ses victoires, la facilité déconcertante avec laquelle il les a remportées, la caution « d'experts » américains, tout cela rassure les amateurs et les persuade que ses premiers succès ne sont pas qu'un feu de paille. Brosseau a de la « profondeur ». Pour le chroniqueur sportif du *Canada*, les derniers exploits du boxeur de 21 ans « projettent un lustre sur toute la race » et font connaître à tout un continent la vaillance des Canadiens français. Elmer W. Ferguson, du *Montreal Herald*, profite de l'occasion pour souligner les progrès faits par ses concitoyens de langue française

104. *The Montreal Star*, 9 novembre 1917 ; *La Presse*, 12 novembre 1917, p. 10.

105. *La Presse*, 19 novembre 1917, p. 10 ; 22, 23 et 29 novembre 1917, p. 6 ; *The San Francisco Call and Post*, 19 novembre 1917, p. 13 ; *The San Fancisco Examiner*, 24 novembre 1917, p. 13 ; *Official Program of the Great International Boxing Tournament, November 22 and 23 1917 at the Civic Auditorium, San Francisco. Cal. in aid of the American Red Cross*, dans les archives de Clément Brosseau.

106. Certains écrivent Jack McNerny.

107. *The Morning Oregonian*, 29 novembre 1917, p. 14 ; *La Presse*, 29 et 30 novembre 1917, p. 6 ; archives de Clément Brosseau, long article d'Elmer W. Ferguson, du *Montreal Herald*, non daté.

dans le domaine des sports. Il remarque d'abord qu'« every race and nationality » connaissent un âge d'or. Voilà cinquante ans, l'Angleterre produisait les meilleurs athlètes, alors que les États-Unis commençaient une ascension qui devait les conduire au sommet de la renommée sportive. Aujourd'hui, pense le chroniqueur, le balancier oscille « in the direction of French Canada » qui produit non seulement d'excellents athlètes, mais des athlètes souvent supérieurs à ceux du Canada anglais. Comme preuve de ses affirmations, Fergusson donne une liste de noms de vedettes sportives francophones qui se sont illustrées sur tout le continent, par exemple : le coureur montréalais Édouard Fabre, vainqueur des marathons de Boston et de San Francisco en 1915 ; Napoléon Lajoie, l'un des plus grands joueurs de baseball des États-Unis ; le boxeur George La Blanche, né au Québec et un « pure French blood », ancien champion mondial poids moyens ; Jack Laviolette, qui excelle au hockey, à la crosse et dans les courses de motocyclettes et d'automobiles. Pour le journaliste, Brosseau reste la preuve la plus éloquente de la place grandissante qu'occupent les Canadiens français dans le monde sportif. Il ne doute pas que Brosseau soit l'un des meilleurs boxeurs formés au Canada et peut-être le « better amateur boxer » de l'Amérique.

Après plus de trois semaines d'absence, Brosseau rentre chez lui, le 6 décembre, auréolé du prestige de ses récents succès. Quelques jours auparavant, Charles N. Chamberland avait invité les membres de La Casquette et les amis du boxeur à se rendre nombreux à la gare Windsor pour recevoir, comme il le méritait, l'athlète canadien-français. Plusieurs clubs et associations sportives ont promis d'y être. Le maire Médéric Martin a annoncé qu'il se rendra à la gare « représenter officiellement » la ville de Montréal. À leur arrivée, Brosseau et Vaillancourt sont acclamés par deux cents amateurs enthousiastes. Les dirigeants de La Casquette sont tous là. L'AAAN, l'autre grande association sportive canadienne-française, a mandaté Émile Larose pour la représenter et la majorité des chroniqueurs sportifs des quotidiens montréalais n'ont pas voulu rater l'événement. Empêché, le maire de Montréal a délégué l'échevin Louis Rubenstein, ancien champion mondial de patinage artistique, l'un des dirigeants de la MAAA et président de la Canadian Wheelmen's Association et de la Young Men's Hebrew Association. Figure de proue du sport amateur au Canada, Rubenstein, dans son discours de bienvenue, exhorte Brosseau à demeurer amateur. Ce dernier, sous les hourras de la foule, remercie ses admirateurs

Groupe « d'acteurs » du monde sportif francophone (sauf Louis Rubenstein), venus accueillir Brosseau et Vaillancourt à la gare Windsor à leur retour de San Francisco, le 6 décembre 1917. De gauche à droite : Albert Dufort, Léo Savard, l'un des fondateurs de La Casquette, Albert Desrocher ; Charles-N. Chamberland, président et principal animateur de La Casquette, Eugène Brosseau, Albert Laberge, le seul portant une casquette, rédacteur sportif à *La Presse* depuis 1896 et auteur de *La Scouine*, roman qui fit scandale lors de sa parution en 1918, Armand Vaillancourt, directeur du Penthalon et le plus fidèle compagon de Brosseau, Louis Rubenstein, échevin, représentant le maire de Montréal, Médéric Martin, l'une des figures de proue du sport amateur au Canada. (Archives de Clément Brosseau.)

et se dit enchanté de son voyage. Il tient à souligner qu'il a été traité comme un prince par les Américains de San Francisco et de Portland. Après une prise de photos, la vedette du jour monte en automobile, en compagnie, entre autres, de Rubenstein, pour une tournée des salles de rédaction des grands journaux. Tout au long de sa carrière, Brosseau n'oubliera jamais de soigner sa publicité en courtisant les rédacteurs sportifs[108].

---

108. *La Presse*, 6 décembre 1917 et 7 décembre 1917, p. 16.

Brosseau chez les militaires

Si 1917 est l'année des honneurs et de la renommée pour le boxeur amateur, 1918 sera relativement calme du point de vue sportif et marquée du sceau de l'armée. L'année débute par un acte de loyauté de Brosseau envers La Casquette. La guerre, drainant un nombre toujours croissant d'athlètes et d'administrateurs de clubs et d'associations sportives vers l'armée, met en péril la vie des organisations les mieux établies. Pour survivre, La Casquette et l'AAAN songent un instant à fusionner. Lors d'une assemblée de l'association de l'avenue du Mont-Royal convoquée pour discuter du projet, Brosseau déclare: « Si la fusion n'a pas lieu, je resterai quand même fidèle à La Casquette. Ce n'est pas la promesse d'un beau gymnase qui m'attirera ailleurs[109]. [...] Je n'ai ici que des amis et je me trouve chez nous avec eux. » Tous les athlètes présents approuvent leur modèle[110].

Dès janvier, après le rejet de la fusion, La Casquette, pour montrer sa vitalité, décide d'organiser à chaque quinzaine des soirées de lutte et de boxe. Bien entendu, les talents de Brosseau sont sollicités. Encore une fois le président Chamberland utilise son réseau pour dénicher un adversaire à la mesure de son champion. Il télégraphie à ses contacts de New York, Boston, Pittsburgh, Toronto et s'adresse au secrétaire général de l'AAU of US, Frederick T. Rubien. Après de multiples échanges, Rubien promet, si les autorités militaires américaines ne s'y opposent pas, la présence de deux excellents boxeurs de l'Union Settlement Athletic, de New York: Charles Pelkington qui rencontrerait Oscar Deschamps et James Sullivan, qui depuis deux ans n'a jamais subi la défaite, ferait face à Brosseau. Finalement, Al Silver, de New York remplace, à pied levé, Sullivan. La rencontre a lieu le 8 février, non au gymnase comme à l'habitude, mais à la salle de cinéma de La Casquette, devant la plus vaste foule jamais vue dans les locaux de l'Association. Frankie Fleming arbitre le combat et Xiste E. Narbonne tient le chronomètre. Comme il fallait s'y attendre, l'histoire se répète: Brosseau déclasse complètement le New-Yorkais. À la fin du premier round, « Silver avait les deux joues enflées, les lèvres tuméfiées et il

109. Brosseau fait allusion à la construction, sur la rue Cherrier, de l'édifice qui sera connu pendant plus d'un demi-siècle sous le nom de Palestre nationale, édifice dont l'AAAN a entrepris la construction en 1914 et qui sera inauguré le 18 janvier 1919. Ce bâtiment abrite aujourd'hui l'Agora de la danse.

110. *La Presse*, 11 janvier 1918, p. 6.

Eugène Brosseau, pilote de la Royal Air Force. Durant la Première Guerre mondiale, plusieurs athlètes s'engageront dans l'aviation. Il faut savoir qu'à l'époque l'aviation est considérée beaucoup plus comme un sport que comme un moyen de communication et rappelons-nous qu'en 1913 La Casquette avait organisé une section d'aviation. (Archives de Bernard Brosseau.)

saignait de la bouche». Seule la cloche sauve l'Américain au deuxième round et, au troisième, Fleming arrête le massacre. Pendant quelques jours, on croit, en vain, que Sullivan affrontera Brosseau le 22 février[111].

On ne le sait pas encore, mais Brosseau vient de livrer son dernier combat amateur dans la vie civile. La guerre, qui dévore les hommes et s'éternise en Europe, amène le Canada, on l'a vu, à imposer la conscription. Depuis l'automne 1917, l'enrôlement s'accélère et les conscrits, de plus en plus nombreux, prennent le chemin des camps de formation. Au mois d'avril 1918, avant d'être appelé, Brosseau s'engage volontairement dans le Royal Flying Corps qui, depuis le début de 1917, mène une intense campagne de recrutement au Canada. Au moment où notre boxeur s'enrôle, ce corps d'armée devient la fameuse Royal Air Force (RAF). Brosseau a sans doute été influencé par son ami Fleming qui, depuis plusieurs semaines, porte l'uniforme d'aviateur. Il faut savoir aussi qu'à cette époque

111. *La Presse*, 17 janvier 1918, p. 6; 3, 5, 6 et 8 février 1916, p. 10; 9 février 1918, p. 9 et 15 février 1918, p. 8.

l'aviation est considérée plus comme un sport que comme un moyen de transport et qu'elle jouit d'un prestige particulier auprès des jeunes athlètes. Le 12 avril, Brosseau et trois de ses camarades de La Casquette, Lionel Lapointe, Amédée Lamothe et Lucien Decelles, quittent Montréal pour Toronto, où ils entreprendront leur formation d'aviateurs[112]. Après un arrêt de quelques jours à Ottawa, ceux que l'on surnomme « les As » de La Casquette arrivent dans la Ville Reine, le 23 avril, et y subissent un examen médical rigoureux et diverses épreuves, dont celle de la « chaise tournante », destinées à mesurer la solidité de leurs nerfs et la rapidité de leurs réflexes. À Toronto, Brosseau ne passe pas inaperçu. Le *Daily News* et le *Telegramme* soulignent chaleureusement son arrivée. En garnison au camp Mowak, il suit ses cours de futur pilote à l'Université de Toronto. Vers la fin du mois de septembre, ayant terminé avec succès cette première étape, il se rend à l'école de maniement des armes de Hamilton, pour apprendre à se servir d'une mitrailleuse[113].

Pour le second lieutenant Brosseau[114], le sport n'est jamais bien loin. D'autant plus que, dans l'armée, les bons athlètes pullulent et que tous les entraîneurs militaires savent que le sportif « a le coup d'œil rapide et vigilant, son bras est exercé et robuste, son jarret est élastique et les longues courses ou les sauts l'ont rendu d'une souplesse parfaite. Tout son corps respire cette atmosphère saturée de vigueur et de vitalité ». Notre Montréalais peut donc s'en donner à cœur joie. Il participe régulièrement à des courses à pied. Il se classe même quatrième dans une course d'un demi-mille, gagnée par « un champion américain du 600 mètres ». Plus tard, à Hamilton, comme les casernes sont situées à l'extérieur de la ville, il pourra se livrer quotidiennement à la marche et à la course dans la campagne environnante. La boxe demeure cependant son sport favori et sa réputation suscite les convoitises. À peine a-t-il mis les pieds sur les rives du lac Ontario, qu'il est déjà question d'une participation aux championnats de boxe d'Ontario, surtout que l'AAUC assouplit ses règles pour les soldats. Il devient possible pour un

112. Le même jour, Philippe Guilbault et Léo Nichol, aussi de La Casquette, laissent Montréal pour Ottawa, où ils « feront partie de la nouvelle section canadienne-française du corps de *tanks* ».

113. *La Presse*, 10 et 25 avril 1918, p. 6 ; *Le Canada*, 13 mai 1918, p. 2 et 16 septembre 1918, p. 4.

114. C'est le journaliste Al Parsley, dans un article intitulé « Where They Now », publié en 1958, qui écrit que Brosseau était second lieutenant dans l'aviation, *The Montreal Star*, 6 août 1958, p. 40.

Combat entre Eugène Brosseau et William « Bill » McKenzie, de Winnipeg et « champion de la Marine anglaise », le 14 juin 1918, à Long Beach, Ontario. Brosseau donne une leçon de boxe à ce boxeur de l'Ouest qui se vantait de battre facilement ce « French from the East ». (Archives de Clément Brosseau.)

athlète, pour la durée de la guerre, de rencontrer un professionnel sans perdre sa qualité d'amateur. Voulant profiter de l'aubaine, Chamberland entreprend immédiatement des démarches auprès de l'armée pour obtenir l'autorisation de rapatrier son poulain à Montréal, le temps de lui permettre de rencontrer « un professionel de renom ». À la même époque, Léo Dandurand, membre de l'AAAN, reçoit un télégramme de Brosseau qui accepte avec joie de participer à un combat contre Nate Penny, du Shamrock, à l'occasion d'une vaste campagne de recrutement lancée par l'Association de la rue Cherrier. La bataille aurait lieu le jour de la Saint-Jean-Baptiste, dans « un vaste théâtre » de l'est de Montréal. Les autorités militaires refroidissent les ardeurs de tous ces promoteurs. Elles décrètent que les boxeurs en uniforme ne pourront se battre sans autorisation militaire, qu'à des « fins patriotiques » canadiennes et sous la direction du capitaine Tom Flannagan, de la Military Sportsmen's Association[115].

C'est donc sous tutelle militaire qu'a lieu, moins d'un mois après son arrivée en sol ontarien, le premier combat et la première victoire, en tant que militaire, de Brosseau. En effet, le 14 juin, il rencontre et défait, « au camp d'aviation » de Toronto, le « champion de la Marine anglaise », William McKenzie. Un de ses camarades donne, deux ans plus tard, cette

115. *Le Canada*, 13 mai 1918, p. 2 ; *La Presse*, 17 et 23 janvier 1918, p. 6 ; 3, 5 et 8 février 1918, p. 10 ; 9 février 1918, p. 9 ; 15 février 1918, p. 8 et 13 juin 1918, p. 6.

version du combat. Selon lui, les officiers du camp d'aviation organisaient, de temps à autre, des « fêtes sportives » pour briser la monotonie des études. Lors d'une de ces « fêtes », on demande à Brosseau de participer à une rencontre de six rounds. « Trouvez-moi un adversaire et je suis prêt », répondit-il. Les promoteurs s'adressèrent alors à deux bons boxeurs de Montréal qui, connaissant la force de Brosseau, déclinèrent l'invitation. Les officiers jettent alors leur dévolu sur « Bill » McKenzie, de Winnipeg. Ce dernier se targue de battre facilement ce « French from the East ». Ces propos furent rapportés à Brosseau, qui se jura de donner une leçon à notre homme. Selon les règlements, il ne devait pas y avoir de knock-out. Aussitôt le combat commencé, le gars de l'Est se mit à l'œuvre. En peu de temps, McKenzie eut le nez en sang, une lèvre fendue et les yeux au beurre noir. « Le boxeur de l'Ouest présentait un aspect pitoyable, mais Brosseau continua la punition jusqu'au bout des six reprises. » Après le massacre, il s'avance vers le Winnipégois et lui jette, ironique : « Rappelez-vous bien que les Canadiens de l'Est ne sont pas si mous que vous paraissez le croire. » Après cet épisode, au début du mois de septembre, des soldats américains du 343e régiment d'infanterie font une tournée en Ontario. Ils battent des boxeurs de London et leur commandant clame à tout venant que ses hommes peuvent rosser tout boxeur canadien portant un uniforme. Vexés, des officiers demandent à Brosseau d'organiser à l'Université de Toronto, un « tournoi international » pour rabattre le caquet de ces Américains prétentieux. Ce dernier met sur pied un Royal Air Force Tournement auquel participent, entre autres, son ami, le cadet Frankie Fleming et le sergent Harry Freeman, champion amateur poids mi-moyen du Canada. Sûr de sa force, Brosseau s'inscrit dans la catégorie des poids lourds. Au grand plaisir de leur capitaine, Lou Scholes, les trois Canadiens arrachent la victoire. Quelques jours plus tard, en visite à Montréal avec son *Fides Achatus* Vaillancourt, Brosseau exhibe fièrement une lourde médaille d'or, emblème du championnat des poids lourds de la RAF. De retour en Ontario, au camp de Hamilton, Brosseau poursuit son entraînement de boxeur. Les ravages de la grippe espagnole — six cadets décèdent — ayant interrompu le cours de maniement des armes, il en profite pour ériger une arène de boxe « sur une élévation », à l'orée d'un bois, où il se rend régulièrement faire un dix rounds avec Lionel Lapointe[116].

---

116. *La Patrie*, 13 et 14 juin 1918, p. 6 ; *Le Canada*, 14 septembre 1918, p. 3 ; *La Presse*, 25 avril 1918, p. 6 ; 16 septembre 1918, p. 4 et 24 novembre 1919, p. 5.

Eugène Brosseau dans son uniforme de sous-lieutenant. Lors de ses débuts comme professionnel, au commencement de 1919, Brosseau se présentera souvent dans les salles de rédaction des journaux vêtu de cet uniforme. (Archives de Bernard Brosseau.)

Alors qu'ils sont toujours dans la RAF, sans doute à l'automne 1918, il est question d'envoyer Brosseau et Fleming participer à un tournoi de boxe en Angleterre. Il faut savoir que, jusqu'à l'armistice, la RAF relève de l'armée britannique, ce qui explique peut-être l'invitation lancée par le London Sporting Club à l'armée canadienne. Le célèbre club prépare un tournoi de boxe pour le début du mois de janvier 1919 et aimerait pouvoir compter sur la présence de bons boxeurs canadiens. Fleming et Brosseau sont proposés, mais la fin de la guerre et la démobilisation des deux hommes mettent fin au projet. Brosseau ne connaîtra pas les horreurs de la guerre : l'armistice étant signé le 11 novembre 1918, il est démobilisé et rentre à la maison vers le 10 décembre.

CHAPITRE 2

Le professionnel

Vers les sommets

Dès son retour à la vie civile se pose la question de son statut. Demeurera-t-il fidèle à l'amateurisme comme l'exhortait l'échevin Rubenstein ou se laissera-t-il attirer par les sirènes du professionnalisme ?

Après la Première Guerre mondiale, le contexte change dans le monde du sport. La commercialisation s'étend, le sport professionnel prend de l'expansion et suscite moins de réticence au sein des classes moyennes anglophones et encore moins chez les francophones qui n'ont jamais adhéré avec l'enthousiasme de leurs concitoyens de langue anglaise aux valeurs véhiculées par l'amateurisme. De plus, comme nous le savons, au commencement de sa carrière, Brosseau lorgnait déjà du côté de la boxe professionnelle. Il fréquentait régulièrement clubs, boxeurs et promoteurs de ce milieu. Il servait de partenaire d'entraînement à plusieurs boxeurs professionnels. Nous l'avons montré, à la fin de 1916, l'AAUC le soupçonne de professionnalisme pour, finalement, l'absoudre sans pousser trop loin son enquête. En 1917, les commentaires des « experts » américains qui le comparent aux meilleurs boxeurs professionnels le font certainement réfléchir. Après sa démobilisation, aussitôt arrivé à Montréal, Brosseau n'a rien de plus pressé à faire que de jouer, encore une fois, avec une satisfaction évidente, le rôle de partenaire d'entraînement de son ami et camarade de casernes, le boxeur professionnel Frankie Fleming, qui doit se battre avec Eddie Wallace, le 17 décembre 1918. Ce même Eddie Wallace que Brosseau avait transformé, il n'y a pas si longtemps, en œuvre « post post impressioniste ». Ajoutons que son *alma mater*, La Casquette, n'existe plus et que ses anciens camarades, Oscar Deschamps et Eugène Demers, qui fréquentaient cette association, deviennent boxeurs professionnels et choisissent comme gérant son grand ami Armand Vaillancourt. L'une de ses premières visites est pour *La Presse.* Au journaliste qui lui demande : « Allez-vous rester amateur ou devenir professionnel ? », il répond prudemment : « Je n'ai encore pris aucune décision à ce sujet. Je vais peser soigneusement le pour et le contre. » Réponse qui caractérise bien le boxeur. Brosseau n'est pas un impulsif ; avant de prendre une décision, il réfléchit mûrement, il soupèse, il compare avantages et désavantages[1].

La réponse vient tout de même rapidement. Le 15 janvier 1919, lors du combat entre Georges Rivet et le champion mondial des poids moyens Ted Lewis, on annonce à l'immense foule qui emplit le pavillon du parc Sohmer que Brosseau se battra désormais comme professionnel. La nouvelle crée toute une sensation parmi les spectateurs. Fred Richard, un fervent de boxe qui assiste à tous les combats importants présentés à Montréal, affirme qu'il est « le plus brillant boxeur qu'il eut jamais vu. [...] Brosseau danse dans l'arène et rapide comme l'éclair, son poing frappe l'adversaire à la figure, au corps et à l'endroit précis où Brosseau veut toucher. Par contre, si l'adversaire veut frapper, son poing ne rencontre que le vide, car Brosseau a penché la tête, a légèrement reculé, et l'adversaire frappe dans le vide ». Pour *Le Devoir*, il ne fait aucun doute que l'ancienne vedette de boxe amateur possède « l'étoffe dont on fait les champions et il promet de devenir l'un des plus populaires athlètes du Canada. Il a la science, l'adresse, le jugement, l'habileté et la jeunesse. Son étoile se lève au ciel de la boxe et elle devrait luire pendant longtemps d'un très vif éclat ». Deux jours plus tard, *Le Canada* ajoute que Brosseau a accepté l'offre du promoteur George Kennedy, et se battra sous les auspices du club de hockey Canadien. *La Patrie* écrit que « Kennedy a été plus qu'habile quand il a réussi à embaucher le fameux champion [...] et à le décider à se battre pour lui comme professionnel. C'est assurément un tour de force peu commun, car Brosseau restait profondément attaché à l'amateurisme ». Cet attachement était sans doute sincère, mais l'impression demeure que notre homme songeait depuis un certain temps à franchir le Rubicon. Sollicité de toutes parts, il avait d'abord résisté « aux grands efforts » du promoteur Alex Moore pour l'attirer chez les professionnels, pour céder ensuite aux arguments de Kennedy. Brosseau, à cette époque, est encore membre de la RAF et se présente

1. *La Patrie*, 14 janvier 1919, p. 6 ; *La Presse*, 10 décembre 1918 ; 14 et 27 janvier et 3 février 1919, p. 6 ; *Le Canada*, 15 janvier 1919, p. 2.

aux salles de rédaction des journaux en uniforme, comme son camarade Frankie Fleming, qu'il choisit comme « gérant[2] ».

À sa première saison chez les professionnels, qui commence le 22 janvier et se termine le 24 juin 1919, Brosseau livre huit combats : sept contre des boxeurs Américains et un contre un Canadien français. Il est très conscient des différences entre la boxe professionnelle et la boxe amateur. D'abord, les combats sont plus longs : généralement dix rounds au lieu de trois. De plus, les professionnels, faisant de la boxe leur gagne-pain, doivent s'entraîner régulièrement et sont beaucoup plus redoutables que de simples amateurs. Pour atteindre les sommets comme il le désire, Brosseau doit sacrifier une vie insouciante et vouée aux plaisirs dispensés par une grande métropole : chose difficile pour un jeune homme jouissant de la meilleure santé, plein de force, d'énergie et de vitalité. Se battre demeure une tâche relativement facile. Certes, « il reçoit des coups, mais il est préparé. Il peut les encaisser sans trop de mal ». Le face-à-face de deux hommes dans l'arène offre aussi ses compensations. « Il y a l'excitation du combat, les encouragements des amis et du public, l'ambition de triompher, le désir de rendre les coups reçus », l'exaltation de la victoire. Le plus dur pour un boxeur, dit-il, c'est l'entraînement quotidien, régulier, méthodique. « C'est la discipline sévère et inflexible à laquelle il faut se plier [...]. C'est le constant et dur contrôle de soi-même [...]. C'est le fait de se lever chaque matin de bonne heure, de se coucher tôt, de suivre un régime. » Selon Brosseau, un boxeur qui refuse de se soumettre à une telle discipline « ferait mieux de renoncer à la boxe[3] ».

Lors de ses premiers combats comme professionnel, son « gérant » et ami Frankie Fleming se montre prudent dans le choix du lieu — tous les combats se déroulent à Montréal au milieu de visages et de paysages familiers — et des adversaires de son protégé. Il ne veut pas risquer de gâcher une carrière qui s'annonce prometteuse. Il choisit des hommes qui, tout en ayant une plus longue expérience que Brosseau et une certaine réputation, sont moins lourds que lui. Ainsi pour son premier combat professionnel, le mercredi 22 janvier, au parc Sohmer, il affrontera Gordon McKay[4], de New York,

---

2. *La Presse*, 14 et 16 janvier 1919, p. 6 ; *Le Canada*, 17 janvier 1919, p. 2 ; *La Patrie*, 16 et 20 janvier 1919, p. 6 ; 17 janvier 1919, p. 7 ; *Le Devoir*, 21 et 22 janvier 1919, p. 6.

3. *La Presse*, 14 mars 1919, p. 6.

4. La majorité des journaux écrivent Gordon McKay, mais on retrouve aussi : Gordon Mackay, George Mackay et Donald Mackay. Cette confusion montre que ce boxeur américain est peu connu des chroniqueurs sportifs montréalais.

un boxeur pesant une dizaine de livres de moins que le Montréalais. On nous assure que McKay « n'est pas un *lemon* », mais un champion dans la catégorie des mi-moyens — alors que Brosseau est un boxeur poids moyen — et qu'il a livré et gagné de nombreuses batailles aux États-Unis. Cette rencontre prend les allures d'un événement. *Le Devoir* écrit que cette « séance de boxe [...] marquera une date mémorable dans le sport du pugilat à Montréal ». Pour ne pas être en reste, *La Patrie* en rajoute. Selon elle, l'arrivée de Brosseau chez les professionnels « a causé une sensation profonde non seulement ici, mais [...] à Boston et à San Fancisco ». Il ne fait aucun doute pour ce journal que le jeune Montréalais est « le boxeur le plus brillant et le plus complet que notre race ait jamais produit[5] ». Le maire de Montréal, Médéric Martin, annonce « qu'il accompagnera Brosseau lorsque ce dernier entrera dans l'arène ». Les vedettes de la scène sportive montréalaise promettent leur présence. On s'attend à des délégations de nombreux villages et villes du Québec. Les journaux croient à une assistance record et évoquent le souvenir de l'énorme foule qui avait vu le lutteur Eugène Tremblay arracher le titre mondial des poids légers à George Bothner, en 1905. Pour les « connaisseurs » locaux, Brosseau possède les qualités des champions Kid McCoy, Mike Gibbons et même James J. Corbett. Avec des attentes semblables, Brosseau sait qu'il ne peut se permettre un échec. Immédiatement après l'annonce de son entrée dans le monde de la boxe professionnelle, il prend le train pour le camp d'entraînement de Fleming, à Rawdon. Pendant plusieurs mois, après chaque combat, Brosseau laissera l'agitation de la grande ville pour la tranquillité de ce petit village de Lanaudière, au pied des Laurentides. À cette époque, les automobiles, quoique de plus en plus populaires, sont encore rares, les routes mal entretenues, surtout en hiver, et seul le chemin de fer relie les villages aux grands centres urbains. Là, presque isolé du reste du monde, Brosseau peut s'entraîner avec Fleming et les très bons boxeurs qui s'y rendent régulièrement : l'Irlandais Patsy Cline, son ancien camarade de La Casquette, Eugène Demers, et plusieurs autres. Chaque matin, il court

5. Dans cet enthousiasme, il faut faire la part belle à la culture journalistique des quotidiens modernes qui carburent à l'unique, à l'extraordinaire, au sensationnel, au vedettariat. Brosseau est sans contredit un boxeur exceptionnel, mais, comme l'essentiel de mes sources provient des grands quotidiens, il faut garder ce fait à l'esprit en lisant cette biographie et pondérer certains emportements, surtout lorsqu'il s'agit de la prose de journaux francophones. Cependant, on se doit d'ajouter que l'admiration envers Brosseau est partagée par les grands quotidiens anglophones montréalais et des journaux de Boston, San Francisco, Portland, New York et Toronto.

Eugène Brosseau (à gauche) au camp d'entraînement de Frankie Fleming (à droite), à Rawdon. C'est dans ce petit village de Lanaudière, au pied des Laurentides, loin de l'agitation de la grande ville, qu'il se prépare, avec plusieurs camarades, à son premier combat professionnel contre Gordon McKay, au parc Sohmer, le 22 janvier 1919. Là, en plus de s'entraîner avec plusieurs bons boxeurs, il court quotidiennement plusieurs milles, marche dans la campagne environnante, frappe sur des sacs de sable et sur un *punching bag*, fait de la gymnastique et fend du bois. (Photo prise à l'hiver 1919, archives de Clément Brosseau.)

plusieurs milles dans la campagne environnante, il marche, il s'endurcit les poings sur des sacs de sable, frappe sur un *punching bag*, pratique différents exercices de gymnastique et fend du bois[6]. L'après-midi, il boxe plusieurs rounds avec ses camarades. Rapidement, le camp de Fleming devient « l'endroit le plus important de la localité, celui qui suscite le plus d'intérêt parmi la population. Fleming et ses partisans reçoivent chaque jour de nombreux visiteurs désireux d'assister à l'entraînement des boxeurs de Montréal[7] ».

---

6. Selon son fils Bernard, pour s'entraîner, Eugène Brosseau chaussait de grandes bottes qu'il remplissait de cailloux jusqu'aux chevilles. Il attachait une corde aux chevilles pour empêcher les cailloux de descendre et faisait de la course à pied ainsi « attriqué ». Souvent il se servait, en guise de *punching bag*, d'une poche de sable pesant environ 500 livres. Entrevue avec Bernard Brosseau, le 8 septembre 2000.

7. *Le Devoir*, 18 janvier 1919, p. 10; 21 janvier 1919, p. 6 et 23 janvier 1919, p. 8; *La Patrie*, 17 janvier 1919, p. 7 et 18, 20 et 21 janvier 1919, p. 6; *Le Canada*, 17 et 21 janvier 1919, p. 2; *La Presse*, 16, 20 et 21 janvier 1919, p. 6.

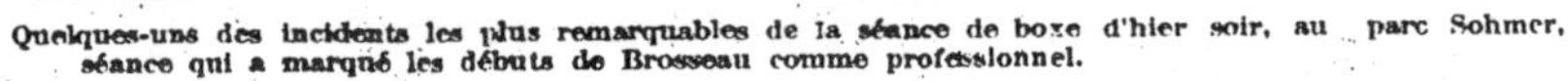
Quelques-uns des incidents les plus remarquables de la séance de boxe d'hier soir, au parc Sohmer, séance qui a marqué les débuts de Brosseau comme professionnel.

Caricature de Jos Bernard montrant différentes péripéties du premier combat et de la première victoire d'Eugène Brosseau comme boxeur professionnel. Le vaincu, Gordon McKay, vient de New York. On y voit un George Kennedy, « gérant du club Canadien [très] satisfait de la recette ». Selon *Le Devoir*, « Brosseau mena la danse du commencement à la fin. Notre champion fit preuve de beaucoup de sang-froid et démontra qu'il pouvait frapper avec une force terrible ». (*La Patrie*, 23 janvier 1919, p. 6.)

Le soir du 22 janvier, Brosseau se présente donc au parc Sohmer dans une superbe condition. Selon le *Montreal Herald*, la plus grande foule vue à un match de boxe depuis cinq ans attend avec une impatience fébrile son arrivée dans l'arène. De grands espoirs reposent sur ses épaules. Le matin même, *La Patrie* soulignait que « la race canadienne-française, après avoir lancé dans l'arène des pugilistes qui ont émerveillé l'univers, comme Kid Lavigne, George La Blanche, Noah Brusso, alias Tommy Burns, ex-champion de l'univers, [...] attendait depuis des années la venue d'un autre champion, et elle souffrait de cette infériorité qu'elle était obligée d'avouer devant les autres nationalités. Mais un jour nouveau se lève pour les nôtres, et, dans la personne d'Eugène Brosseau [...], on découvre [...] l'étoile qui va scintiller au firmament de la boxe professionnelle ». La marche est haute, Brosseau symbolise pour plusieurs la fierté de tout un peuple. Son arrivée dans le ring déclenche une ovation qui ébranle la voûte du pavillon du parc Sohmer. On sent une certaine nervosité chez lui. Il sait le désappointement qu'il provoquerait s'il échouait. Très rapidement il retrouve son aplomb et, sept minutes après le début du combat, au commencement du troisième round, Mckay gît à ses pieds, K.-O. Aussitôt plusieurs spectateurs s'emparent du héros et le transportent sur leurs épaules dans sa loge, dans un tintamarre de tous les diables. Selon le *Portland Sunday Telegram*, Brosseau a été grassement payé pour ce combat. Il aurait empoché 3000 $, « the largest amount ever paid an amateur boxer making his debut in the professionnal class[8] ».

Dès son premier combat professionnel, un journal anglophone décerne à Eugène Brosseau le titre de *Gentleman Gene*, en référence au grand champion poids lourd James Jim Corbett (1892-1897) qui, grâce à son intelligence et à son raffinement, avait conquis le surnom de *Gentleman Jim*. Par la suite, tous les journaux reprendront cette expression. Pour les chroniqueurs de l'époque, Brosseau fait figure d'exception chez les boxeurs. Il est instruit, ayant fréquenté l'université pendant deux ans. Il parle peu, est réservé, presque gêné, sérieux, courtois, simple. Il mène une vie disciplinée, ne boit pas, ne fume pas. Malgré ses succès, il demeure modeste et sans vanité. *La Presse* remarque qu'il est toujours « vêtu sobrement, avec distinction et bon goût, rien ne décèle en lui le boxeur de renom, l'homme dont on parle tant dans les cercles sportifs ». C'est un boxeur intelligent, au jugement sûr. On le dit loyal en amitié. Ainsi, lorsqu'on lui propose un combat avec son camarade Nate Penny, joueur de crosse pour le Shamrock, il refuse. Pourtant, nous dit *La Presse*, « il est certain qu'un match entre les deux hommes attirerait une foule énorme et que Brosseau pourrait ainsi gagner un très gros montant, mais Brosseau n'est pas dominé par la passion de l'argent. Il se bat pour en gagner, mais l'argent n'est pas tout pour lui.

8. *Le Canada*, 23 janvier 1919, p. 2 ; *The Montreal Herald*, 23 Janvier 1919 ; *La Patrie*, 22 janvier 1919, p. 6 ; *Le Devoir*, 23 janvier 1919, p. 8 ; *Portland Sunday Telegram*, s.d., dans les archives de Clément Brosseau.

Brosseau est un homme sensible [...]. Certaines personnes l'accuseront peut-être [...] de sensiblerie, mais personnellement nous trouvons que cette manière d'agir de Brosseau lui fait grand honneur. Il y a aujourd'hui tant d'hommes dans l'arène qui seraient prêts à démolir leur meilleur ami pour quelques dollars, qu'il nous fait plaisir de rencontrer un boxeur doué de sentiments. [...] Ce sont les hommes possédant ces sentiments qui jettent du prestige sur le sport et le relèvent[9] ».

Bien sûr, il faut en prendre et en laisser de ces commentaires émis à chaud. La passion de l'argent ne domine pas Brosseau, mais il conserve tout de même le sens des affaires. Pour son deuxième combat comme professionnel, il laisse tomber George Kennedy et le club Canadien. Il accepte la proposition, financièrement plus alléchante, que lui fait une organisation sportive qui vient tout juste de voir le jour, le Club olympique, fondé par Alex Moore, Joseph Payette et Billy Moorhouse. Désormais, il se battra sous les auspices de ce club qui a loué le Théâtre français (aujourd'hui, le Métropolis, rue Sainte-Catherine), pour y présenter ses matchs de boxe. Brosseau y rencontre, le vendredi 7 février, Red Allen, ancien citoyen de la ville de Québec, qui s'est aussi battu longtemps à New York. Contrairement à Brosseau, Allen n'est pas un boxeur scientifique, mais un « cogneur » rude et brutal. Ses combats à Montréal, entre autres, contre Georges Rivet, furent les « plus sanguinaires et les plus rudes dont les annales pugilistiques locales fassent mention. » Il pèse 148 livres et Brosseau, 152. Le même scénario se répète : après sept minutes, Allen se retrouve au plancher, hors de combat. Brosseau a fait « pleuvoir sur lui une avalanche de coups admirablement bien dirigés et portés avec une force terrible. [...] Red Allen n'a pu se protéger. Il n'a pu se garer des coups de son adversaire qui paraissait avoir pris sa mâchoire pour cible ». Le poing de Brosseau paraissait « un lourd marteau. Malgré tout son courage, Allen était condamné, fini ». Cette nouvelle victoire de l'athlète montréalais provoque dans l'immense foule, qui occupe tout l'espace disponible du Français, « une délirante ovation ». Les nombreuses femmes qui assistent au spectacle participent à la joie générale. Selon l'instructeur de la MAAA, Billy Armstrong, et son assistant, Jack McBreaty, Brosseau « is a world's champion in the making[10] ».

9. *La Presse*, 13 et 20 mars 1919, p. 3.

10. *Le Canada*, 3 et 8 février 1919, p. 2 ; *La Presse*, 6 et 8 février 1919, p. 6 ; *The Montreal Herald*, 8 février 1919, p. 14.

L'importance des recettes au guichet amène la direction du Club olympique à songer sérieusement à construire sur la rue Sainte-Catherine, entre le boulevard Saint-Laurent et la rue De Bleury, une arène de boxe de 4500 places. L'édifice projeté épouserait «le modèle des grands gymnases de boxe de New York. L'arène serait au centre, de sorte que tous les spectateurs auraient une vue parfaite des boxeurs». Ce beau projet restera dans les cartons de ses concepteurs, mais il prouve la vogue croissante de la boxe à Montréal et le rôle que joue Brosseau dans cette popularité[11].

Le lundi 24 février, le combat qui suit contre Frank Loughrey, de Philadelphie, désappointe les admirateurs de Brosseau et provoque huées et quolibets chez de nombreux spectateurs, contre un homme qu'hier encore on encensait. Loughrey, 26 ans, boxeur d'expérience, capable d'encaisser, a commencé sa carrière en Australie, à l'âge de 17 ans. Il connaît bien tous les trucs du métier et sait s'en servir. Dans la liste de ses adversaires, il compte Georges Carpentier, champion d'Europe, et Lee Darcy, champion d'Australie. La rencontre épuise les dix rounds réglementaires et se termine sans décision, pratique courante à l'époque. Tout au long du combat, Loughrey s'accroche à Brosseau. *La Presse*, tout en admettant que le champion local «a eu tout le temps l'avantage», se montre sévère pour lui. Elle l'accuse de ne pas avoir fait preuve de son agressivité habituelle. *The Gazette*, encore plus soupçonneuse, flaire la magouille et parle de fiasco et de spectacle burlesque. L'échevin Tom O'Connell réclame la création d'une commission athlétique pour empêcher la répétition d'un pareil simulacre. Le *Montreal Herald* pointe du doigt le *gambling* comme grand responsable du caractère pour le moins douteux de la soirée. Seul Xiste E. Narbonne, fin connaisseur de boxe, se montre indulgent. Brosseau, écrit-il, ne peut, comme il l'a fait jusqu'ici, toujours triompher rapidement et par knockout. De plus, il faisait face à un adversaire coriace et d'expérience «qui excelle dans l'art de s'accrocher à son rival». En journaliste consciencieux, il rencontre Brosseau et livre son témoignage aux lecteurs. Ce dernier, choqué, déclare que jamais il n'aurait consenti à prendre part à un *fake* et que le responsable d'une telle proposition «aurait connu la force de son poing». Il admet qu'il a «eu affaire à un boxeur pas très scientifique, mais à un rude gaillard, à un boxeur qui peut encaisser mes coups et bien d'autres sans broncher. Je n'ai pu frapper à ma guise car ce gars-là était

11. *La Presse*, 10 février 1919, p. 6.

constamment accroché à mon cou ou me tenait les bras. [...] Plusieurs fois en tentant de lui porter un coup à la mâchoire je le frappai à la tête et je craignis pour un moment que j'allais me casser les mains sur cet individu. [...] J'ai fait mon gros possible et je suis content de moi. Je n'ai rien à me reprocher, mais je regrette que certains amateurs se soient plu à me lancer la pierre hier soir ». Narbonne n'arrête pas là son travail. Il donne la parole à un Loughrey amoché, en partance pour l'hôpital, qui déclare : « Votre compatriote est un futur champion [...]. C'est un boxeur qui a le poing dur, [...] mais j'en ai vu bien d'autres avant lui qui n'ont pu réussir à me coucher [...]. Brosseau m'a battu aux points[12] et soyez convaincu qu'il en battra beaucoup d'autres[13] ».

Après ce malheureux épisode, Brosseau retourne au camp d'entraînement de Rawdon, loin des ragots de la ville. Il faut attendre le 17 mars pour le voir à nouveau paraître sur la scène du Théâtre français. Ce soir-là, il rencontre Johnny « Kid » Alberts de New York. *The Montreal Star*, *The Gazette* et *The Montreal Herald* soulignent qu'il s'agit du meilleur boxeur opposé à Brosseau jusqu'ici et du premier véritable test pour le boxeur montréalais. Alberts a déjà battu Georges Rivet et, surtout, il a été champion poids moyens des États-Unis en 1913. Il a aussi vaincu Frank Loughrey, le dernier adversaire de Brosseau. La mauvaise publicité qui a entouré le combat avec Loughrey ne semble pas avoir nui à la popularité de l'étoile montante du ring et c'est une salle comble, où les spectateurs s'entassent comme des sardines, qui accueille les deux boxeurs. Ils auront droit à un très bon spectacle. Un Brosseau en grande forme confond ses détracteurs et livre un superbe combat. Après avoir étudié son adversaire dans les premiers rounds, il se met résolument à la tâche et affirme sa supériorité. Dans les derniers assauts, Alberts, « labouré impitoyablement par le pugiliste local », donne des signes de détresse et semble même effrayé. À la fin du combat, il échappe au knockout en s'accrochant à son adversaire. Devant l'avalanche de coups qui déferlent sur sa tête et son corps, la foule jubile. Lorsque les juges accordent la décision à Brosseau, les huées du 24 février appartiennent aux mauvais souvenirs. Alberts quitte l'arène épuisé et ensanglanté, alors que Brosseau ne

---

12. On aura compris qu'il s'agit du total des points décernés par les juges et non des poings de Brosseau !

13. *La Presse*, 20, 21, 22 et 25 février 1919, p. 6 ; *Le Canada*, 24 et 25 février 1919, p. 2 ; *The Gazette*, 25 février 1919, p. 12 ; *The Montreal Daily Star*, 25 février 1919, p. 6 ; *Le Devoir*, 25 janvier 1919.

porte aucune marque apparente. Il avoue cependant avoir eu les mains enflées et très sensibles durant les derniers rounds. « À chaque coup que je donnais à Alberts, déclare-t-il, il me semblait que les os des articulations m'entraient dans le poignet. » Pour Elmer W. Ferguson, Brosseau vient de faire un grand pas vers « the higher levels of pugilistic fame » et il rappelle que plusieurs boxeurs d'expérience et de grande réputation ont échoué dans leur tentative de battre l'Américain[14].

À chaque nouveau combat, Brosseau acquiert de l'expérience et les observateurs attentifs perçoivent une amélioration sensible de son style. Lors de ses premières rencontres professionnelles, *La Presse* lui reproche de trop se fier aux signaux de Fleming et pas assez à ses propres talents. « Pendant qu'il s'occupe de Fleming il pourrait bien recevoir un coup fatal », craint le journal. Mais, à mesure que la saison avance, Brosseau se montre plus sûr de lui et dépend moins des conseils de son entraîneur. Entre-temps, il continue de s'entraîner consciencieusement avec Cline, Demers et Fleming. Les quatre mousquetaires de Rawdon émerveillent les amateurs. Au mois de mars, Cline défait deux adversaires, l'un en une minute et l'autre en quatre minutes ; Demers ridiculise son opposant en 17 secondes et plus de 3000 spectateurs voient Fleming battre Gussie Lewis. Devant tant de succès, les quatre boxeurs songent, pour un instant, à une tournée aux États-Unis. Cependant, les mains très sensibles de Brosseau l'obligent, pendant quelques semaines, à diminuer le rythme[15].

Toutefois, les provocations continuelles de Georges Rivet le poussent à accepter, contre son gré, le défi de l'athlète policier. Rivet ne brille pas par la science et l'habileté, mais par son endurance et un certain courage. Dernièrement, il a résisté à la raclée que lui a servie Ted Lewis, champion mondial des mi-moyens. Il n'a jamais subi de knock-out depuis le début de sa carrière. Brosseau ne craint pas cette rencontre, prévue pour le lundi 7 avril ; il croit plutôt, avec raison, que Rivet n'est pas de taille. « Je ne me suis jamais occupé de Rivet, déclare-t-il, et je ne m'en serais jamais occupé. Mais comme, depuis des années, Rivet se vante qu'il peut me battre en une ronde[16], je n'ai pas

---

14. *La Presse*, 11, 13, 15, 17 et 18 mars 1919, p. 6 ; *Le Canada*, 18 mars, p. 2 ; *The Montreal Daily Star*, 18 mars 1919, p. 5 ; *The Montreal Herald*, 18 mars 1919 ; *The Gazette*, 18 mars 1919.

15. *La Presse*, 20, 22, 26 et 27, 31 mars, 1er avril 1919, p. 6 ; 29 mars 1919, p. 17.

16. À l'époque, tous les journaux francophones emploient le mot « ronde » au lieu du mot round utilisé aujourd'hui. Pour cette raison, je l'ai conservé lorsqu'il se retrouve dans une citation.

reculé. [...] L'affaire ne durera pas longtemps.» Rivet prend les choses au sérieux. Il s'entraîne quotidiennement au gymnase de la police et fait de longues marches en raquettes sur le mont Royal. Cette rencontre mettant aux prises deux vedettes locales provoque un grand intérêt et alimente les conversations dans les milieux sportifs. Non seulement on discute, mais on parie de très fortes sommes. Les déclarations des deux hommes contribuent à maintenir le suspense. Rivet, irréaliste, ironise et se dit convaincu de vaincre Brosseau le boxeur «aux mains de femme» par une grande marge. Brosseau, sortant de sa réserve habituelle, réplique: «Ah! Rivet s'est vanté de pouvoir me faire mordre la poussière; il a crié par toutes les portes et fenêtres que j'avais des mains de femme, eh bien il paiera cher ces paroles et il constatera qu'avec mes mains de femme je puis frapper assez dur pour l'envoyer au pays des rêves.» Le soir de la rencontre, Rivet dut regretter sa témérité. Complètement déclassé par un rival infiniment supérieur, Rivet, pathétique, semble terrorisé. Pendant six rounds, Brosseau joue avec lui, le taquine, s'amusant à lui présenter sa tête et une figure ricaneuse, «lui portant de temps en temps quelques bons coups pour varier et pour conserver l'intérêt dans le combat». Au septième round, la récréation est finie et Brosseau assomme Rivet d'un coup de sa droite[17].

Après son combat avec Rivet, Brosseau change de lieu d'entraînement. Comme il n'y a qu'un train par jour pour Rawdon, il faut «perdre deux jours de voyage» pour y aller et en revenir. Avec Patsy Cline, il installe son quartier d'entraînement au gymnase de l'Académie Querbes, rue Bloomfield, à Outremont. Cette académie, dirigée par les Clercs de Saint-Viateur, fut construite dans les années 1913-1916 et inaugurée le 22 octobre 1916. Il s'agissait de l'une des institutions scolaires les plus modernes de l'époque, fréquentée par «les familles les plus huppées d'Outremont». Elle était équipée d'une belle piscine, d'un grand gymnase, d'une salle de billard et d'une salle de quilles. Dans cet espace où il côtoie des fils de bourgeois, Brosseau prépare sa rencontre avec Johnny Tillman, un excellent boxeur de Minneapolis. Tillman pèse 151 livres, soit 7 livres de moins que son adversaire, mais c'est un homme redoutable. Il a déjà tenu tête à Jack Britton, champion mondial des mi-moyens, et doit le rencontrer à nouveau dans quelques semaines pour le titre mondial[18]. *La Presse*, qui redoute le

17. *La Presse*, 2, 3, 4, 7 et 8 avril 1919, p. 6; 5 avril 1919, p. 20; 7 et 8 avril 1919; *The Montreal Herald*, 8 avril 1919.

18. Johnny Tillman tiendra douze rounds face à Jack Britton lors de ce combat.

Façade de l'Académie Querbes à Outremont et intérieur du gymnase de cette académie. Après avoir quitté le camp d'entraînement de Frankie Fleming, à Rawdon, trop éloigné de Montréal, Brosseau s'entraîne maintenant avec Patsy Cline au gymnase de l'Académie Querbes. Pendant plusieurs années, ce gymnase verra défiler de très bons boxeurs en visite dans la métropole. Plusieurs des meilleurs boxeurs de Montréal choisiront également l'Académie comme lieu d'entraînement. (Cartes postales provenant des archives des Clercs de Saint-Viateur.)

résultat de la bataille, conseille à Brosseau de se tenir sur la défensive s'il veut se rendre au bout des dix rounds. Mais, pour Brosseau, la meilleure défensive demeure l'attaque, comme le constatent les 3000 spectateurs qui remplissent le Théâtre français le soir du 28 avril. Durant la majorité des rounds, il se montre l'agresseur. Face à ce boxeur intelligent et agile sur ses pieds, Tillman s'agite « dans le vide comme les ailes d'un moulin à vent », spectacle « tout simplement tordant » pour *La Presse*. Au quatrième round, Brosseau soulève un tonnerre d'acclamations en expédiant l'Américain au plancher. Mais il ne faudrait pas croire que Tillman fut complètement déclassé. Il riposte et frappe durement le Montréalais à la mâchoire et au corps et c'est « par une faible marge » que Brosseau arrache le verdict. Après ce combat, les admirateurs de Brosseau savent que leur idole « peut non seulement frapper », mais aussi encaisser. Jusqu'à maintenant, peu de boxeurs avaient réussi à l'atteindre. Pour *The Gazette*, cette victoire rapproche Brosseau du championnat mondial[19]. Selon « des personnes apparemment bien informées », Brosseau aurait reçu 1600 $ pour ce combat, somme très importante[20].

Le Club olympique obtient tellement de succès lors de ses séances de boxe qu'au mois de mai 1919 il laisse le Théâtre français et déplace ses activités à la vaste salle du Monument national, sur la rue Saint-Laurent, au sud de la rue Sainte-Catherine. Léon Trépanier se scandalise qu'un édifice appartenant à la Société Saint-Jean-Baptiste « puisse consacrer son immense salle [...] à des combats de boxe, [...] à du théâtre hébraïque, ou bien encore à des meetings semi-politiques, semi-bolchéviques ». Brosseau, lui, quitte le gymnase de l'Académie Querbes et loue une maison à La Prairie, où il s'installe et organise son propre camp d'entraînement. Il s'y prépare au combat avec ses fidèles amis Patsy Cline, Eugène Demers et Frankie Fleming. Il s'achète une moto et, à un journaliste qui lui demande : « Ne redoutez-vous pas un accident ? », il rétorque avec humour : « Je ne vais pas vite... pas plus vite que la machine peut aller » et il éclate de rire. Ce moyen de locomotion lui permet, en passant par le pont Victoria, le seul pont reliant à l'époque Montréal à la rive sud, de filer vers la métro-

19. *La Presse*, 10, 14, 15, 22, 23, 28, 29 et 30 avril 1919, p. 6 ; 26 avril 1919, p. 18 ; *La Patrie*, 29 avril, p. 5 ; *Le Canada*, 29 avril 1919, p. 2 ; *The Gazette*, 29 avril 1919, p. 11.

20. Par comparaison, selon le recensement canadien de 1921, un « ingénieur professionnel » gagnait en moyenne 2100 $ par année à Montréal et un chauffeur de tramway, 1450 $.

Eugène Brosseau sur sa moto avec son chien. Comme il s'entraîne à La Prairie, il se sert de ce moyen de locomotion, encore rare à l'époque, pour se rendre à Montréal en passant par le pont Victoria, inauguré en 1860 et seul pont reliant alors la rive sud à la métropole. À l'automne 1919, Brosseau aura un grave accident, à Saint-Sulpice, au volant de son « engin ». Cet accident serait peut-être, selon Clément Brosseau, qui dit tenir cette information de la bouche même de son père, à l'origine de la maladie qui devait le frapper bientôt. (Photo prise vraisemblablement à l'été de 1919, archives de Clément Brosseau.)

pole. Il n'a pas abandonné l'idée d'aller se battre aux États-Unis. Il veut se rendre à Philadelphie, Buffalo « et d'autres villes américaines », affronter tous les hommes de son poids prêts à le rencontrer. En attendant, il rencontre Dan Ferguson, de Philadelphie[21], le lundi 19 mai, au Monument national. L'arbitre Georges Lepage soulève la controverse lorsqu'il accorde la victoire à Brosseau au troisième round, après plusieurs coups portés en bas de la ceinture par le boxeur américain. Les journaux admettent toutefois que Brosseau, très supérieur à son adversaire, aurait gagné sans l'assistance de l'arbitre. Malgré sa défaite, Ferguson est le premier homme à surprendre Brosseau et à l'expédier au plancher au premier round[22].

21. *La Presse* écrit qu'il demeure à New York, mais les autres journaux donnent Philadelphie comme son lieu de résidence.

22. *La Presse*, 8, 14, 15, 16, 19, 20 et 21 mai 1919, p. 6 et 17 mai 1919, p. 20.

Après cette victoire, il est question pendant quelques jours d'un combat avec Young Ahearn (Jacob Woodward), un athlète de 160 livres, de Boston, né à Preston, en Angleterre. Prévu d'abord pour le 2 juin, reporté au 6 juin, le projet est finalement abandonné et le Club olympique doit rembourser les amateurs qui ont acheté des billets. Se concrétise alors un autre projet plus ambitieux. Joseph Payette, président du Club olympique, organise une rencontre en plein air avec Jeff Smith, au terrain du National, à Maisonneuve, le 24 juin, jour de la Saint-Jean-Baptiste. On le sait, Brosseau suscite beaucoup de fierté chez de nombreux Canadiens français, et une victoire, le jour de leur fête nationale, symboliserait la force et le courage de cette petite nation. Pour plusieurs, qui se valorisent à travers lui, il représente un exemple de persévérance et de ténacité. En choisissant la carrière de boxeur, raconte un journaliste, il vise le sommet et, pour y arriver, « il déploie autant de zèle, de volonté et d'énergie qu'il en dépenserait si au lieu de faire de la boxe, il avait charge de diriger une importante maison de commerce ou une usine ». C'est un appel direct aux Canadiens français de développer les mêmes qualités pour investir le commerce et l'industrie contrôlés par les « Anglais[23] ».

Au mois de mars, Smith, qui venait juste de gagner le titre de champion poids moyens d'Europe, avait lancé un défi à Brosseau pour un pari de 500 $ à 1000 $. Ce boxeur, né à New York le 23 avril 1891, a vécu en France quelques années et s'est battu avec Georges Carpentier et, surtout, il détient pendant un an (1914) le titre de champion mondial des poids moyens. Il doit d'ailleurs rencontrer Mike Gibbons le 4 juillet et tenter de reconquérir son titre. Son défi au boxeur canadien prouve la réputation de celui-ci. Mais, au mois de mars, Brosseau venait d'entreprendre sa carrière professionnelle, ce qui explique qu'il n'ait pas répondu au défi d'un si redoutable adversaire.

En juin, il a acquis de l'expérience et pris de l'assurance. Il ne refuse aucune proposition provenant d'hommes de son poids. Comme il désire décrocher le plus rapidement possible le championnat mondial des poids moyens et qu'il sait l'importance de ce combat pour la suite de sa carrière, il s'y prépare en conséquence. À la fin du mois de mai, grâce aux gains substantiels réalisés lors de ses premiers combats professionnels, il acquiert

---

23. *La Presse*, 28 mai, 4, 17, 19 juin 1919, p. 6 ; 31 mai, 14 juin 1919, p. 18 ; 3 juin 1919, p. 11 et 18 juin 1919, p. 5 ; *Le Canada*, 13, 18, 19 et 20 juin 1919, p. 2.

Eugène Brosseau, excellent nageur, adorait la baignade. On le voit ici en compagnie de ses camarades d'entraînement se baignant dans les eaux du Saint-Laurent, face à son camp d'entraînement de Longueuil. N° 1, Armand Vaillancourt, l'un de ses plus fidèles amis ; n° 2, Léonard Dumoulin, connu aux États-Unis sous le nom de Jack Renaud ; n° 3, Bert Schneider, qui sera bientôt champion olympique ; n° 4, Victor Knowles ; n° 5, Eugène Brosseau ; n° 6, Harry Knowles ; n° 7, Eugène Demers ; n° 8, Harry Greenshield. (Photo de J.-A. Brûlé, dont le studio est situé au 812, rue Sainte-Catherine Est, archives de Clément Brosseau.)

un chalet à Longueuil. Sur ce terrain, bordé par le Saint-Laurent, il érige une superbe arène de 24 sur 24 pieds. Il y prépare sa rencontre avec Smith. Albert Laberge, rédacteur sportif de *La Presse*, qui lui rend visite, observe : « Cuivré comme un Peau Rouge par le soleil, Brosseau donne l'impression d'une statue de bronze que l'on aurait descendue de son piédestal. » Le journaliste nous donne l'horaire quotidien du boxeur : lever à 6 h et coucher à 21 h 30, sa journée est entrecoupée de nage dans le fleuve, d'exercices de « culture physique », d'une marche et d'une course de 6 milles, d'assauts de boxe avec Armand Vaillancourt, Bert Schneider (un autre ancien de La Casquette qui vient de remporter le championnat de la Cité à 145 livres et qui gagnera, en 1920, une médaille d'or au Jeux olympiques d'Anvers), Léonard Dumoulin et Eugène Demers. « Dans leurs heures de loisir, Brosseau et ses camarades jouent avec le *medecine ball* », ils font du canot et de la rame. Vaillancourt ne se contente pas de sauter dans l'arène, il accompagne son ami « dans ses courses et, après les exercices, lui donne les massages indispensables». Deux jours avant son combat, Brosseau se permet même une nouvelle expérience sportive. Nageur émérite, qui s'est toujours intéressé aux sports nautiques, il fait ce jour-là de l'aquaplane tiré par le yacht de Louis Lavigueur. Certains prétendent qu'il s'agit d'une première dans le domaine du sport au Québec[24].

Le combat qui s'annonce suscite un immense intérêt parmi la population. Pour certains, «ce combat sera le plus important encore disputé à Montréal depuis que le sport de la boxe a été introduit dans notre ville». On s'attend à un record d'assistance. Plusieurs jours avant l'affrontement, les demandes de réservations affluent de Québec, Trois-Rivières, Sherbrooke, Saint-Jean, Joliette, Shawinigan, Drummondville, Cornwall, Ottawa et Hull. Des excursions s'organisent. Dans sa publicité, le Club olympique lance une invitation toute spéciale aux dames. Il fait construire une arène éclairée de cent lampes électriques et des estrades supplémentaires. Jeff Smith et son gérant Al Lippe, arrivés à Montréal quelques jours avant le grand événement, sont enrôlés dans la campagne publicitaire. Le boxeur américain se prête volontiers à une «exhibition» de boxe avec Léonard Dumoulin et accepte de se montrer à une partie de baseball de la Ligue nationale indépendante. Les amateurs peuvent le voir s'entraîner à la nouvelle Palestre nationale de la rue Cherrier et courir autour du mont Royal. Comme Brosseau, Smith vient tout juste « d'être lincencié du corps d'aviation » de son pays et une photo du *Canada* nous montre les deux hommes en costume de cadet de l'air, encadrant le portrait de Jos Payette, président du Club olympique. Les journaux sont très élogieux à l'endroit du visiteur. C'est « un charmant garçon [...] [qui] comprend très bien le français ». Le rédacteur sportif Édouard-Charles Saint-Père veut nous convaincre que, comme Brosseau, c'est un parfait gentleman. «Il ne boit pas, ne fume pas et mène une vie réglée et paisible avec son épouse et ses deux enfants. [...] Il parle de ses batailles avec modestie et a toutes sortes de louanges pour ses adversaires. » Boxeur scientifique, agile, rapide, il possède « un coup de poing formidable». Le public répond favorablement à ce battage publicitaire et, le soir de la bataille, plus de 6000 personnes assistent à la rencontre. *La Presse* rapporte qu'une énorme foule a pris le terrain du National d'assaut. «De toutes les parties de la province on était accouru [...]. Les estrades regorgeaient de spectateurs. Les loges étaient remplies [...]. La pelouse était

24. *La Presse*, 20 juin 1919, p. 8 et 21 juin 1919, p. 6.

envahie. » Selon ce journal, il s'agit « d'un record qui ne sera pas égalé de sitôt. » Brosseau livre un beau combat et résiste pendant les dix rounds prévus, mais Smith se montre supérieur, surtout dans les *infighting* (corps-à-corps) et administre « de vilaines taloches » à son adversaire. Finalement, les juges ne rendent aucune décision[25].

La première saison professionnelle de Brosseau ne se termine sans doute pas comme il l'aurait espéré, mais il a démontré qu'il pouvait se mesurer avec avantage à d'excellents boxeurs. Fort populaire, il a attiré, pour ses huit premiers combats, près de 32 000 spectateurs, avec des assistances variant de 3 000 à 6 000 personnes, foules plus que respectables à Montréal, en 1919. Du point vue financier, les résultats ne sont pas à négliger non plus. Pendant ces six mois, il a accumulé plus de 9000 $, ce qui en fait, et de loin, le boxeur et même l'athlète le mieux payé au Québec. C'est beaucoup plus qu'un jeune homme de 23 ans aurait pu espérer gagner en pratiquant la médecine vétérinaire. Malgré cette manne, Brosseau, prudent comme toujours, conserve son emploi au bureau de poste central de Montréal, poste qu'il occupe depuis 1914.

Les vacances de Brosseau ne seront pas longues. Cinq semaines après la fin de sa première saison, le Club olympique annonce que la saison 1919-1920 débutera le 18 août, au Monument national. C'est la première fois que des séances régulières de boxe commencent aussi tôt dans la métropole. *La Patrie* remarque à cette occasion que « Montréal devient sans conteste le grand centre du *manly art* au Canada ». Le Club, mieux organisé, donnera trente séances et établira une échelle des prix des billets qui ne varieront pas de la saison. Les billets d'un siège près de l'arène se vendront deux dollars, tandis que l'admission générale passera de 50 à 75 cents[26]. Autre innovation, il y « aura un représentant aux États-Unis qui fera signer aux pugilistes un contrat en bonne et due forme » et qui exigera un dépôt « de chaque boxeur pour assurer sa présence le soir de la bataille ». Au moment où ces informations paraissent dans les journaux, Billy Moorehouse, l'organisateur des rencontres pour le Club, qui connaît bien les meilleurs boxeurs et leurs gérants et qui entretient de bonnes relations avec

---

25. *La Presse*, 23, 24 et 25 juin 1919, p. 6 ; *Le Canada*, 21, 23, 24 et 25 juin 1919, p. 2 ; *Le Devoir*, 24 juin 1919, p. 4 ; 25 et 26 juin 1919, p. 6.

26. Il est certain que des tarifs aussi élevés empêchent les travailleurs à revenus modestes d'assister aux spectacles de boxe. Une séance de cinéma coûtait, par exemple, entre 15 et 25 cents.

la majorité d'entre eux, négocie déjà avec Willie « Knock-out » Loughlin, le protégé d'Al Lippe, Young Ahearn, George Chip et Steve Latzo. Chip demande un délai d'un mois, Ahearn ne donne pas signe de vie et Latzo exige que le boxeur montréalais réduise son poids à 145 livres. Dans l'attente d'une réponse, Brosseau retourne à son camp d'entraînement de Longueuil avec ses entraîneurs et se remet sérieusement à l'œuvre dès la première semaine d'août[27].

Al Lippe, le gérant de Loughlin, répond immédiatement et se dit même prêt à parier 1000 $ que son poulain mettra Brosseau hors de combat en moins de dix rounds. Accord conclu, Brosseau accepte de couvrir le 1000 $ de Lippe ou, s'il préfère, que la bourse offerte par le Club olympique soit remise totalement au vainqueur et non partagée deux tiers, un tiers entre le gagnant et le perdant selon la coutume. À un journaliste qui lui rend visite à Longueuil, il déclare : « Je suis persuadé que M. Lippe retournera à Philadelphie plus pauvre, ou plutôt moins riche qu'il ne l'était à son arrivée en notre ville. Je sais que Loughlin est un bon homme [...] [mais] il aura besoin de mettre du plomb dans son gant pour me mettre hors de combat en moins de 10 rondes, car il va s'apercevoir que j'ai la mâchoire solide. » Willie Loughlin n'est pas un novice. Il a livré plus de cent combats, alors que Brosseau ne compte que huit combats professionnels à son actif. L'Américain a vaincu « plusieurs grandes célébrités de l'arène », parmi lesquelles se trouve Jack Britton. Il détient le championnat des mi-moyens de Pennsylvanie. Il n'a jamais perdu par mise hors de combat. Par contre, son habitude de gagner ses combats par K.-O. lui a valu le surnom de « Knock-Out ». Il pèse environ 150 livres alors que Brosseau pèse 160 livres. Le 18 août, Loughlin subit le premier knock-out de sa carrière. Après dix minutes de combat, au commencement du quatrième round, il reste étendu sur le carreau, terrassé par « un puissant coup de droite à la figure, suivi d'une terrible gauche à l'estomac ». Cette victoire de Brosseau soulève un tonnerre d'applaudissements. « Tous les spectateurs étaient debout, criant, applaudissant et lançant leurs chapeaux en signe de joie. » Après la bataille, le gérant Al Lippe déclare qu'il n'y a que deux athlètes capables de résister au Montréalais, Mike Gibbons et Jeff Smith, tous les autres, dit-il, « vous pouvez les battre facilement ». Personne, selon *Le Devoir*, « ne s'attendait

27. *La Presse*, 4 et 6 août 1919, p. 6 ; *La Patrie*, 12 août 1919, p. 6 ; *Le Devoir*, 6 et 8 août 1919, p. 6.

à un triomphe aussi éclatant». La presse est unanime, cette performance de Brosseau éclipse toutes ses précédentes. Ainsi, le *Montreal Herald* décrit cette victoire comme «the most notable conquest» de l'ex-champion amateur; le *Montreal Daily Star* croit que Brosseau, en dominant complètement un homme de la valeur de Loughlin, a augmenté énormément son prestige et *La Presse* ajoute que «Brosseau, qui était déjà extrêmement populaire, est devenu un héros[28]».

Malgré tous ces éloges, et tout en reconnaissant que ses adversaires possèdent généralement beaucoup plus d'expérience qu'il n'en a, on reproche, encore une fois, à Brosseau de choisir des hommes moins grands et moins pesants que lui. Plusieurs amateurs de sport ont lu l'article d'Elmer W. Ferguson soulignant que l'athlète canadien dépassait d'une tête et pesait entre dix et quinze livres de plus que l'Américain Loughlin. Pour faire taire ces critiques, Brosseau accepte de faire face à George Ashe, qui le dépasse de plusieurs pouces et détient le championnat des poids mi-lourds (175 livres) de l'armée américaine. Ces livres et ces pouces supplémentaires n'empêcheront pas l'ancien militaire de subir une humiliante défaite le lundi, 1er septembre, jour de la fête du Travail. Lors de ce dixième combat comme professionnel, et selon une pratique fréquente chez lui, le Canadien français s'amuse avec son vis-à-vis. Léger, agile sur ses pieds, il danse autour de son adversaire, «lui envoyant de légers coups sur la bouche et le nez et jouant avec lui». Pour les «experts», seul un miracle permet à Ashe de tenir pendant dix rounds. Il est sans doute plus réaliste de penser que Brosseau a ménagé l'Américain pour faire durer le spectacle. Parmi l'immense foule qui remplit le Monument national, les dames, qui occupent toutes les loges, et les étudiants des collèges et de la succursale de l'Université Laval à Montréal ne sont pas les moins enthousiastes. Après cette victoire, *La Presse* décerne à Brosseau le titre de «Carpentier canadien» et reconnaît qu'il est «à l'heure actuelle le boxeur le plus populaire au Canada[29]».

---

28. *La Patrie*, 18 et 19 août 1919, p. 6; *La Presse* , 8, 13, 14, 15, 18 et 19 août 1919, p. 6; *The Montreal Herald*, 19 août 1919, p. 6; *The Montreal Daily Star*, 19 août 1919, p. 6; *The Gazette*, 19 août 1919, p. 12; *Le Devoir*, 13, 15, 18 et 19 août 1919, p. 6.

29. *The Montreal Herald*, 19 août 1919, p. 6; *La Presse*, 28, 29 août et 2 septembre 1919, p. 6; 30 août 1919, p. 15; *The Montreal Daily Star*, 2 septembre 1919, p. 5; *Le Devoir*, 27 août et 2 septembre 1919, p. 6.

Brosseau ne se repose pas longtemps sur ses lauriers. Les directeurs du club athlétique Montagnais de Québec l'invitent à venir se battre dans la capitale. Le combat aura lieu le vendredi 5 septembre au soir, à l'aréna de Québec. En inscrivant à leur programme une vedette telle que Brosseau, «le meilleur attrait encore offert aux regards des amateurs locaux», les organisateurs veulent donner un nouvel élan à la boxe chez eux. «Ceux qui n'iront pas voir Brosseau [...] ne devront plus être regardés comme de véritables amis de ce sport viril», décrète *Le Soleil*. Contrairement à Billy Moorehouse du Club olympique, le Montagnais ne possède pas ses entrées chez les promoteurs de boxe des États-Unis et ne semble pas bien connaître ce milieu. Pour trouver un adversaire sérieux à Brosseau, les directeurs du club télégraphient à W. A. Hamilton du *Boston Herald*. Ce dernier leur promet la présence à Québec, le soir de la bataille, de Johnny Wilson, qui le 25 août dernier a mis l'excellent Young Ahearn hors de combat. Hamilton fait parvenir aux organisateurs des coupures de journaux concernant ce combat et des photos du prétendu Wilson que publie *Le Soleil*. Brosseau, accompagné de Xiste-E. Narbonne, arrive à Québec une journée avant la rencontre. Le lendemain soir, 2000 spectateurs accourent à l'aréna pour admirer et voir pour la première fois, en chair et en os, leur célèbre compatriote. Malheureusement, organisateurs et spectateurs ont été bernés par des promoteurs américains peu scrupuleux, qui profitant de l'éloignement de Québec des grands circuits du sport professionnel nord-américain et de l'ignorance des organisateurs locaux, leur ont refilé un boxeur de piètre qualité. On apprendra quelques jours plus tard qu'il s'agissait de Young Barlow et non de Johnny Wilson. Dès le début du combat, la «méprisable tromperie» est évidente. Le rédacteur sportif du *Soleil*, consterné, affirme que l'Américain «est le moins combatif, le plus poltron que nous ayons vu pendant notre longue carrière de sport et de journalisme». La comédie dure trois rounds. Le boxeur inconnu ne réussit pas à placer un coup et visite le plancher deux fois au cours du troisième round. Au quatrième, paniqué, il refuse de revenir dans l'arène. La foule applaudit Brosseau et conspue copieusement l'imposteur[30].

Après cette bouffonnerie, Brosseau revient à Montréal. Il se battra désormais sous les auspices du Regal Athletic Club qui prend la relève du

30. *La Presse*, 3 septembre 1919, p. 6; *Le Devoir*, 6 septembre 1919, p. 10; *Le Soleil*, 3, 4, 5, 6 et 8 septembre 1919, p. 3.

Club olympique et charge Billy Moorehouse d'organiser ses séances de boxe du lundi au Monument national. Le nouveau club choisit comme président Rod Lamoureux, un homme bien connu des sportifs montréalais, et qui joue depuis une dizaine d'années un rôle important dans le monde des quilles et, comme secrétaire, le rédacteur sportif du *Devoir*, Xiste-E. Narbonne. Brosseau continue son ascension. Le 22 septembre, l'énorme foule qui remplit la salle du Monument national assiste à une autre victoire facile de son idole sur Battling Kopin, de Pittsburgh. Ses multiples triomphes augmentent sa confiance. Sa « calme assurance, son attitude énergique, ses tactiques agressives » impressionnent. Comme il le fait généralement, il consacre le premier round à étudier son adversaire. Mais, dès le début du combat, il est évident pour tous les spectateurs que Kopin ne fait pas le poids face à un adversaire aussi déterminé. Brosseau, en parfaite condition physique, boxe comme une machine bien huilée. Kopin est vite « maté, dompté et réduit au rôle de *punching bag* ». Avant sa mise hors de combat définitive, il se retrouve cinq fois au plancher. Selon une technique devenue familière, Brosseau joue avec lui, « comme Jack Dempsey jouait avec ses *sparring partners* », précise *La Presse*. Au sixième round, un Brosseau plus vigoureux que jamais met fin au supplice d'un Kopin, épuisé et sanglant, par un magistral coup à l'estomac. Au suivant[31] !

Pendant quelque temps, on ne sait plus trop qui sera le suivant. Le vaincu du 18 août, Willie « Knock-Out » Loughlin, réclame un match revanche. Son gérant, Al Lippe, entretient une correspondance régulière avec le Regal Athletic Club. Une rencontre est d'abord prévue pour le 29 septembre. L'enjeu est considérable. Les deux boxeurs parient chacun de leur côté une somme de 1000 $ et obtiennent que toutes les recettes de la soirée aillent au vainqueur, ce qui représente, selon l'estimation la plus prudente, un montant d'environ 2500 $, soit plus de deux fois le salaire annuel moyen d'un électricien de Montréal. Pour démontrer le sérieux de leur engagement, les deux combattants déposent 250 $ chacun dans les mains d'Albert Laberge. Le gérant de Loughlin exige que le poids du « protégé d'Armand Vaillancourt » n'excède pas 158 livres le soir de la rencontre. Quelques jours avant la date fatidique, arrive à Montréal la nouvelle que Loughlin s'est blessé à une main lors d'un combat. Les analystes de la

31. *Le Devoir*, 18 septembre 1919, p. 6 ; *La Presse*, 18 et 23 septembre 1919, p. 6 et 20 septembre 1919, p. 19 ; *The Montreal Herald*, 23 septembre 1919.

métropole s'interrogent. S'agit-il d'un « truc pour forcer Brosseau à s'affaiblir davantage en le forçant [...] [à] suivre un régime extrêmement sévère » ? Quoi qu'il en soit, sa venue est reportée au lundi suivant, 6 octobre. Comme la blessure du gars de Philadelphie paraît sérieuse, Billy Moorehouse s'entend finalement avec Hugh Shannon, de Buffalo, « well-known in boxing circles all over North America », gérant du boxeur Art Magirl, de Lockport, surnommé The Oklahoma Cyclone. Magirl s'est déjà battu contre Loughlin et a fait face aux meilleurs boxeurs de sa catégorie : George Chip, Jeff Smith, Mike Gibbons, Zulu Kid[32].

Avec l'arrivée de l'automne, Brosseau quitte son chalet de Longueuil et, de retour à La Prairie, il s'entraîne avec Bert Schneider jusqu'au 3 octobre. Ce soir-là, il se rend à la Palestre nationale avec Armand Vaillancourt pour encourager son camarade Schneider lors d'une partie de polo aquatique, sport qu'il affectionne tout particulièrement. Trois jours plus tard, Brosseau déclasse Magirl, devant « la foule la plus nombreuse jamais vue à une joute de boxe au Monument national ». Après trois rounds, l'Américain déclare forfait, s'étant brisé un pouce. Pour tous les « connaisseurs », cette blessure le sauve d'une mise hors de combat certaine. Lorsqu'il regagne son coin à la fin du troisième round, il a la figure fendue sous l'œil droit et peut à peine se tenir debout. Dès le début, Brosseau prend le contrôle du match. Il frappe à sa guise, pénétrant facilement la défense de son adversaire. Les journaux anglophones ironisent : le cyclone d'Oklahoma s'est transformé en un doux zéphyr. Après la déconfiture de son protégé, le gérant Hugh Shannon ne tarit pas d'éloges envers le vainqueur. Il prédit que Brosseau sera « the middleweight [champion] of the world within the next year ». Il déplore que Montréal ne sache pas apprécier ce « phenomenal fighter » à sa juste valeur. À ses yeux, seuls Mike Gibbons et Jeff Smith peuvent se comparer au boxeur local chez les poids moyens. Revenant sur la défaite de Kopin, il demande aux amateurs de ne pas conclure de sa piètre performance du 22 septembre qu'il soit un boxeur de second ordre. Au contraire, dit-il, c'est l'un des boxeurs les plus rusés à avoir jamais porté des gants et qui se compare avantageusement au champion mondial Jack Britton. Pourtant, Kopin fut « a baby in Brosseau's arms ». Il s'associe à Magirl pour proclamer que Brosseau est « one of the greatest fighters in

32. *La Presse*, 22 et 26 août, 25, 26, 29 et 30 septembre, 6 octobre 1919, p. 6 et 4 octobre 1919, p. 16 ; *Le Devoir*, 27 septembre 1919, p. 12 et 29 septembre 1919, p. 6.

Caricature de G. D. Lawrence, relatant la défaite d'Art Magirl, surnommé par la presse américaine *The Oklahoma Cyclone* et qui, le lundi soir 6 octobre 1919, au Monument national, rue Saint-Laurent, se transforme en un doux zéphyr face à un Brosseau impitoyable. (*The Montreal Herald*, 7 octobre 1919, p. 8.)

the world» et n'hésite pas à prédire une rapide raclée à Mike O'Dowd, l'actuel champion mondial des poids moyens, s'il se risque à l'affronter. En terminant, il ajoute que la rumeur court parmi les boxeurs poids moyens des États-Unis «that Brosseau is TNT». Shannon réitérera ses éloges dans un article publié dans le *New York Boxing Record* quelques jours plus tard[33].

L'accumulation de victoires décisives par Brosseau amène la direction du Regal à songer de plus en plus sérieusement à un affrontement prochain de son boxeur vedette avec Mike O'Dowd, le détenteur du titre mondial

33. *Le Canada*, 7 octobre 1919, p. 2; *The Montreal Herald*, 7 octobre 1919, p. 1-2; *La Presse*, 7 octobre 1919, p. 6.

des poids moyens. Les succès du boxeur canadien attirent également l'attention de plusieurs promoteurs américains. L'un d'entre eux, Billy McCarney, du Detroit Athletic Club, se dit prêt à présenter, dans les mois qui viennent, un combat entre Brosseau et O'Dowd. Il préférerait cependant que l'événement se déroule aux États-Unis pour une raison « purely financial » et exprime des doutes sur la possibilité de trouver à Montréal une salle assez vaste pour accueillir tous les amateurs désireux d'assister à un spectacle de cette importance[34].

Pour l'instant, nous n'en sommes pas encore là. Le Regal prépare une rencontre de dix rounds avec un « boxeur policier » de 165 livres, Johnny Howard, de Bayonne, New Jersey, entraîné, entre autres, par Jack Dempsey, le champion mondial des poids lourds. Howard vient de surprendre plusieurs rédacteurs sportifs américains en battant le dangereux Jeff Smith. À La Prairie, Brosseau s'entraîne, comme à son habitude, quotidiennement et systématiquement. Le lundi 27 octobre, la foule désireuse d'assister au spectacle est si dense que la salle du Monument national ne peut contenir une personne de plus. Des centaines d'amateurs, déçus, doivent rebrousser chemin, faute de place. Certains mordus offrent même cinq dollars pour le privilège de se tenir debout à l'arrière de la salle. « Il fallut deux rondes environ à Brosseau pour étudier et juger son adversaire. » Après... le bal commence. Au quatrième round, Howard, durement touché à la mâchoire, visite le plancher pendant six secondes. On le sent bientôt démoralisé. Il se contente de se protéger, espérant tenir jusqu'à la fin. Au huitième round, Brosseau, déterminé, attaque sans relâche, bien décidé à mettre fin au combat. Soudain, une estrade temporaire s'effondre sous le poids de spectateurs particulièrement turbulents, arrachant les fils électriques, plongeant l'assistance dans le noir et mettant fin abruptement à la rencontre, sans qu'une décision ne soit rendue. Selon Elmer W. Ferguson du *Montreal Herald*, il s'agit du plus beau combat livré par Brosseau au cours de sa jeune carrière. Sans cette fin imprévue, la tempête déclenchée par le Canadien français aurait emporté Howard[35].

---

34. *La Presse*, 11, 16, 21, 22, 25 et 27 octobre 1919, p. 6; *The Montreal Herald*, 28 octobre 1919, p. 8.

35. *La Presse*, 28 octobre 1919, p. 6; *La Patrie*, 28 octobre 1919, p. 6; *The Montreal Herald*, 28 octobre 1919, p. 8; *Le Canada*, 28, 29 octobre, 1919, p. 2.

Le ciel s'assombrit

Au mois de novembre 1919, le Regal Athletic Club concocte un programme surchargé même pour un athlète en aussi parfaite forme physique et mentale que Brosseau. En moins d'un mois, six combats sont prévus avec des hommes redoutables : parmi eux, Battling Levinsky, Jeff Smith, qui lui a déjà tenu tête, et surtout Mike O'Dowd. Pour les rencontrer tous, Brosseau devra courir de Montréal, à Portland dans le Maine, Philadelphie, Sherbrooke et Detroit. Après un combat prévu à Montréal, le 10 novembre, on l'attend le lendemain soir dans une arène de Portland. Le désir du *matchmaker* Billy Moorehouse de profiter de la poule aux œufs d'or explique peut-être cette frénésie[36].

Bien entendu, l'intérêt des amateurs se porte d'emblée sur la future rencontre avec Mike O'Dowd qui pourrait faire de Brosseau le nouveau champion mondial des poids moyens. Ce match, déterminant pour sa carrière, est d'abord fixé au 27 novembre et finalement reporté au début du mois de décembre, à Detroit. Cette échéance amène plusieurs Américains, familiers des arènes de boxe, à s'intéresser de plus près à la carrière de ce talentueux boxeur du Québec. Afin de présenter un portrait documenté à ses lecteurs, le *National Police Gazette*[37], l'un des plus importants journaux sportifs des États-Unis, adresse successivement, au Quebec Board of Trade et à Billy Moorehouse, une demande de photos et de renseignements sur l'étoile montante du ring. « Le Canada, écrit le représentant du journal, semble posséder une merveille sur qui viendra probablement se reposer la couronne du championnat avant longtemps. » À la même époque, un important promoteur américain envie la chance des Montréalais de voir aussi souvent un pareil boxeur en action[38].

Mais, avant d'arriver à O'Dowd, notre boxeur a du pain sur la planche. Il doit d'abord faire face, le 10 novembre, au boxeur d'origine juive Battling Levinsky (Barney Lebrovitz), un redoutable boxeur, détenteur depuis 1916 du titre mondial des mi-lourds. Homme d'expérience, qui est monté plus de deux cents fois dans l'arène, il pèse 178 livres, soit quinze livres au moins de plus que son adversaire. Dès l'annonce de la mise en vente des billets,

---

36. *La Presse*, 24 septembre et 23 octobre 1919, p. 6.

37. Ce journal avait largement contribué à faire connaître les exploits de Louis Cyr aux États-Unis dans les années 1880-1890.

38. *The Montreal Daily Star*, 6 novembre 1919, p. 6.

Mike O'Dowd, champion mondial des poids moyens que Brosseau doit rencontrer au début du mois de décembre 1919, à Detroit. Après cette rencontre, *The National Police Gazette* croit qu'il est fort probable que la couronne mondiale reposera sur la tête du Montréalais. Après « l'accident » du 11 décembre 1919, à Portland, une autre rencontre est prévue pour le 24 mai 1920. Un contrat est même signé à cet effet au mois de février. (*The National Police Gazette*, 21 octobre 1916.)

ceux-ci s'envolent. Dix minutes et il n'en reste plus. Les dirigeants du Regal Club se réjouissent : lundi soir, le Monument national « sera rempli du parquet au faîte ». Pour se préparer, Brosseau fait de la course à pied le matin à La Prairie, et s'entraîne dans l'après-midi à l'Académie Querbes, en compagnie de Bert Schneider, d'Armand Vaillancourt, d'Eugène Demers et d'Oscar Deschamps. Malheureusement, la veille de la rencontre, Levinsky se foule la cheville en s'entraînant et l'événement est reporté le lundi suivant, 17 novembre[39].

39. *Le Canada*, 6, 7 et 8 novembre 1919, p. 2 ; *La Patrie*, 7, 8 et 10 novembre 1919, p. 6.

Aussitôt la nouvelle connue, Brosseau saute dans le train en partance pour Portland, où il doit affronter, le lendemain 11 novembre, George Chip, de Newcastle, Pennsylvanie. Il s'agit du premier combat professionnel du boxeur montréalais en terre américaine. Il ne sera pas seul dans cette ville portuaire. Depuis quelques jours, une quarantaine d'amateurs de sport s'organisent à Montréal pour aller encourager leur idole outre-frontière. Certains feront le voyage dans « trois puissantes automobiles ». Les autres prendront place dans un luxueux wagon Pullman, mis spécialement à leur disposition par la compagnie de chemin de fer du Grand Tronc. Ils pourront y dormir et y prendre leur repas. Parmi ces mordus capables de se payer une telle excursion, on compte les trois hommes d'affaires qui achèteront le club de hockey Le Canadien en 1921 : Léo Dandurand, l'organisateur principal du voyage, Jos. Cattarinich et Louis Létourneau[40].

George Chip, un boxeur de 31 ans, ancien champion mondial des poids moyens, titre qu'il perdit le 7 avril 1914 aux mains d'Al McCoy, est un solide gaillard et il entend profiter d'une victoire sur Brosseau pour revendiquer un combat de championnat contre O'Dowd. Les deux hommes se battront sous les auspices de l'American Legion, qui veut souligner ainsi le premier anniversaire de l'Armistice. Le *Portland Sunday Telegram* écrit qu'il s'agit de l'un des meilleurs programmes de boxe jamais offerts dans l'État du Maine. Pour ce journal, le face-à-face Brosseau-Chip est probablement le combat de boxe le plus commenté, à l'heure présente, en Amérique du Nord. Pour la première fois de sa carrière, Brosseau se battra dans une rencontre de douze rounds. Comme les lois du Maine ne permettent pas un combat de cette durée, les organisateurs emploient une astuce : deux combats de six rounds, séparés par un entracte de quinze minutes. La réputation des deux athlètes attire à l'Exposition Hall « one of the biggest crowd of the season », selon *The Portland Daily Press*. Ces spectateurs assistent à un excellent spectacle où les deux boxeurs rivalisent de science et d'adresse. Brosseau, ayant sept ans de moins que son adversaire, se montre plus agressif, mais Chip, qui « connaît tous les petits et grands trucs de l'arène », se défend fort bien et frappe « maintes et maintes fois » son vis-à-vis à la mâchoire. Selon un témoin, Brosseau recevait ces coups comme l'eau sur le dos d'un canard et revenait souriant face à son adversaire. Tous

40. *La Presse*, 10 novembre 1919, p. 6 ; *Le Devoir*, 10 novembre 1919, p. 6 ; *Le Canada*, 10 novembre 1919, p. 2.

les journaux, américains et canadiens, accordent un léger avantage au « petit Canadien », qui dans les six derniers rounds redouble d'ardeur et vient bien près de mettre Chip hors de combat au douzième assaut. Brosseau émerveille les Américains par son style et, à la fin, il reçoit une large part des applaudissements. Mais, malgré sa légère supériorité, il doit se contenter d'un match nul, les lois de l'État ne permettant pas aux arbitres de désigner un vainqueur par le nombre de points[41].

Brosseau retourne à sa chambre au Falmouth Hotel, apparemment en bonne santé. Personne ne soupçonne le drame qui se prépare. Le matin, alors qu'il se penche pour lacer ses souliers, il ressent des engourdissements dans le bras gauche. Il croit un instant avoir été « drogué par l'un des partisans de son adversaire ». Ses amis le forcent à s'aliter et le docteur G. W. Connellan est immédiatement appelé à son chevet. Le médecin, perplexe, découvre que le boxeur souffre de haute tension et d'une paralysie de la figure et du bras gauche, causée probablement, pense-t-il, par un excès d'entraînement. Il a déjà vu de tels symptômes chez des joueurs de football après une partie excessivement rude. Pour plus de certitude, il discutera du cas, dans l'après-midi, avec son collègue, le docteur Addison S. Thayer[42].

Le soir même, 12 novembre, le *Montreal Herald* annonce en manchette que Brosseau est paralysé de tout le côté gauche, à la suite des durs coups reçus de George Chip. La nouvelle se répand comme une traînée de poudre dans les milieux sportifs montréalais et sème la consternation chez les amateurs de boxe. Il est très difficile de se faire une idée du mal dont souffre Brosseau dans le flot de rumeurs et d'informations contradictoires qui circulent dans les jours qui suivent le combat de Portland. Billy Moorehouse, l'organisateur du Regal Athletic Club, qui, avec Armand Vaillancourt et Eugène Demers, l'accompagne sur la côte Atlantique et pour qui il demeure une source de revenus importants et de prestige, téléphone aux journaux de Montréal vers la fin de la soirée du 12 novembre, pour démentir la manchette du *Montreal Herald*. « Son boxeur » souffre « tout

41. *Portland Sunday Telegram*, 9 novembre 1919 ; *Portland Evening Express and Advertiser*, 12 novembre 1919, p. 10 ; *La Presse*, 11 et 12 novembre 1919, p. 6 ; *Le Devoir*, 12 novembre 1919, p. 8 ; *Le Canada*, 12 novembre 1919, p. 2 ; *The Montreal Daily Star*, 12 novembre 1919, p. 6 ; *The Gazette*, 12 novembre 1919, p. 14 ; *Le Soleil*, 11 novembre 1919, p. 3.

42. *Portland Evening and Daily Advertiser*, 12 novembre 1919, p. 2.

simplement d'une légère attaque de névrite». Brosseau lui-même, de retour dans la métropole canadienne le lendemain matin, désireux de se battre contre Levinsky le 17, minimise la gravité de son mal. À sa descente du train, à la gare Bonaventure, «dans un état de faiblesse relative» précise *La Patrie*, il déclare aux journalistes anxieux accourus sur le quai: «J'ai eu une indisposition et voilà tout.» Pour tenter de les rassurer, il ajoute qu'il ne s'est jamais senti en meilleure forme. Ce n'est pas très précis! La suite prouvera que la nature de la maladie de la jeune merveille du ring est plus grave qu'on voudrait bien le laisser croire. Malgré cet optimisme de façade, Eugène semble tout de même entretenir quelques doutes sur son état de santé, car, aussitôt revenu, il consulte le docteur Albert Prévost qui lui conseille fortement de prendre au moins une semaine de repos. On apprend aussi qu'il a souffert à Portland d'une légère hémorragie cérébrale. Il ne faut pas se surprendre que dans ce contexte la machine à rumeurs s'emballe. Pour *Le Devoir*, Brosseau «est simplement affecté de parésie, ou de paresse musculaire». *Le Canada* pour sa part rapporte les propos de Xiste-E. Narbonne: «Ce sont simplement des douleurs de rhumatisme [...] qui minent Brosseau depuis longtemps», nous apprend le secrétaire du Regal Club. Pour *La Patrie*, les coups de Chip n'ont rien à voir avec le «malaise» de l'athlète montréalais. Lorsque ce dernier retourna à son vestiaire entre les deux matchs de six rounds, comme il avait chaud, il ouvrit une fenêtre et passa la tête à l'extérieur alors qu'il était pieds nus sur le ciment. Il prit froid. Voilà ce qui explique ses «douleurs de rhumatisme». Un médecin incrimine même «une certaine huile dont Brosseau se servait abondamment pour se frictionner». Selon Clément Brosseau, l'un des fils d'Eugène, un accident de motocyclette subi par son père quelques semaines avant son combat avec Chip pourrait peut-être expliquer cette paralysie soudaine. Le journal *Le Miroir* incrimine, lui aussi, un accident de moto survenu à Saint-Sulpice, à quelques milles à l'est de Montréal. Bien entendu, on pointe aussi du doigt les coups de poings de Chip[43].

Dans l'immédiat, il faut convaincre un Brosseau affaibli de renoncer à son combat avec Battling Levinsky. Il tient mordicus à être dans l'arène le soir du 17 novembre. À l'insistance de ses médecins, il fallut ajouter les

43. *The Montreal Herald*, 12 novembre 1919, p. 1; 13 novembre 1919, p. 10; *La Presse*, 13 novembre 1919, p. 6; *Le Soleil*, 13 novembre 1919, p. 3; *Le Devoir*, 13 novembre 1919, p. 8; *Le Canada*, 13 novembre 1919, p. 2; *La Patrie*, 13 novembre 1919, p. 6; *Le Miroir*, 15 mars 1931, p. 6; entrevue avec Clément Brosseau le 16 avril 2004.

BOXE

AU

Manège du 54ième Régiment

Samedi, 22 Nov. 1919

Eug. Brosseau

EST MALADE

La Rencontre n'aura pas lieu

AVIS AU PUBLIC

Les officiers du 54ième Régiment regrettent beaucoup d'avoir à annoncer au public que la séance de boxe qui devait être tenue le 22 Novembre à l'Arsenal n'aura pas lieu, vue la soudaine et grave maladie de Eugène Brosseau.

Brosseau aurait pu être remplacé par un autre boxeur de renom mais comme le public s'attendait a voir Brosseau [illegible] l'oeuvre, les officiers n'ont pas voulu le désappointer.

Les officiers regrettent infiniment [illegible]tre-temps et ils espèrent que le public ne leur en tiendra pas compte. Les officiers seuls auront à souffrir de ce désappointement, puisqu'ils devront faire face aux dépenses d'organisation, etc., qui se chiffrent a près de mille piastres ($1,000.00)

Encart publié dans le quotidien *La Tribune*, de Sherbrooke, annonçant aux amateurs de boxe de l'endroit que le combat avec Jim Montgomery, de New York, n'aura pas lieu « vue la soudaine et grave maladie de Eugène Brosseau ». Pendant plus d'une semaine, le 54e Régiment canadien-français avait mené une vaste campagne publicitaire demandant au « public sportif de Sherbrooke » de se rendre en masse à l'Arsenal pour voir le « FUTUR CHAMPION DU MONDE » en chair et en os» (*La Tribune*, 20 novembre 1919, p. 7.)

« solides arguments » d'Armand Vaillancourt, qui dut « presque se fâcher » pour lui faire comprendre tous les risques qu'il courait en s'entêtant. « Ceux qui connaissent intimement Brosseau, écrit un journaliste, savent ce que c'est de le faire changer d'idée[44] ».

Cependant, Brosseau ne perd pas espoir de se battre bientôt. À la fin du mois d'octobre, un groupe d'officiers militaires du 54e Régiment canadien-français de Sherbrooke avait réussi à lui faire signer un contrat pour un combat avec un boxeur irlandais de New York, Jim Montgomery. La rencontre, organisée pour « aider au recrutement » du régiment, est prévue pour le 22 novembre, au Manège militaire. L'événement bénéficie d'une large publicité dans toute la région des Cantons-de-l'Est et la demande de billets est considérable. Les militaires engagent Xiste-E. Narbonne comme responsable de toutes les questions d'organisation. La nouvelle de la maladie de Brosseau refroidit un instant les enthousiasmes, mais

44. *The Gazette*, 14 novembre 1919, p. 16; *Le Devoir*, 14 novembre 1919, p. 8; *Le Canada*, 14 novembre 1919, p. 2; *La Patrie*, 14 novembre 1919, p. 6.

des informations positives sur son état de santé relancent les préparatifs. À la fin de l'aventure, le 54e Régiment aura dépensé 1000 $ en vain, car Brosseau, admis le 14 novembre à l'hôpital privé du docteur Joseph-N. Chaussé, près du parc Lafontaine, subit une grave rechute après trois jours de constantes améliorations. Le verdict tombe le 18 novembre, créant du désarroi chez ses milliers d'admirateurs: Brosseau ne paraîtra pas dans une arène de boxe avant trois mois au moins. Ce repos s'impose « pour rendre la guérison permanente », espère le docteur Chaussé. Le *Montreal Herald*, plus pessimiste, écrit: « Brosseau would not fight for the next months, probably not this winter and possibly never again. » Pour sa part, Billy Moorehouse continue de penser qu'on dramatise la situation sans raison sérieuse et n'abandonne pas l'idée de présenter au public montréalais, dans un avenir rapproché, un match Brosseau-Levinsky, qui, il en est persuadé, attirerait une foule record. Entre-temps, Brosseau subit pendant un mois des traitements aux rayons X[45].

Le répit

D'autres promoteurs sont aussi à l'affût de bonnes occasions. Le 4 décembre 1919, Georges Carpentier conserve son titre de champion des poids lourds d'Europe, en battant Joe Beckett à Londres. Cette victoire amène George Kennedy, du club de hockey Le Canadien qui, on s'en rappelle, avait présenté le premier combat professionnel de Brosseau, à songer à une rencontre entre la grande vedette française et son ancien poulain. Kennedy s'informe auprès du docteur Chaussé qui lui laisse entendre que Brosseau pourra sans doute reprendre son entraînement à la mi-décembre. Le boxeur convalescent, homme pragmatique, se dit d'accord « si on lui garantit une somme assez considérable ». Kennedy télégraphie alors à François Descamps, le gérant de Carpentier. Les succès que connaîtra Brosseau au début de l'année 1920 relanceront ce projet. Finalement, cette initiative n'aura pas de suites et lors de son séjour à Montréal, au mois de mai, Carpentier rencontrera, à l'aréna Mont-Royal, un boxeur belge[46].

45. *La Presse*, 15 novembre 1919, p. 20; 17 novembre 1919, p. 6; *The Montreal Herald*, 18 novembre 1919, p. 8; *Le Soleil*, 11 et 18 novembre 1919, p. 3; *Le Devoir*, 15 novembre 1919, p. 10; 18 novembre 1919, p. 6; *La Tribune* (Sherbrooke), 30 octobre 1919, p. 9; 6, 8 et 11 novembre 1919, p. 3; *L'Illustration*, 10 juin 1933, p. 31.

46. *Le Soleil*, 5 et 9 décembre 1919, p. 3; *Le Canada*, 7 mai 1920, p. 2; 8 et 10 mai 1920, p. 3.

Eugène Brosseau et Léonard Dumoulin (alias Jack Renaud). Dumoulin naît le 18 janvier 1895, la même année que Brosseau, à Notre-Dame-des-Bois, dans les Cantons-de-l'Est. De 1923 à 1926, il est considéré comme l'un des meilleurs poids lourds du monde. Il sera l'un des *sparring partners* de Brosseau durant presque toute la courte carrière professionnelle de ce dernier. (Photo de J.-A. Brûlé, dont le studio se trouve au 812, rue Sainte-Catherine est, archives de Clément Brosseau.)

Brosseau doit se rendre à l'évidence, la « paralysie » qui l'a frappé à Portland, le 11 novembre 1919, n'est pas un malaise passager. Malgré son immense désir de revenir immédiatement dans l'arène, son état de santé l'oblige à suivre les conseils du docteur Chaussé et de ses amis les plus proches. Il cesse, pour deux mois, tout entraînement et se repose. Les plus pessimistes pensent que leur idole ne retrouvera plus sa force et son habileté d'autrefois. Les victoires qu'il accumulera lors de son retour à la boxe sembleront, pour quelque temps, donner tort à ceux qui ne croient plus en ses talents.

Le 12 janvier 1920, *Le Devoir* écrit qu'il « est maintenant rétabli » et fait de la marche depuis quelques jours. Dix jours plus tard, le Regal Athletic Club annonce qu'il se battra le 2 février au Monument national. Brosseau s'entraîne maintenant quotidiennement à l'Académie Querbes avec Jos. Fréchette, Joe Burns, de Pointe-Saint-Charles, Bert (Albert) Schneider, futur champion olympique, Eugène Demers et Léonard Dumoulin. Il a connu ce dernier à La Casquette dans les années 1916-1917. Dumoulin, mieux connu aux États-Unis sous le nom de Jack Renaud, sera, de 1923 à 1926, considéré comme l'un des meilleurs poids lourds du monde chez les professionnels[47]. À la fin de janvier, jugeant que leur boxeur vedette « n'était pas tout à fait prêt », les dirigeants du Regal reportent son retour dans le ring au lundi 9 février. Cinq jours avant cette rencontre, attendue avec impatience par tous les mordus de boxe, Brosseau, qui a toujours soigné ses relations avec les journalistes et désirant faire taire les sceptiques, convoque la presse à une séance d'entraînement. Pendant une heure, il boxe avec Joe Burns, s'attaque au sac de sable, fait du *shadow boxing* et de « la culture physique ». Impressionnés et ne demandant qu'à être convaincus, les rédacteurs sportifs rapportent qu'il frappe avec ses deux mains avec plus de force qu'auparavant[48].

Aussitôt la soirée du 9 février annoncée, les nombreux admirateurs de Brosseau se ruent aux guichets pour acheter leur billet. Le champion passe la première épreuve avec une facilité déconcertante. Devant 3000 spectateurs, « the largest crowd that has attented a boxing match this season », selon le *Star*, il administre « une magistrale raclée » à Jack Holland, un mineur de 26 ans, de Wilkesbarre, Pennsylvanie, mesurant six pieds et pesant 170 livres, soit 10 livres de plus que lui. Il l'envoie trois fois au tapis, avant de le mettre définitivement hors de combat au troisième round. Cette victoire crée un enthousiasme indescriptible parmi les amateurs, heureux de constater que leur homme n'a pas perdu ses bonnes habitudes et expédie toujours aussi rapidement ses adversaires au pays des rêves. Tous les journaux de Montréal, qu'ils soient de langue française ou anglaise, veulent se convaincre que Brosseau a retrouvé sa forme d'antan. *La Presse* écrit avec un soulagement évident qu'il a démontré « à la satisfaction de tous qu'il est aussi rapide, aussi souple, aussi agile, aussi vigoureux qu'avant la maladie qui l'a frappé à Portland ». Brosseau lui-même, enchanté par sa performance et s'illusionnant sur sa condition physique, élabore toute une série de projets. Il espère battre, le plus tôt possible, Mike O'Dowd et

47. Les renseignements sur Léonard Dumoulin, alias Jack Renaud, comme professionnel, m'ont été fournis par Serge Gaudreault qui prépare un ouvrage sur ce boxeur.

48. *Le Devoir*, 12 et 27 janvier, 5 février 1920, p. 6 et 7 février 1919, p. 10 ; *Le Canada*, 5 et 6 février 1920, p. 2 ; *La Patrie*, 12 janvier 1920, p. 7.

devenir le champion mondial des poids moyens. Avec ce titre en poche, il aimerait ensuite se rendre en Europe et cueillir de nouveaux lauriers en France et en Angleterre[49].

Une semaine après Holland, c'est au tour de Jack Lunney, de Detroit, de goûter à la médecine de Brosseau. Après deux rounds, l'Américain gît « sans connaissance » sur la scène du Monument national, assommé par « un formidable crochet de droite ». Selon un témoin, il semblait avoir été frappé avec une brique ou une pierre. Au dire de la plupart des spectateurs, il s'agit du « knock-out le plus parfait de toute [sa] carrière ». Ces victoires rapides et faciles jettent cependant le doute sur la valeur des hommes qu'on lui oppose. Dans une lettre envoyée aux journaux, un amateur de boxe qui signe « Un Sucker », tout en reconnaissant la valeur d'un « bon CANAYEN comme Brosseau », accuse les organisateurs des derniers combats de lui « opposer des enfants ». *La Presse* se porte à la défense du Regal. Elle admet que les adversaires du boxeur montréalais n'étaient pas de toute première force ; mais, dit-elle, avant de lui opposer des étoiles du ring, il fallait s'assurer de son parfait rétablissement. Agir autrement aurait été imprudent et irresponsable[50].

Pour faire taire ces critiques, et maintenant rassurés sur la condition physique de leur protégé, les dirigeants du Regal lui choisissent comme prochain adversaire Young Ahearn (Jacob Woodward), un boxeur au palmarès intéressant. Né en 1894, en Angleterre, il fait, très jeune, ses débuts aux États-Unis, mais c'est en Europe qu'il commence à faire parler de lui, à Paris et à Londres plus précisément, où il défait tous les bons pugilistes poids moyens qu'on lui amène. De retour en Amérique, il impressionne et rencontre les meilleurs boxeurs de sa catégorie : Mike O'Dowd, Jeff Smith, Mike Gibbons et Ted Lewis. *The Gazette* écrit qu'il est « one of the best of the middleweight class » et le *Montreal Herald* le décrit comme « the cleverest and most experience boxer Brosseau has met yet ». L'annonce du combat Ahearn-Brosseau pousse Paddy Mullins, le gérant du champion mondial Mike O'Dowd, à se manifester. Il assistera à la rencontre. Le lundi soir, 23 février, 4000 personnes, rongées par l'anxiété, s'entassent dans la grande salle du Monument national. Ils n'auront pas à se ronger les ongles

---

49. *Le Canada*, 9 et 10 février 1920, p. 2 ; *La Presse*, 10 février 1920, p. 5 ; *The Gazette*, 10 février 1920, p. 14 ; *The Montreal Daily Star*, 10 février 1920, p. 7 ; *The Montreal Herald*, 10 février 1920, p. 5 ; *Le Devoir*, 9 février 1920, p. 5 et 10 février 1920, p. 6.

50. *La Presse*, 17 février 1920, p. 6 ; *Le Canada*, 13 et 17 février 1920, p. 2.

bien longtemps. Dès le premier round, à peine deux minutes et cinquante-cinq secondes après le début des hostilités, un autre « formidable coup de droite à la mâchoire » soulève Ahearn du sol et l'étend, sans connaissance, sur le tapis. Tous les « connaisseurs » qui assistaient à la rencontre repartent convaincus d'avoir « vu à l'œuvre un futur champion du monde ». Surpris, Paddy Mullins déclare : « Brosseau possède un coup de poing que j'ai rarement vu, et j'en ai vu de toutes sortes depuis que j'ai O'Dowd sous ma direction. » Aussitôt, un contrat est signé pour une rencontre Brosseau-O'Dowd, le 24 mai ; l'enjeu : le championnat du monde des poids moyens[51].

Le 28 février, Brosseau quitte Montréal pour Halifax où il se battra, le 2 mars, pour le titre de champion poids moyen du Canada. Son adversaire, Roddie McDonald, est un solide mineur de Glace Bay, au Cap-Breton. *The Halifax Herald* considère qu'il s'agira d'un des plus importants combats jamais présentés dans l'est du Canada. Le journal décrit Brosseau comme « the greatest boxer of modern times ». De nombreux Montréalais accompagnent leur vedette dans la capitale de la Nouvelle-Écosse. Contrairement à la majorité des combats antérieurs qui se limitaient à dix rounds, celui-ci est prévu pour quinze rounds. Le soir de la rencontre, devant plus de 3000 amateurs, Brosseau domine complètement le gars des Maritimes. Après l'avoir expédié au plancher une dizaine de fois lors des treize premiers rounds, il le couche définitivement d'un puissant coup de droite à l'estomac au quatorzième. Il faudra cinq minutes à McDonald pour reprendre connaissance[52].

De retour à Montréal, Brosseau veut faire place nette autour de O'Dowd, avant de le rencontrer le 24 mai. Il acceptera, dit-il, les défis de boxeurs sérieux et en rencontrera « quelques autres qui ont des prétentions un peu fortes » au titre de champion du monde. Le premier sur la liste, Young Fisher, un boxeur d'origine juive[53], de Syracuse, New York, se vante,

---

51. *La Presse*, 19 et 24 février 1920, p. 6 ; *Le Canada*, 24 février 1920, p. 2 ; *The Montreal Herald*, 24 février 1920, p. 6 ; *The Montreal Daily Star*, 24 février 1920, p. 2 ; *The Gazette*, 23 février 1920.

52. *The Halifax Herald*, 1er et 3 mars 1920, p. 12 ; *La Presse* 3 mars 1920, p. 6 ; *The Montreal Herald*, 3 mars 1920 ; *The Morning Chronicle* (Halifax), 3 mars 1920 ; *The Gazette*, 3 mars 1920, p. 15. *Le Canada*, 3 mars 1920, p. 2.

53. Nous présumons qu'il est Juif, car dès son arrivée à Montréal il va s'entraîner à la salle de Sam Shears, rue Sainte-Catherine, et le journal *Le Canada* écrit à cette occasion : « Naturellement, il est inutile de dire que tout le clan juif était là en chœur et que Benny

depuis quelques semaines, de mettre le champion poids moyen du Canada hors de combat en cinq rounds. On lui donne l'occasion de prouver la légitimité de ses ambitions le 15 mars, au Monument national. Les quatre victoires décisives de Brosseau en moins d'un mois avivent l'intérêt des admirateurs du jeune boxeur canadien-français de 24 ans. Les billets s'envolent rapidement et, le soir du match, les *scalpers* font des affaires d'or. *The Gazette* parle d'une foule record. Plus de 1000 personnes sont refusées, faute de place. Malheureusement pour lui, Fisher n'est pas à la hauteur de ses prétentions et, même s'il réussit à faire saigner Brosseau du nez pour la première fois de sa carrière, il visite le tapis deux fois au quatrième round et est mis hors de combat au cinquième par un crochet de droite[54]. Deux jours plus tard, au National Sporting Club de Lewiston, une foule énorme voit Brosseau triompher de Jack Rooney, de Philadelphie, par K.-O., en quatre minutes. Le *matchmaker* Frank DeRice, de Portland, profite du passage du champion canadien dans cette ville du Maine pour organiser une rencontre, déjà reportée deux fois, avec Battling Levinsky, rencontre prévue pour le 19 avril[55].

Dès le retour de Brosseau dans la métropole canadienne, le Regal annonce qu'il se mesurera, le lundi 22 mars, à Al McCoy (Albert Rudolph). « Trois athlètes », plus lucides que la majorité des amateurs et se rappelant des suites funestes de son combat contre George Chip à Portland, s'inquiètent et jugent Billy Moorehouse bien imprudent. Selon eux, il abuse des forces du « futur champion du monde » en le faisant se battre trois fois en huit jours. Ils redoutent un accident à la suite du surmenage, car Brosseau, faut-il le rappeler, était encore convalescent il y a un peu plus d'un mois. Ses amis ont raison de s'inquiéter car McCoy n'est pas le premier venu. Né en 1894 de parents allemands d'origine juive, à Rosenhyn, New Jersey, il remporte, entre 1908 et 1916, 28 combats par knock-out. En 1914, il devient champion du monde des poids moyens en déclassant George Chip en un round. Sa seule défaite lui est infligée le 14 novembre 1917, alors que

Cohen, qui agissait comme maître de cérémonie et présentait le boxeur américain à ses amis, est enthousiaste au sujet de son distingué visiteur. »

54. *La Presse*, 11 mars 1920, p. 6 et 16 mars 1920, p. 5 ; *Le Canada*,, 11, 13, 15 et 16 mars 1920, p. 2 ; *The Montreal Herald*, 16 mars 1920, p. 8 ; *The Montreal Daily Star*, 16 mars 1920, p. 6 ; *The Gazette*, 16 mars 1920, p. 14.

55. *La Presse*, 18 mars 1920, p. 6 ; *The Lewiston Daily Sun*, 18 mars 1920, p. 6 ; *The Gazette*, 18 et 25 mars 1920 ; *Le Canada*, 17 et 19 mars 1920, p. 2.

Brosseau was in imminent danger of losing most of his wing when h walloped McCoy in the slats.

his body heavily sheathed in fat. A goodly roll of it projected over his trunk about the hips and waist, and around his mid-section there was a flabbines that betokened a sorry time for the ex-champion when Brosseau's trip-hamme punches should begin to land.

Brosseau presented a decided contrast as the two men stood together in th centre of the ring, taking final instructions. Brosseau was lean, lithe, clean cut. His waist showed ridges of muscle. Compared, the men suggested the thor oughbred against the truck-horse.

AND that was the comparison which could be drawn from the brief fight. A the outset, Brosseau was obviously a bit puzzled by McCoy's left-hande style, for the Brooklyn fighter led out with his right hand, jabbing and hookin it, and also using a back-handed swing which landed a couple of times without doing any damage. McCoy, apparently realizing that Brosseau was certain to ou speed him, made an early effort to utilize this asset to the best advantage, an while leading with the right, to swing his left into action for a hard blow, bu this he couldn't land. Brosseau picked off the swings, and once McCoy opened u Brosseau smashed home driving hooks to the stomach that had McCoy weak b the end of the first round. Early in the session Brosseau made McCoy miss right hook for the head, and then stepped in with a smashing left hook to th body, his first hard blow of the fight. It visibly affected McCoy, but he kep piling in, only to miss in an exchange on the ropes, where Brosseau rattled hom both left and right. Backing to the centre, McCoy landed a back-hand right an drove his left to the body, but Brosseau retaliated and drove his opponent acro the ring with hard punches to the body. McCoy was unsteady as he went to hi corner. The end was plainly near at hand.

McCOY came out briskly in the second and landed his only punch of the roun a light back-swing with his right. He swung his left, but Brosseau stepp inside and drove in a short right cross that caught McCoy under the ear. H plunged forward and down to the canvas, badly dazed, started to get up, an

Doucette thought he was on the receiving end of a mule's hand-out, wh Vigeant paid his respects.

Caricature de G. D. Lawrence et texte consacré au combat entre Al McCoy (Albert Rudolph) et Eugène Brosseau. McCoy a détenu le titre de champion du monde des poids moyens (1914-1917) qu'il a perdu aux mains de Mike O'Dowd. Brosseau l'expédie au plancher en moins de deux rounds grâce à un puissant crochet de droite. Lorsque nous étudions les victoires remportées par le Montréalais depuis son fatidique combat du 11 novembre 1919, à Portland, nous constatons qu'elles sont toutes le résultat d'un coup du poing droit, alors qu'auparavant l'idole des amateurs possédait autant de force dans ses deux poings. Cette victoire facile sur McCoy renforce chez les journalistes sportifs et les nombreux admirateurs de Brosseau l'illusion qu'il sera bientôt champion du monde. (*The Montreal Herald*, 23 mars 1920, p. 5.)

Mike O'Dowd lui ravit le titre mondial. À l'Académie Querbes, Brosseau, conscient que la partie ne sera pas facile, intensifie son entraînement. Il fait de la course et de longues marches à l'extérieur. Le soir de la rencontre, comme d'habitude, la foule accourt voir son idole. Plus de 1500 personnes ne peuvent entrer au Monument national. Cet engouement du public provoque une spéculation effrénée sur le prix des billets. Les 3000 spectateurs présents assistent à l'exécution rapide d'un Al McCoy en mauvaise condition physique, démoli par un crochet de droite au deuxième round. Pour le journaliste Elmer W. Fergusson, l'ancien champion mondial ne fut qu'un tremplin sur le chemin de la gloire d'Eugène Brosseau. À cette époque, la renommée du boxeur canadien-français s'étend à l'ensemble des cercles de boxe de l'Amérique du Nord. Le jour même du combat, à l'autre bout des États-Unis, *The San Francisco Call and Post* écrit que Brosseau « seems to be the next logical opponent for the middleweight championship of the world ». Sa victoire facile contre McCoy renforce cette renommée et le rédacteur sportif du *Montreal Herald* y va même d'un poème à la gloire de *Gene* et ne craint pas d'affirmer qu'il est maintenant « a boxing figure of international interest ». Après la rencontre avec McCoy, le magazine *The Standard*, publié à Montréal, distribué dans le tout le Canada et qui, ordinairement, ignore les Canadiens français, consacre un article à Brosseau où il vante longuement ses qualités. « He has no bad habits », écrit-il. Il est intelligent, il mène une vie rangée, ne fume pas, ne boit pas. Il a un physique admirable. Il possède le coup de poing le plus dur de tous les boxeurs connus, à l'exception du champion mondial des poids lourds, Jack Dempsey. L'hebdomadaire rapporte également que tous les amateurs de boxe de l'est du Canada sont convaincus qu'il sera bientôt le champion du monde des poids moyens[56].

Mêlées à tous ces éloges, émergent quelques critiques qui émettent des doutes sur la valeur véritable des adversaires de Brosseau et sur l'exacte condition physique de ce dernier. Le chef de la police de Montréal accuse même le Regal Club de tromper le public en exigeant de lui de fortes sommes pour assister à des spectacles de boxe de qualité douteuse. Il pointe du doigt le dernier combat contre McCoy et rapporte qu'il a reçu plusieurs lettres et appels téléphoniques se plaignant du manque de préparation de ce dernier. Le chef Bélanger exige même une rencontre avec Billy Moorehouse. Celui-ci affirme au policier que les promoteurs américains l'avaient assuré de l'excellente condition de McCoy et promet également de resserrer sa vigilance pour empêcher à l'avenir la « spéculation sur les billets[57] ».

Entre-temps, Brosseau, qui se plaint depuis quelque temps de ne pas trouver de partenaires d'entraînement à sa mesure, engage le boxeur irlandais, poids moyen, Jimmy « Butch » O'Hagan, d'Albany, qui s'installe à Montréal et consacrera désormais tout son temps à l'aspirant champion.

---

56. *La Presse*, 18 et 23 mars 1920, p. 6 et 20 mars 1920, p. 22 ; *The Montreal Herald*, 22 mars 1920, p. 8 et 23 mars 1920 ; *The Montreal Daily Star*, 23 mars 1920, p. 6 ; *The San Francisco Call and Post*, 22 mars 1920, p. 13 ; *Le Canada*, 23 mars 1920, p. 2 ; *The Standard*, 27 mars 1920, p. 13.

57. *The Montreal Daily Star*, 24 et 25 mars 1920, p. 6.

Pour préparer le boxeur montréalais à rencontrer son prochain adversaire, Mike McTigue, à Halifax, le 8 avril, O'Hagan l'affronte quotidiennement lors de pratiques très rudes, où les deux athlètes mettent beaucoup de cœur[58].

La chute

Le 6 avril, Brosseau prend le train pour Halifax, très confiant de battre McTigue, un Irlandais de New York, et de s'approcher ainsi d'un combat avec Mike O'Dowd. À son arrivée dans la capitale de la Nouvelle-Écosse, *The Evening Echo*, un journal de l'endroit, lui consacre un long article. Le journaliste nous apprend que, dans le village de La Prairie, sa mère attend avec anxiété les résultats de sa rencontre avec Mike McTigue. Elle garde dans un *scrapbook* les traces de tous les combats de son fils. Elle a même appris l'anglais pour pouvoir lire les journaux où l'on parle de lui. Après chaque combat, celui-ci se hâte de remercier ses admirateurs pour expédier à sa mère, le plus rapidement possible, de longs télégrammes où il raconte les péripéties de ses victoires. De retour à la maison, sa mère l'examine sous toutes ses coutures à la recherche de la moindre trace laissée par les poings de ses adversaires. Elle pousse un soupir de soulagement lorsqu'elle constate qu'il n'a pas les lèvres gonflées et qu'il peut lui sourire comme d'habitude. Le reporter décrit Brosseau comme un homme souriant, mais timide et tranquille, qui fuit les clameurs de la foule. Il ajoute qu'une fois dans l'arène il met de côté son « emotional French nature » et paraît « cool as ice[59] ».

Le 8 avril, coup de théâtre. Devant 6000 spectateurs et, pour la première fois de sa carrière comme amateur et comme professionnel — si l'on excepte sa défaite contre Albert Rivet lors de ses débuts en 1915 —, Brosseau est non seulement battu, mais mis hors de combat en cinq rounds par McTigue. Billy Moorehouse déclare, contre toute vraisemblance, que McTigue a été chanceux. Il admet toutefois que son champion a fourni « a poor performance » et en impute la raison à un grave refroidissement. Brosseau, qui s'illusionne sur son état physique depuis sa « paralysie », blâme sa trop grande confiance et réclame aussitôt un match revanche. La

58. *Le Devoir*, 31 mars 1920, p. 6; *Le Canada*, 31 mars 1920, p. 2.

59. *The Evening Echo* (Halifax), 8 avril 1920, p. 14; *Le Canada*, 5 et 7 avril 1920, p. 2.

très généreuse bourse de 2150 $ encaissée lors de ce combat ne suffit sans doute pas à le consoler. À Montréal, personne ne veut croire la nouvelle acheminée par télégramme et annonçant la catastrophe de Halifax. Louis-A. Larivée, journaliste au *Canada*, écrit : « Inutile de dire qu'on a cru à un gros canard. [...] Cela ne pouvait arriver. Les plus polis nous demandaient de s'assurer si la nouvelle avait été bien transmise : si les noms n'avaient pas, par hasard, été mêlés par les télégraphistes [...]. D'autres nous ont débité des sottises nous demandant si nous devenions fous. [...] Un chaud partisan a même eu l'audace de nous dire que nous mentions. » Ce partisan ajoute que, si la nouvelle est vraie, il est bien content de ne pas avoir assisté à la mise hors de combat de son héros. « J'en aurais pleuré » confesse-t-il. Malgré tout, c'est un Brosseau « le sourire aux lèvres » et nullement découragé qui descend du train à la gare Bonaventure, le samedi soir 10 avril. Aux journalistes accourus à sa rencontre, « il n'a pas essayé d'offrir d'alibi [...]. Il a simplement déclaré que McTigue était un boxeur loyal et qu'il était anxieux de le rencontrer de nouveau. » À ceux qui s'interrogent sur l'état de sa santé, il répète qu'il se porte à merveille[60].

Dans les jours qui suivent, il n'est question, dans les cercles sportifs de Montréal, que de la triste conclusion de la rencontre Brosseau-McTigue. Le gérant de McTigue lui offre l'occasion d'une revanche pour un enjeu de 5000 $. Défi aussitôt accepté par *Gentleman Gene*. Des admirateurs montréalais se disent prêts à « former un *pool* de $25,000 à $35,000 » pour l'appuyer. Mais entre-temps Brosseau doit se préparer à affronter, au Monument national, le 19 avril, le redoutable Battling Levinsky, champion mondial des mi-lourds. Tous les jours il se rend rue Bloomfield, au gymnase du Cercle Outremont (Académie Querbes), devenu depuis peu « le grand quartier d'entraînement des boxeurs locaux ». Là, devant une foule de curieux, il boxe avec Georges Girardin, Kid Lewis, Jos. Fréchette, Eugène Demers, Red Vigeant et Albert (Bert) Schneider. Cependant, son combat avec McTigue semble avoir aggravé son état de santé. Revenu à Montréal, il se sent faiblir. Il assure ne pas ressentir de douleur, mais il constate un manque d'énergie. De plus, des examens médicaux montrent que son muscle optique fonctionne mal, ce qui perturbe sa vision. Pour compléter le tableau, une « bronchite aiguë » l'oblige à s'aliter. Le docteur Chaussé,

60. *Le Canada*, 9, 10 et 12 avril 1920, p. 2 ; *La Presse*, 9 avril 1920, p. 8 et 12 avril 1920, p. 6 ; *The Moncton Transcript*, 9 avril 1920, p. 6 ; *The Montreal Herald*, 9 avril 1920, p. 8 ; *Montreal Daily Star*, 10 avril 1920, p. 6.

qui l'a soigné à son hôpital tout l'hiver, déclare qu'il ne s'agit de rien de grave, mais, curieusement, l'oblige à prendre un long repos. Pour tenter d'enrayer le mal qui le mine, il consulte le docteur J.-E. Gendreau de l'Institut du Radium. On le radiographie de la tête au pied et le docteur Gendreau lui conseille, sans succès, de ne plus remonter dans l'arène. Sa déception la plus amère est la remise à une date indéterminée de son match avec Mike O'Dowd. Ayant pris du mieux, il enfourche sa moto et quitte la région de Montréal à la fin du mois d'avril pour se rendre sur la ferme qu'il a achetée à Troy l'année précédente. Une fois aux États-Unis, avec l'aide de plusieurs hommes qu'il a engagés, il mène « la vie simple du laboureur » et reprend des forces[61].

À la même époque, il se fait construire un chalet sur le terrain qu'il possède à Longueuil. Au début du mois de juin, le bâtiment est terminé. Malgré l'avis de ses médecins, bien décidé à renouer avec la boxe, Brosseau y fait transporter tous ses appareils d'entraînement. Il s'y installe pour l'été avec Armand Vaillancourt, Georges Blain, le champion amateur du Canada à 108 livres et Bert Schneider. Durant tout le mois de juin et une partie du mois de juillet, il prépare Blain[62] et Schneider pour les Jeux olympiques d'Anvers, en Belgique (20 avril-12 septembre 1920). À cette époque, flotte encore dans le paysage un possible match revanche avec McTigue en juillet. Même si les amateurs de boxe sont nombreux à souhaiter une telle rencontre, ce match n'aura pas lieu. Brosseau oublie cependant ce malheur à l'annonce de l'éclatant succès de son élève et « vieux camarade » du temps de La Casquette, Bert Schneider, à Anvers. Celui-ci remporte la médaille d'or dans la catégorie des mi-moyens en battant le Britannique Alexander Ireland, le 24 août[63].

Au mois d'août, Brosseau se croit suffisamment bien pour songer à un retour dans l'arène. Le *matchmaker* du club Regal, Billy Moorehouse, se rend alors à New York pour lui trouver un adversaire et conclure une entente avec le boxeur Jim Montgomery. Mais, finalement, on juge que Montgomery « n'est pas de taille pour Eugène » et c'est un militaire amé-

---

61. *La Presse*, 12 et 27 avril 1919, p. 6 ; *The Montreal Daily Star*, 12 avril 1920, p. 6 ; *Le Canada*, 13, 14, 15, 16 et 29 avril 1920, p. 2 ; *L'Illustration*, 10 juin 1933, p. 31.

62. Finalement Georges Blain ne se rendra pas aux Jeux olympiques.

63. *La Presse*, 31 mai 1920, p. 7 ; 28 juillet, 24 et 25 août 1920, p. 6. Sur Albert (Bert) Schneider, voir : Patrice Fontaine, *Dictionnaire La Presse des sports du Québec*, Montréal, Libre Expression, 1996, p. 279.

EUGENE BROSSEAU SE PREPARANT A SON MATCH AVEC JEFF SMITH

Brosseau à l'entraînement au « chalet » qu'il s'est fait construire à Longueuil. C'est là que, durant tout l'été, il s'astreint à une discipline sévère, espérant toujours arracher le titre à Mike O'Dowd. Il prépare également Georges Blain et Bert Schneider pour les Jeux olympiques d'Anvers. Schneider remportera d'ailleurs la médaille d'or dans la catégorie des mi-moyens, le 24 août 1920. (*La Presse*, 23 juin 1919, p. 6 et 4 septembre 1920, p. 18.)

BROSSEAU A SON CAMP D'ENTRAINEMENT A LONGUEUIL

ricain de Philadelphie, le caporal Jack Bloomfield, qui le remplacera. Bloomfield a remporté le titre des poids moyens lors d'un championnat organisé par l'armée américaine en France. Le combat aura lieu au Monument national, le lundi de la fête du Travail. À la veille de la rencontre, les amateurs de Montréal sont perplexes et se demandent si le jeune boxeur montréalais « est encore ce qu'il était ou s'il est fini ». Voulant rassurer son public, Brosseau affirme témérairement se porter à merveille et Moorehouse ajoute qu'il est même plus fort qu'avant sa maladie. Pour faire taire les nombreux sceptiques, les dirigeants du Regal enrôlent des « connaisseurs » pour vanter les mérites de leur poulain. Le boxeur d'origine juive Jack Thomas, qu'on a fait venir à Longueuil pour participer à l'entraînement de Brosseau, déclare qu'il « n'a jamais été en aussi bonne condition qu'à l'heure qu'il est ». Art. Ross, qui « n'est pas le premier venu lorsqu'il s'agit de discuter de pugilisme », croit que ceux qui le sous-estiment font « une grave erreur ». Billy Allan a une si grande confiance en lui qu'il parie une forte somme sur ses chances de battre Bloomfield. Pour préparer Brosseau à cette importante rencontre, on fait appel, en plus de Jack Thomas, au nouveau champion olympique, Bert Schneider, à Eugène Demers, à Descotaux et à quelques autres[64].

Malheureusement, la performance de Brosseau donne raison aux sceptiques. C'est un véritable drame qui se joue au Monument national, devant 3000 spectateurs, le soir du 6 septembre. Brosseau n'est que l'ombre de lui-même. Ses coups n'ont aucune force et son bras gauche est presque inerte. Son agilité sur ses pieds est disparue. Son habileté à éviter les coups de ses adversaires par un brillant jeu de tête n'est plus qu'un souvenir. Une mauvaise vision l'empêche de se protéger efficacement. Autrefois, il aurait expédié au tapis un boxeur de la trempe de Bloomfield en moins de cinq minutes. Ce n'est pas ce dernier qui l'a vaincu, mais la maladie. Le supplice dure sept longs rounds. La consternation se lit sur tous les visages. Les comptes rendus qu'en donnent les journaux laissent l'impression d'assister à une tragédie grecque, à la mise à mort du héros. Albert Laberge de *La Presse* rend très bien l'atmosphère oppressante qui règne au Monument national lorsqu'il décrit la stupeur et l'angoisse des admirateurs de Brosseau : « C'est le cœur serré et haletant que ses amis se demandaient ce qui

---

64. *La Presse*, 1er septembre 1920, p. 7 ; 3 septembre 1920, p. 8, 4 septembre 1920, p. 18 ; *Le Canada*, 13 août et 2 septembre 1920, p. 2 ; *Le Devoir*, 2 septembre 1920, p. 7.

allait arriver. [...] Une blessure, qu'il s'était fait à l'œil la semaine dernière en s'entraînant, se rouvrit et le sang commença à s'en échapper, puis, ce fut la bouche qui fut fendue. Ce fut dès lors un spectacle tragique au possible. La multitude accourue pour applaudir son idole assistait impuissante à sa défaite. C'était quelque chose comme un désastre. Brosseau, le héros de tant de combats, le grand vainqueur de tant d'adversaires était [...] vaincu. [...] C'était un véritable crève-cœur. » Le journal *Le Canada* ajoute qu'il était excessivement pénible de voir « l'idole des Canadiens français » ensanglanté et hagard dans l'arène. Dans la salle, plusieurs spectateurs pleurent. À la fin, Armand Vaillancourt, voyant son ami perdu et pour lui éviter l'humiliation d'une mise hors de combat, jette l'éponge. Elmer W. Ferguson, du *Montreal Herald*, de même que le journaliste du *Devoir* se disent convaincus que la maladie dont souffrait Brosseau depuis sa rencontre avec George Chip, le 11 novembre 1919, fut aggravée par le knockout subi aux mains de Mike McTigue au mois d'avril dernier à Halifax. Ils qualifient également de drame le déroulement du combat et croient avoir assisté au naufrage d'une « great fighting machine[65] ».

Le sursis

Après la tragédie du 6 septembre 1920, Brosseau remontera encore quelques fois sur le ring et connaîtra quelques succès. Cependant, malgré son grand amour de la boxe, son immense désir de se battre et son jeune âge — il n'a pas encore 25 ans — peu de connaisseurs croient encore à ses chances de décrocher un jour le championnat mondial des poids moyens. La petite fortune qu'il dépensera pour se faire soigner par les meilleurs médecins n'y changera rien.

Mais le jeune boxeur canadien-français n'est pas du genre à jeter facilement la serviette. Un peu plus d'un mois après sa cuisante défaite, il s'entraîne régulièrement avec Bert Schneider au gymnase du Cercle Outremont. Air connu, le champion olympique déclare que « Brosseau est maintenant en grande forme et qu'il est absolument différent de l'homme qui s'est battu avec Bloomfield ». Selon lui, il a retrouvé « toute sa force et sa souplesse d'autrefois ». Une rencontre est même prévue au Monument

---

65. *La Presse*, 7 septembre 1920, p. 7 ; *Le Canada*, 7 septembre 1920, p. 2 ; *The Montreal Herald*, 7 septembre 1920 ; *Le Devoir*, 7 septembre 1920, p. 6 ; *L'Illustration*, 10 juin 1933, p. 31.

national pour le 18 octobre, avec un dénommé Al Wise. Ce combat n'aura pas lieu. À cause d'une blessure au-dessus de l'œil subie lors de l'entraînement et qui nécessite quatre points de suture, son médecin l'oblige à s'éloigner de l'arène pour un mois. Brosseau, qui n'aime pas l'inactivité, saute aussitôt sur sa moto pour se rendre sur sa ferme, où pendant près d'un mois il récolte ses légumes, bat ses céréales et laboure ses champs[66].

Vers la mi-novembre, de retour dans la métropole, Brosseau se remet à l'entraînement. Mais les indices prouvant qu'il na pas retrouvé sa forme d'autrefois s'accumulent. Il a beau se montrer « plus déterminé que jamais à s'affirmer comme pugiliste » et assurer à ses amis et admirateurs qu'il « pourrait causer des surprises », sa volonté ne suffit pas à pallier les séquelles laissées par la maladie qui l'a terrassé un an plus tôt. Le 15 novembre, le journaliste sportif Albert Laberge se rend au Cercle Outremont, rue Bloomfield, pour le voir s'entraîner avec Bert Schneider, Gustave Lavigne et Georges Papin afin de juger de sa véritable condition physique. Il rapporte aux lecteurs de *La Presse* que Brosseau « a encore du travail à faire avant de retrouver toute son ancienne forme ». Un connaisseur de boxe déplore que ses entraîneurs soient tous des poids légers qui « ne peuvent lui porter des coups assez durs » et lui conseille de s'exercer avec des poids moyens et même des poids lourds. Pour permettre aux amateurs de boxe de juger par eux-mêmes des capacités de son poulain, la direction du Regal organise pour le 22 novembre, au Monument national, une « exhibition » de trois rounds contre Silas Green, un boxeur noir bien connu à Montréal. La piètre performance de Brosseau démontre qu'il n'est pas en mesure de se battre avec un adversaire sérieux. Le lendemain, Albert Laberge, malgré son désir de voir Brosseau, cette « merveille », cet « invincible champion » renouer avec la victoire, lui prêche la patience. Encore sous le choc du 6 septembre, il écrit : « La soirée que nous avons passée lors de sa défaite aux mains de Bloomfield nous a été si pénible, nous a laissé un si effroyable souvenir, que nous ne voudrions pour rien au monde être témoins d'une nouvelle défaite[67] ».

Pendant plusieurs mois il ne sera plus question de combats pour Brosseau. Comme il a la boxe « dans le sang », il n'est jamais bien loin du gymnase et de l'arène. Au mois de décembre 1920, les yeux des amateurs se

66. *La Presse*, 14 octobre 1920, p. 9 et 15 octobre 1920, p. 10.
67. *La Presse*, 16 novembre 1920, p. 7 et 22 et 23 novembre 1920, p. 6.

tournent vers son ami, Bert Schneider, le champion olympique poids légers. Celui-ci fait le saut chez les professionnels sous la direction d'Armand Vaillancourt qui a déjà sous sa gouverne deux autres anciens boxeurs de La Casquette, Oscar Deschamps et Eugène Demers. Comme Schneider a entraîné Brosseau pour ses combats de San Fancisco en 1917, ce dernier veut l'aider maintenant à faire ses débuts comme professionnel et participe activement à son entraînement au Cercle Outremont.

Puis, nouvelle éclipse de son nom des colonnes sportives. Il faudra attendre le printemps 1921 pour le voir réapparaître. Au début du mois d'avril, Armand Vaillancourt, son plus fidèle compagnon, déclare que Brosseau « s'est bien amélioré depuis quelque temps et qu'il frappe avec force de sa gauche ». Le principal intéressé, toujours aussi optimiste, croit avoir « retrouvé sa force et sa souplesse d'autrefois ». Pour tester ces impressions, le Regal lui trouve un adversaire, Otto Hughes, un boxeur de New York. Pour se préparer à cette rencontre, Brosseau fait appel à cinq entraîneurs : Bert Schneider, Eddie Ricard, Eugène Demers, Gustave Lavigne et Paul Bouliane. Considéré comme l'événement de la semaine, le combat a lieu le 14 avril. Lorsque Hughes entre dans l'arène, « un murmure sourd » monte de la foule qui se rend compte qu'Otto, puissamment bâti, dépasse Eugène de deux pouces. L'anxiété se lit sur tous les visages. Au début du combat, un silence absolu règne dans la vaste salle du Monument national. « On aurait pu entendre marcher une souris. Même les fervents de la boxe les plus endurcis [...] n'avaient pas l'air à leur aise » écrit le journal *Le Canada*. La mise hors de combat de Hughes à la fin du deuxième round transforme cette oppressante atmosphère en euphorie. Debout sur leurs sièges, les 3000 spectateurs crient à tout rompre, se félicitent, s'embrassent. Selon un témoin, Billy Moorhouse « était fou comme un balai ». *The Gazette* écrit : « The victory was the most popular witnessed this season and no fighter ever received a more generous reception. » Pour Elmer W. Ferguson, du *Montreal Herald*, cet enthousiasme délirant démontre que Brosseau reste l'idole des Canadiens français. Les quotidiens francophones abondent dans le même sens. Cependant, la joie provoquée par la victoire du boxeur montréalais n'occulte pas le sens critique de tous les chroniqueurs sportifs et certains remarquent qu'il a du chemin à faire pour retrouver sa forme d'antan[68].

68. *La Presse*, 5, 8, 11, 12 et 15 avril 1921, p. 6 et 9 avril 1921, p. 15 ; *Le Canada*, 15 avril 1921, p. 2 ; *The Gazette*, 15 avril 1921, p. 18 ; *The Montreal Daily Star*, 15 avril 1921, p. 66 ; *The Montreal Herald*, 15 avril 1921, p. 6.

Marie-Louise Denault, de Saint-Philippe de La Prairie, fille d'un cultivateur aisé, Pierre Denault, et de Laure Lefevre. Elle épouse Eugène Brosseau le 18 mai 1921 et lui donnera neuf enfants, dont sept atteindront l'âge adulte. Après son mariage et jusqu'à son décès en 1968, Brosseau passera généralement ses vacances sur la ferme de ses beaux-parents à Saint-Philippe. (Archives de Clément Brosseau.)

Le mois de mai 1921 sera pour Brosseau fertile en émotions. Depuis son entrée dans la boxe professionnelle en janvier 1919, il a amassé près de 25 000 $ — certains disent 35 000 $ — somme considérable pour l'époque. Avec ce pécule en poche, il peut maintenant songer à fonder une famille. Le 3 mai, *La Presse* annonce son prochain mariage. Lui qu'on a voulu « marier cent fois depuis dix-huit mois » épouse, le 18 mai, à Saint-Philippe de La Prairie, Marie-Louise Denault, fille de Pierre Denault et Laure Lefebvre. À un journaliste qui lui demande s'il cessera de boxer après son voyage de noces, il répond moqueur « que le sport n'a pas été discuté à la passation du contrat de mariage ». Il ajoute que, si jamais sa femme lui suggère « d'oublier les gants », il changera de sujet de conversation. Quelque temps après son mariage, il quitte La Prairie où il demeure depuis au moins 1914 et s'installe à Montréal, au 120, rue De La Roche. Le couple y demeure peu de temps. Il achète bientôt une maison située au 4262, rue De Lanaudière, au nord du parc La Fontaine. Il y demeurera jusqu'au décès d'Eugène

Armand Vaillancourt, l'un des principaux animateurs de l'association La Casquette, joua un rôle primordial dans la carrière pugilistique d'Eugène Brosseau. Excellent lutteur, engagé dans l'organisation de ligues de baseball et de hockey, très connu dans le monde du turf, il pouvait compter sur un réseau étendu dans les cercles de boxe. Sa mort prématurée privait Brosseau de l'un de ses meilleurs amis. (*Bulletin des sports*, avril 1916, p. 10.)

en 1968 et y élèvera sept enfants : Marcelle, André, Pauline, Bernard, Roger, Huguette et Clément (on pourrait ajouter à cette liste Jean-Jacques et Eugène, morts en bas âge)[69].

Huit jours après son mariage, Brosseau est opéré pour l'appendice, intervention encore si risquée en 1921 que *La Presse* annonce après l'opération qu'il « est sauvé ». Toujours sur son lit d'hôpital, il apprend, le 28 mai, la mort de son vieux camarade, Armand Vaillancourt, décédé à l'hôpital Dupont, des suites d'une hémorragie cérébrale. Ce sympathique athlète fut à l'origine de la carrière pugilistique de Brosseau. L'un des plus dynamiques dirigeants de La Casquette, qu'il rejoint vers 1908, excellent lutteur, engagé dans l'organisation de ligues de baseball, « gérant » du club de hockey Saint-François-Xavier et très connu dans le monde des courses de chevaux, Vaillancourt comptait plusieurs amis dans les cercles de boxe, aussi bien chez les Juifs et les « Anglais » que chez les Canadiens français.

69. Contrat de mariage de J. O. Eugène Brosseau et Marie-Louise Denault, greffe du notaire Henri-Rodolphe Carreau, La Prairie, 10 mai 1921 ; *La Presse*, 3 mai 1921, p. 6.

D'origine modeste, lui qui aimait l'école, il doit la quitter à 12 ans pour « un travail pénible ». Au moment de son décès, à l'âge de 34 ans, après avoir payé les études de plusieurs de ses frères, il rêvait d'entreprendre des études universitaires. Avec la mort de Vaillancourt, Brosseau perdait un grand ami, un conseiller, un entraîneur, un fin connaisseur du milieu de la boxe, un confident, un compagnon de tous ses voyages depuis ses débuts comme amateur et l'homme qui l'avait persuadé de rejoindre les rangs professionnels. Sa peine fut à la mesure de cette perte[70].

Mais la vie continue et Brosseau rêve toujours du championnat mondial des poids moyens. Un article du *Standard*, qui résume sa carrière depuis ses débuts en 1915, remarque qu'il bénéficie toujours d'un large et loyal soutien parmi la population canadienne-française et qu'une situation financière confortable lui a permis de s'acheter une ferme sur la rive sud et de se payer les meilleurs traitements médicaux et chirurgicaux existant à son époque. Prudent comme toujours, il a conservé cependant son emploi au « département » des postes canadiennes à Montréal[71].

70. *La Presse*, 27 mai 1921, p. 8 et 28 mai 1921, p. 18 ; *Le Devoir*, 30 mai 1921, p. 7 ; *Le Canada*, 27 et 28 mai 1921, p. 3 et 30 mai 1921, p. 2 ; *Le Miroir*, Montréal, 15 mars 1931, p. 6.

71. *The Standard*, 10 septembre 1921.

CHAPITRE 3

Le professeur

On se rappelle que Brosseau avait enseigné la boxe à La Casquette avant de s'engager dans la RAF en 1917. En septembre 1921, la Palestre nationale lui offre le poste de professeur de boxe à son nouveau centre sportif. Cette institution, à l'origine du développement d'une véritable culture sportive chez les francophones, voit le jour en 1894. Dès ses débuts, elle rassemble de nombreuses disciplines sportives. Supplantée pendant les années 1912-1918 par les initiatives de La Casquette dans le domaine sportif, elle retrouve son dynamisme d'antan avec l'ouverture officielle de son édifice de la rue Cherrier le 18 janvier 1919 et devient, pour longtemps, la principale institution sportive des Canadiens français. Quelques mois avant l'ouverture de leur centre sportif, les dirigeants de la Palestre lancent une vaste campagne de publicité et inondent les journaux d'articles sur les bienfaits du sport et de l'éducation physique. À cette occasion, ils démontrent leur vif intérêt pour le pugilat. Dans un article du *Devoir*, publié au mois de juin 1918, ils assurent que « la boxe sera enseignée sous toutes ses formes au gymnase du National. Notons que ce sport ne sera pas enseigné aux jeunes Canadiens français en vue d'en faire des professionnels, mais bien des hommes beaux et forts, capables au moment voulu de se débarrasser des insulteurs, des bandits et des apaches ». Après un historique qui situe l'origine du « noble art » dans la Grèce antique, les auteurs de l'article ajoutent que « la pratique de la boxe ne se borne pas au développement harmonieux des forces musculaires. Le boxeur acquiert d'autres qualités qui sont d'ordre intermédiaire entre les aptitudes physiques et les facultés intellectuelles. On peut même dire sans exagération qu'un assaut comporte l'exercice incessant d'un certain nombre de qualités intellectuelles : le sang-froid, le coup d'œil et la hardiesse. Elle combat chez l'enfant, comme chez l'homme, la timidité ; [...] en un mot elle donne par le sang-froid acquis, l'énergie et la bravoure ». Après un tel discours, il n'est pas surprenant de voir Pierre Roland, l'un des directeurs de la Palestre, proposer dès le 25 novembre 1919 la construction d'une arène de boxe et de lutte au gymnase et deux mois plus tard, soit le 31 janvier 1920, l'institution de la rue Cherrier donne sa première séance de boxe publique. Les résultats sont décevants, cette soirée accuse un déficit de 100 $. Malgré ce déboire, la Palestre tient à développer le sport de la boxe chez les Canadiens français et engage au mois d'août 1920 « Monsieur Bernard comme professeur de boxe [...] à raison de $ 30.00 par mois, pour la saison 1920-1921 ». Ce « Monsieur Bernard » semble peu connu dans les milieux pugilistiques de la métropole et son engagement paraît une solution temporaire, surtout que l'Association athlétique amateur nationale (nom officiel de la Palestre nationale) ambitionne déjà d'organiser, au printemps 1921, les championnats de boxe amateur du Canada. Il faut savoir que, dans la mesure du possible, l'Association engage les meilleurs professeurs pour ses membres et ses athlètes. Ainsi, pour sa section de « culture physique », elle fait venir de France monsieur et madame Marcel Helbert. Monsieur Helbert a été l'élève du célèbre Georges Hébert, père de l'hébertisme, et a enseigné à la fameuse école militaire de Joinville. Il fut également directeur des sports et des exercices physiques à la YMCA de l'armée américaine en France. Sa femme, avant son arrivée au Québec, occupait le poste de directrice de « culture physique au lycée des jeunes filles de Dijon ». Il n'est donc pas surprenant de voir les dirigeants de la Palestre lorgner bientôt du côté du meilleur boxeur jamais vu au Canada français et lui offrir le poste d'instructeur de boxe au salaire de 100 $ par mois, soit trois fois plus qu'à Bernard[1]. Brosseau accepte officiellement de mettre son expérience et sa renommée au service de la grande association sportive canadienne-française le 22 septembre. Cinq jours plus tard, la foule, qui emplit le gymnase, peut l'entendre prodiguer ses conseils et le voir donner son premier cours aux jeunes boxeurs du « National ».

---

1. *Le Devoir*, 22 juin 1918, p. 8 ; Service des archives de l'Université du Québec à Montréal (AUQAM), fonds Palestre nationale, procès-verbaux du Bureau de direction, 25 novembre, 16 décembre 1919, 13 et 20 janvier, 2 février, 9 mars, 13 avril, 20 août 1920, 8 mars, 14 juin, 19 et 27 septembre 1921 ; 14 février ; 14 et 28 mars, 18 avril, 10 octobre, 28 novembre 1922 ; 20 et 30 mars, 8 et 15 mai, 18 et 25 septembre 1923.

Le 22 septembre 1921, Brosseau est engagé comme professeur de boxe à la Palestre nationale, au salaire de 100 $ par mois. Considérant que les cours ont lieu les mardi et vendredi soir, de 20 h à 22 h 30, on doit admettre qu'il reçoit un très bon salaire pour l'époque, surtout qu'il peut continuer à travailler durant le jour pour les Postes canadiennes et que bientôt il retirera de l'argent comme manager de boxeurs professionnels. Les directeurs de la Palestre renouvelleront son contrat jusqu'en 1931. Cette année-là, fortement affectés par la crise économique qui débute en 1929, les dirigeants de l'institution cèdent leur édifice à l'Association catholique de la jeunesse canadienne-française (ACJC) qui gardera Brosseau à son service jusqu'en 1934. (*A.C.J.C. – Palestre Nationale. Album souvenir, 1932-1933*, p. 55.)

Normalement, ces cours ont lieu les mardi et vendredi soir de 20 h à 22 h 30 et les membres doivent débourser « une légère contribution » pour les suivre. À la veille de tournois importants, s'ajoute une soirée de cours supplémentaires. Le nouveau professeur peut compter sur un minimum de trente à quarante élèves par leçon ; parmi eux, Georges Blain[2], qu'une décision malheureuse et controversée du Comité olympique canadien a privé d'une participation aux Jeux olympiques d'Anvers en 1920[3].

---

2. Georges Blain, dont « le seul désir est de faire honneur à son instructeur et à la race canadienne-française », semble avoir Brosseau comme professeur depuis 1919. Voir *La Presse*, 18 novembre 1922, p. 16.

3. *La Presse*, 28 septembre 1921, p. 6 ; *Le Devoir*, 26 octobre 1921, p. 7 et 28 octobre 1921, p. 4 ; *Le Canada*, 26 octobre 1921, p. 2 ; *La Patrie*, 23 et 28 septembre p. 6.

La majorité des directeurs de la Palestre apprécient les qualités du nouveau professeur et ils renouvelleront son contrat jusqu'en 1934. Cependant, cette appréciation n'empêche pas le docteur Joseph-Pierre Gadbois, membre du bureau de direction, personnalité connue et appréciée du monde sportif québécois, de critiquer l'enseignement de Brosseau. « J'ai demandé, écrit-il, [...] que notre professeur, que le National paie $ 800.00 par saison, soit quinze dollars par leçon, ne s'occupe pas seulement des bons pugilistes que l'on peut montrer pour de l'argent, mais qu'il y ait une classe de commençants [...] qui veulent apprendre la boxe pour leur plaisir et leur santé. J'ai demandé [...] que l'on montre surtout aux commençants les véritables éléments de la boxe. J'ai demandé que l'on prenne le trouble de montrer aux commençants comment se placer les pieds, comment frapper chaque coup en utilisant toute la puissance musculaire de l'individu, etc. Je ne veux pas que l'on se contente de jeter un jeune homme dans l'arène, sans qu'il sache quoi faire, quitte à se faire talocher, saigner, et se décourager. [...] Je ne suis pas contre Brosseau, au contraire, j'ai signé un rapport recommandant sa nomination, mais je veux que Brosseau ne se contente pas de vivre sur sa réputation passée, mais qu'il forme des élèves nombreux, capables de nous faire honneur. » Ce débat sur les méthodes pédagogiques de Brosseau occupera les dirigeants de la Palestre une bonne partie de l'automne 1923. On le devine, le docteur Gadbois accuse Brosseau de trop s'intéresser à former des boxeurs professionnels. Surtout que ce dernier a gardé de solides liens avec la boxe professionnelle en ce début des années 1920. À cette époque, il espère toujours conquérir le titre mondial des poids moyens et, de plus, il devient manager de boxeurs professionnels, comme nous le verrons plus loin. À travers Brosseau, Gadbois vise vraisemblablement ses collègues directeurs qui, face à une situation financière difficile, aimeraient bien que la Palestre se lance dans l'organisation de tournois de boxe professionnelle. Des démarches sont même entreprises auprès d'Alex. Moore, le plus important promoteur de boxe professionnelle au Québec, pour que ce dernier organise « une série de séances de boxe » sous les auspices de la Palestre. Plusieurs d'entre eux croient que de tels combats « seraient une source de revenus considérables ». Satisfaits du travail du nouveau professeur et d'accord avec l'accent qu'il met sur la préparation de ses jeunes boxeurs à la compétition, ils apprécient que leur instructeur de boxe n'organise pas « des rencontres entre frères, mais de véritables combats ». Ils affirment également qu'« il a toujours donné pleine satisfaction aux élèves et aux directeurs ». Après un mois de discussions et la garantie que l'ex-champion tiendra compte de ses remarques, le docteur Gadbois rend finalement les armes et « se dit très satisfait de la manière d'enseigner de Monsieur Eug. Brosseau ». Les directeurs ne peuvent que se féliciter de son réengagement car leur gymnase est bientôt « fréquenté par ce que Montréal compte de meilleur en fait de boxeurs amateurs[4] ».

Fort de cet appui, Brosseau se rend à la Palestre beaucoup plus fréquemment que son enseignement l'exige. Il y va aussi pour s'entraîner et se préparer à remonter dans l'arène. Son but ultime, duquel il n'a jamais dévié depuis son arrivée dans la boxe professionnelle, est d'arracher le titre mondial des poids moyens. Dans une lettre à Louis Larivée, rédacteur sportif au journal *Le Canada*, il l'informe de son retour prochain sous les feux de la rampe. « Je suis un entraînement régulier [...]. Je travaille en silence. C'est une surprise que je veux causer à ceux qui me croient fini pour toujours. Ma position d'instructeur au National m'aide considérablement à mettre mon projet en exécution. »

À cette époque, il met toute son énergie dans l'organisation d'une grande soirée de boxe à la Palestre, le 20 janvier 1922. Cet événement lui permettra de montrer au public la qualité de ses élèves, dont plusieurs, selon lui, « sont supérieurs à nombre de professionnels que l'on voit fréquemment dans l'arène ». Il faut, dit-il, « encourager tous ceux parmi nous qui ont des aptitudes pour le sport [et] les faire valoir. Je suis convaincu qu'avec un peu d'encouragement à nos jeunes gens il y a moyen de rivaliser contre toute nation au monde et même faire mieux, parce que nous avons l'étoffe voulue parmi nous. » Il ne doute aucunement que ses hommes remporteront plusieurs titres aux prochains championnats de boxe amateur de Montréal et du Canada. Comme il veut faire du tournoi du 20 janvier — le premier qu'il organise depuis son arrivée à la Palestre voilà cinq mois — un succès et un événement sportif important, il s'entend avec l'association athlétique de l'Université McGill qui fournira des adversaires de taille à ses boxeurs. Le soir des rencontres, ses élèves gagnent trois des cinq combats présentés. Une foule compacte, où le chef de police Pierre Bélanger n'est pas le moins enthousiaste, occupe le gymnase du National

4. *La Presse*, 5 octobre 1923, p. 20 et 6 octobre 1923, p. 40, AUQAM, fonds de la Palestre nationale, procès-verbaux du Bureau de direction, 9 et 16 octobre 1923.

et assiste, entre autres, à la domination complète de Georges Blain sur Sammy Micky. À la fin de la soirée, Billy Moorehouse annonce sous les ovations le retour de Brosseau dans le ring d'ici quelques jours[5].

Le club Regal a en effet concocté pour sa vedette une rencontre avec Sailor Davis, un boxeur de Chicago, le 24 janvier au Monument national. Devant les brillantes qualités démontrées par ses élèves, qualités qui portent le cachet de Brosseau, les amateurs se demandent : peut-il « faire aussi bien comme boxeur que comme professeur ? » Malheureusement ils ne pourront s'en faire une idée. Le soir du combat, les 2500 spectateurs désappointés par la brièveté du combat n'y verront que du feu. Trente secondes, trois coups de poings et tout est terminé. Deux *jabs* de la gauche et un solide coup de la droite à la mâchoire et Davis est knock-out. Brosseau n'a pas reçu un seul coup de poing. On a beau signaler que les *jabs* portés à son adversaire indiquent « que son côté [gauche] n'est plus malade », que son coup de droite « fut foudroyant » et qu'il « a paru plus rapide sur ses pieds », les spécialistes s'interrogent tout de même sérieusement sur la réelle valeur du boxeur américain choisi par les promoteurs du Regal et sur la véritable condition de Brosseau[6].

Pour faire taire les critiques et prouver que Brosseau a retrouvé sa forme, Billy Moorehouse planifie une autre rencontre pour le lundi 13 février. Il jette son dévolu sur Steve Choynsky, connu à Montréal, où il s'est déjà battu. *La Presse* le considère comme « un boxeur sérieux ». Brosseau ne néglige rien. Il s'entraîne avec ardeur avec ses meilleurs élèves, Georges Blain, Eugène Demers et Paul Bouliane, et fait des courses et des marches quotidiennes au parc Lafontaine. Malgré ses préoccupations, il n'oublie pas l'intérêt de ses élèves et déplore amèrement l'ostracisme des dirigeants du sport canadien qui, lors d'un tournoi international à New York, au début du mois, n'ont envoyé que des boxeurs ontariens. « Il est convaincu que les boxeurs du National auraient été de force à remporter les honneurs. » Le soir du combat, 3000 spectateurs anxieux franchissent les portes du Monument national. Le scénario du 24 janvier se répète : trente-cinq secondes après le début de la rencontre, Choysnlki tombe au plancher, vaincu par trois coups de poings. Les spectateurs ne s'en doutent pas encore, mais il s'agit du dernier combat de leur idole. À la même époque,

5. *La Presse*, 17 décembre 1921, p. 19 ; 16 et 19 janvier 1922, p. 8 ; 20 janvier 1922, p. 6 et 21 janvier 1922, p. 33.

6. *La Presse*, 17, 23 et 25 janvier 1922, p. 6 et 24 janvier 1922, p. 8.

on annonce sa participation au « carnaval » de boxe organisé par l'Association athlétique des ex-combattants de Montréal, au manège militaire de la rue Craig (Saint-Antoine), sous le patronage du maire Médéric Martin et du chef de police Pierre Bélanger, mais Brosseau ne remontera plus dans une arène de boxe comme professionnel. Il donnera encore quelques « exhibitions » au profit de la Palestre nationale au printemps et à l'hiver 1923. Ces combats, si l'on peut les appeler ainsi, n'ont rien à voir avec de véritables rencontres. Les premiers s'incorporent au spectacle de music-hall intitulé *Tourne mon moulin*, présenté du 10 au 30 avril par la Palestre nationale lors d'une campagne de financement. C'est à l'intérieur de ce spectacle, où paraissent sur scène plus de 75 figurants, dont « une quarantaine de jolies filles évoluant parmi des décors de toutes beautés » qu'on peut voir pendant plusieurs soirs Brosseau, « le favori du public canadien », affronter ses élèves dans des combats amicaux d'une durée de deux rounds. À la fin de l'année 1923, la Palestre fait encore appel à sa notoriété et lui demande de donner une autre « exhibition » dans le but de publiciser sa campagne de recrutement[7].

Périodiquement, les médias feront état de son retour et lui-même entretiendra encore longtemps cet espoir. Par exemple, au début du mois d'avril 1923, se répand la rumeur d'un possible combat entre Brosseau et l'excellent boxeur juif de Montréal, Moe Hercovitch. La rencontre serait organisée par les frères Alex et Billy Moorehouse au théâtre Saint-Denis. Brosseau s'empresse de démentir cette nouvelle. Il tient d'abord à préciser que, contrairement à ce qui a été écrit dans les journaux, Moorehouse n'a jamais été son manager. « C'est, écrit-il à *La Presse*, un promoteur et je me suis battu pour lui parce qu'il m'offrait le plus fort montant. Je n'ai pas de gérant, faisant mes affaires moi-même. » Trois mois plus tard, une nouvelle qui semble plus sérieuse, mais presque incroyable, tombe sur les pupitres des rédacteurs sportifs : un combat pour le championnat du monde des poids moyens entre Mike McTigue et Brosseau, le 25 juillet 1923, à l'aréna Mont-Royal. Tom Conroy, le promoteur de l'International Sporting Club de Montréal, responsable des préparatifs de cette rencontre, déclare que ce combat durera 15 rounds. Il annonce que, pour s'assurer de la parfaite

7. *La Presse*, 4, 7, 13 et 14 février 1922, p. 6 ; 8, 9 et 10 février 1922, p. 8 ; 12 février 1922, p. 31 ; 8 août 1922, p. 13 ; 7 avril 1923, p. 24 ; 11, 14 et 27 avril 1923, p. 19 ; 12 et 13 avril 1923, p. 23 ; 14 avril 1923, p. 21 ; 20 avril 1923, p. 2 ; 23 et 24 avril 1923, p. 14 ; 25 et 26 avril 1923, p. 22 ; 15 décembre 1923, p. 39 et 17 décembre 1923, p. 6.

condition physique de Brosseau, celui-ci « subira, [le 20 juillet], à cinq heures de l'après-midi, un examen médical rigoureux au cabinet du docteur Wiseman, avenue de l'Esplanade. Cette nouvelle du retour de *Gene*, ajoute le journaliste de *La Presse*, « l'idole des Canadiens français et de tout le monde, a créé une profonde sensation dans le monde de la boxe ». Le docteur Wiseman dut sans doute déconseiller à Brosseau de remonter dans l'arène, surtout contre un adversaire du calibre de McTigue, car la rencontre n'eut pas lieu. Cette déception n'empêche pas le public et les gens du milieu de la boxe d'espérer le retour d'un homme qui, il y a encore quelques années, paraissait invincible. Il n'est donc pas surprenant qu'à l'occasion de la visite de McTigue dans la métropole, un mois plus tard, le promoteur Tom Duggan évoque la possibilité d'un match entre les deux athlètes. Comme la première fois, cette initiative demeure sans suite[8].

Mais l'espoir ne veut pas mourir ni chez les admirateurs ni chez Brosseau lui-même. Entre sa « paralysie » du mois de novembre 1919 et le mois de septembre 1924, soit pendant près de cinq ans, l'ancien héros du ring ne peut se résigner à abandonner une carrière qu'il aimait et qui, pendant quelques années, l'a couvert de gloire et lui a rapporté un joli pécule. Refusant d'accepter l'inéluctable, il consulte dix-huit médecins durant cette période, avec l'espoir tenace de découvrir celui qui lui redonnera sa forme d'antan. À l'automne 1924, il croit une fois de plus — il veut tellement y croire — avoir enfin découvert son sauveur. Cette perle rare « lui a fait suivre un traitement et un régime qui, assure-t-il, lui ont fait le plus grand bien ». Le journaliste qui recueille ses confidences « a constaté chez lui une forte amélioration et, écrit-il, pour peu que celle-ci continue, comme la chose paraît assurée, Brosseau retournera dans l'arène. On nous dit qu'il fera un essai dans un mois ou deux. Il est évident que tout d'abord il ne se battra [pas] avec un champion. Il fera comme les débutants et, s'il réussit, il prendra des adversaires plus redoutables ». Selon cette source, « Brosseau est très confiant et très optimiste. Il est certain que [son] retour dans l'arène donnerait une nouvelle impulsion au sport de la boxe ». À la fin de son article, le chroniqueur tient à souligner que, « même s'il retourne activement au sport de la boxe, Brosseau continuera d'être instructeur » à la Palestre nationale. Mais Brosseau devra se rendre à l'évidence, le mal sournois qui le mine depuis son tragique combat de Portland l'empêche d'avoir

8. *La Presse*, 9 avril 1923, p. 16 ; 20 juillet 1923, p. 15 et 28 août 1923, p. 8.

accès aux meilleurs boxeurs de sa catégorie au niveau mondial. On peut penser que pour un jeune homme encore dans la vingtaine, qui pendant plus de sept ans a mis tout son temps, tous ses talents, toutes ses énergies, sa fougue et son ambition au service d'un idéal — devenir le meilleur du monde —, la déception a dû être très amère[9]. Seize ans après son retrait définitif, Louis-A. Larivée résume les qualités de son style exceptionnel qui faisait la joie des amateurs de boxe.

C'était, écrit-il, une révélation de voir se battre Brosseau lorsqu'il était à son meilleur. Il frappait fort et des deux poings. Il était surtout habile à la contre-attaque. En plus d'être rapide sur ses pieds, il avait un jeu de tête que les boxeurs de nos jours auraient raison d'envier. Brosseau n'avait pas à changer de position pour porter son direct de la droite. On aurait dit qu'il avait le cou en caoutchouc. Un simple coup de tête lui permettait d'éviter un direct dirigé à sa figure et sans perdre une seconde, il ripostait. Il ne manquait jamais de précision[10].

Désormais, malgré quelques velléités de retour, il emploiera son temps à faire profiter ses élèves de son expérience et mettra son immense talent à leur service. Comme nous l'avons vu, il s'attelle à cette tâche dès son engagement à la Palestre nationale, au mois de septembre 1921. Au mois de février 1922, il travaille déjà à la mise sur pied d'un grand gala de boxe à la Palestre. Les principales associations sportives montréalaises sont invitées à envoyer leurs meilleurs boxeurs. Le Cercle Outremont, la prestigieuse MAAA, le club Champêtre et les associations Sainte-Brigide et Sainte-Anne répondent présents. Il promet de surpasser « tout ce qu'on a vu cet hiver » à Montréal en fait de boxe. Le 7 mars, une victoire dut mettre du baume sur ses plaies, celle de Georges Blain, dans la catégorie des 112 livres, si injustement écarté des Jeux olympiques deux ans plutôt. Ce petit boxeur déclasse complètement Harry Munchin, le champion d'Ottawa, celui qui, justement, avait été préféré à Blain pour participer aux Jeux olympiques d'Anvers. Blain joue avec lui et tous les spectateurs qui emplissent le gymnase du National constatent son indéniable supériorité. Après cette démonstration, Brosseau croit avoir prouvé « aux gens de Toronto » les qualités de champion de son homme. Plusieurs Canadiens français ayant fait bonne figure lors de ce gala, il espère qu'ils ne seront pas oubliés lorsqu'il s'agira de choisir les participants pour les championnats du

9. *La Presse*, 18 septembre 1924, p. 18.

10. *Le Canada*, 22 novembre 1938, p. 6.

Édifice de la Palestre nationale, 80, rue Cherrier (aujourd'hui l'Agora de la danse de l'UQAM) et le gymnase de cette institution. Tout au long de son histoire qui débute en 1894, l'AAAN rêve d'avoir un jour un édifice qui pourra rivaliser avec sa consoeur anglaise, la puissante MAAA. En 1914, enfin, débute la construction de la Palestre, mais la guerre de 1914-1918 en compliquera singulièrement le financement. Son inauguration n'aura lieu que le 18 janvier 1919. Avec son ouverture, les Canadiennes françaises pouvaient, pour la première fois, compter sur l'encadrement d'une solide institution qui les accueillait avec joie dans différentes sections sportives dirigées par des entraîneurs compétents : badminton, éducation physique, escrime, natation, quilles, raquette à neige, tennis. À l'époque où Brosseau dirige la section de boxe (1921-1934), la Palestre devient l'un des meilleurs centres de formation de boxeurs amateurs et une pépinière de boxeurs professionnels. (En haut : Édifice de la Palestre nationale, archives de l'UQAM, fonds de la Palestre nationale, cote 1P13/13. En bas : Gymnase, *A.C.J.C. – Palestre Nationale. Album souvenir, 1932-1933*, p. 35.)

Canada au mois d'avril. En attendant, il accompagne Georges Blain et Georges Chabot dans la capitale fédérale, où ils participent à un tournoi le 24 mars[11].

Lorsque le Cercle athlétique Champlain présente un grand tournoi de lutte et de boxe au théâtre Alcazar, le 3 avril, événement aussi bien mondain que sportif, Brosseau se retrouve, comme invité, parmi le gratin de la société francophone montréalaise. Les dames ont revêtu leurs plus beaux atours. Le maire Martin, « président » de la soirée et accompagné de nombreux échevins, pavoise. Le docteur Joseph-Pierre Gadbois, surintendant des terrains de jeux de Montréal, exhibe son poulain, le boxeur poids lourd Elzéar Rioux, et rassemble autour de lui de nombreux curieux. L'ancien lutteur vedette, Émile Maupas, sculpteur à ses heures, et maintenant professeur d'éducation physique et de culturisme, ainsi que l'ancien chef de police de Saint-Hyacinthe sont également parmi les 800 spectateurs qui occupent les sièges de l'Alcazar[12].

Mais, trêve de mondanités, revenons à la Palestre. Bien entendu, il n'est pas question ici de raconter dans le détail tous les tournois organisés par Brosseau à la Palestre nationale et tous ceux, encore plus nombreux, auxquels participent certains de ses élèves pendant les treize ans où il dirige la section de boxe de la grande association canadienne-française. Mais il faut savoir que, de 1921 à 1934, la boxe amateur jouit d'une popularité certaine à Montréal. Ainsi, de 1923 à 1924, *La Patrie* publie « L'art de savoir se battre, cours de boxe de 24 leçons », par Spike Weeb. Les clubs et associations ayant la boxe comme principale activité, et souvent comme seule activité, se multiplient. D'autres organisations de sports et de loisirs ajoutent le pugilat à leur programme. Pour ces années, nous avons recensé près de 275 tournois de boxe organisés par 66 institutions sportives. Ces très nombreux tournois interclubs permettent aux jeunes boxeurs de prouver leur valeur devant un public de connaisseurs. Plusieurs de ces clubs bien structurés offrent à leurs membres des gymnases très bien équipés et engagent des administrateurs et des instructeurs compétents. Outre Brosseau, on peut extraire de la cohorte Ernest Métivier, de l'Association athlétique Sainte-Brigide, l'une des associations les plus dynamiques dans le domaine de la boxe amateur à Montréal et même au Québec. Métivier siège au

11. *La Presse*, 27 février et 13 mars 1922, p. 8 ; 4 mars 1922, p. 22 et 8 et 23 mars 1922, p. 6.

12. *La Presse*, 29 mars et 3 avril 1922, p. 6 ; 1er avril 1922, p. 10.

conseil d'administration de l'Amateur Athletic Union of Canada (AAUC), à son comité de boxe, et est vice-président de sa section québécoise. Nommons également « Bobby » Leitham, champion professionnel poids-coq du Canada et entraîneur du Verdun Boxing Club, qui forme de très bons boxeurs amateurs et qui deviendra promoteur de boxe professionnelle dans les années 1930. Enfin, ajoutons Henry Azeff, de la Young Men Hebrew Association (YMHA), association très présente dans le domaine de la boxe amateur à Montréal. De plus, les nouvelles structures locales, régionales et même nationales qui naissent à cette époque encadrent et réglementent l'organisation des combats, permettant des classements moins aléatoires et leur procurant une plus grande crédibilité. Ainsi, le 4 avril 1922, au moment où Brosseau organise ses premiers tournois, la Commission athlétique de Montréal, que tous les journalistes sportifs désignent sous le nom de Commission de boxe, voit le jour. Des commissions semblables seront bientôt créées à Québec, Sherbrooke et Trois-Rivières. Le 7 décembre 1922, des membres des commissions athlétiques du pays se réunissent à l'Hôtel Windsor, à Montréal, et fondent la Fédération de boxe et de lutte du Canada. « Le but de la nouvelle organisation est d'avoir des règlements uniformes » dans tout le Canada et d'appuyer le travail des commissions athlétiques qui naissent à cette époque. Elle désire également s'affilier à la Fédération américaine pour que ses champions soient reconnus au-delà du 45e parallèle. L'AAUC s'implique également de plus en plus et impose ses règlements. C'est sous ses auspices que la majorité des clubs organisent leurs tournois. En même temps, une hiérarchie des championnats se met en place. Le boxeur montréalais qui rêve de participer aux championnats canadiens doit maintenant gagner aux championnats de Montréal, puis de la province de Québec.

Au mois d'avril 1922, à peine neuf mois après son engagement à la Palestre nationale, Brosseau dirige cinq de ses élèves au tournoi des championnats du Québec organisé par la prestigieuse Montréal Amateur Athletic Association (MAAA). Quatre d'entre eux accèdent aux semi-finales, dont le jeune Georges Chabot, qui deviendra, quelques années plus tard, un excellent professionnel. Vu son jeune âge — il n'a que quinze ans — Brosseau, prudent, n'a pas voulu courir de risques et l'a empêché de participer à la finale contre Raymond Lirzin. Car, dit-il, si Chabot « avait reçu une raclée, ou s'il avait été mis hors de combat, il se serait découragé [et] aurait perdu son enthousiasme ». La décision de son entraîneur blesse profondément son jeune élève. Il fond en larmes, « disant qu'il voulait quand même se mesurer à Lirzin », sinon il passerait pour un peureux aux yeux de ses amis. Après une longue discussion, Brosseau réussit à le convaincre qu'il agit pour son bien. Les succès des boxeurs des associations canadiennes-françaises sont si éclatants lors de cet important tournoi que *La Presse* prend la peine de leur consacrer un éditorial. Pour ce grand quotidien, ces excellents résultats prouvent « que, dans ce domaine tout comme dans les autres, les Canadiens français peuvent, avec du travail et de l'application, se distinguer et obtenir une large part des premières places [...]. Si nous voulons conserver à la race sa virilité, la mettre en état d'accomplir ses glorieuses destinées, ajoute l'éditorialiste, il est essentiel de développer le corps en même temps que l'esprit ». Moins de deux semaines après cet événement sportif, les championnats canadiens de boxe amateur ont lieu à Calgary. Brosseau aurait bien aimé voir « ses hommes » y participer, mais, dit-il, il faut débourser 600 $ pour payer le voyage et le séjour d'un seul boxeur et de son entraîneur dans cette grande ville albertaine, somme prohibitive pour la Palestre. « Si les promoteurs de Calgary veulent avoir des boxeurs de Montréal, déclare Brosseau, [...] ils devraient payer la moitié des dépenses [...]. [Qu'ils] fassent leur part et les clubs feront la leur[13] ».

Si l'éloignement des villes de l'Ouest canadien rend difficile la participation de boxeurs de la Palestre aux championnats canadiens, la relative proximité de grandes villes de la côte Est américaine et les liens ferroviaires nombreux facilitent les rencontres à Boston et à New York. Boston, qui organise régulièrement des tournois « internationaux » de boxe amateur, reçoit, de 1923 à 1925, la visite d'une douzaine des élèves de Brosseau qui y affrontent les meilleurs hommes de leur catégorie. Dès le 19 février 1923, quatre boxeurs de la Palestre participent au « tournoi international » qui a lieu dans la capitale du Massachusetts. À cette occasion, Brosseau déclare « que le meilleur moyen de former des boxeurs c'est de les faire se battre souvent avec de bons hommes. En rencontrant fréquemment des pugilistes qui possèdent des styles différents, le boxeur acquiert de l'expérience pratique et peut faire de rapides progrès. De plus, ajoute le professeur, en faisant de petits voyages, le jeune boxeur prend plus d'intérêt dans le sport qu'il pratique, il s'entraîne avec plus d'enthousiasme[14] ».

---

13. *La Presse*, 5 et 7 avril 1922, p. 6 ; 8 et 12 avril 1922, p. 10, 10 avril 1922, p. 14 ; 11 avril 1922, p. 6 (éditorial).

14. *La Presse*, 19 février 1923, p. 18.

De l'expérience, les élèves de Brosseau auront, s'ils le veulent, de nombreuses occasions d'en acquérir. De 1921 à 1934, le professeur de boxe de la Palestre organise 44 tournois à l'édifice de la rue Cherrier. Voir à la préparation de tous ces tournois n'est pas une sinécure. Brosseau, qui conduit ces soirées « avec une précision militaire », doit obtenir un permis de la Commission athlétique de Montréal et s'entendre avec elle sur les dates disponibles, négocier avec les entraîneurs des clubs et associations pour que ceux-ci délèguent leurs meilleurs hommes, obtenir l'assentiment de l'Amateur Athletic Union of Canada (AAUC), assurer la publicité auprès des journaux francophones et anglophones et dans les cercles sportifs, défendre les intérêts de ses élèves lors du choix des « officiels » par la Commission athlétique et l'AAUC. Avec le développement de la boxe amateur au Québec et particulièrement à Montréal, la liste de ces « officiels » s'allonge continuellement. Un exemple parmi d'autres, lors d'un tournoi de boxe des juniors organisé par Brosseau en 1932, on n'en compte pas moins de vingt-trois : un médecin, six juges, six arbitres, cinq officiers sans tâche précise, deux chronométreurs, un peseur, le représentant de l'AAUC section du Québec et le maître de cérémonie. De plus, notre professeur doit superviser l'organisation matérielle et surtout préparer les boxeurs du National qui figureront au programme et voir à ce que chacun d'eux n'excède pas le poids de sa catégorie lors de la pesée réglementaire. Un journaliste rappelle « tous les efforts nécessaires à la formation [...] de [bons] boxeurs qu'il faut d'abord réunir, instruire, admonester, encourager, diriger et conseiller sans cesse. [...] C'est ce travail de formation et de sélection qui s'opère actuellement au National ». Pour les tournois importants, Brosseau met sur pied des cours spéciaux. Il intensifie l'entraînement : course à pied, danse à la corde, *punching bag*, « boxe imaginaire » et avec un adversaire. « Différents exercices de culture physique complètent l'entraînement. Après la pratique, les boxeurs du National [sont] soigneusement massés. Une bonne douche et un peu de nage dans la piscine termine[nt] la soirée. » Lors de ces tournois, les boxeurs rencontrent les meilleurs hommes des nombreux clubs qui forment des pugilistes amateurs à Montréal dans le premier tiers du XXe siècle. Ces tournois attirent des foules respectables qui dépassent souvent 1000 spectateurs[15].

15. *La Presse*, 16, 20 et 26 mars 1923, p. 16 et 16 mars 1923, p. 21.

Édouard-Charles Saint-Père, acteur important de la scène sportive québécoise, joua sans doute un rôle considérable dans la nomination d'Eugène Brosseau comme instructeur de l'équipe canadienne de boxe aux Jeux olympiques de Paris en 1924. Député fédéral du comté d'Hochelaga, il représentait le gouvernement auprès du Comité olympique canadien. Il connaissait bien Brosseau et appréciait son talent. Pendant un certain temps, il avait dirigé les destinés de la Palestre nationale comme président. Journaliste sportif au *Canada*, il consacra plusieurs articles enthousiastes à la jeune merveille du ring. Il fut également rédacteur en chef d'un éphémère journal sportif, *Le Stade*. (Sa photo paraît à la une de ce journal, *Le Stade*, vol. 1, nº 1, Montréal, 28 mars 1920, p. 1.)

Dès le mois de mars 1923, l'AAUC confie à Brosseau l'organisation des championnats de boxe amateur de la province de Québec, championnats habituellement tenus sous les auspices de la MAAA[16]. Ce tournoi remporte un immense succès et accumule un surplus d'environ 1000 $, somme impressionnante pour l'époque. L'année 1924 sera particulièrement chargée pour notre ex-champion. Cette année-là, lui échoit, entre autres, la responsabilité du tournoi des championnats de la ville de Montréal et du tournoi préparatoire aux championnats du Canada et aux Jeux olympiques. Mais surtout, il est choisi, au mois de mai, instructeur de l'équipe canadienne de boxe canadienne qui représentera le Canada aux Jeux olympiques de Paris au mois de juillet. Son ami Ernest Métivier l'accompagnera comme responsable de l'équipe cycliste et adjoint de l'équipe de lutte. Ces choix ont peut-être été facilités par la nomination, par le gouvernement canadien, du député fédéral du comté d'Hochelaga, Édouard-Charles Saint-Père, comme représentant du gouvernement auprès du Comité olympique canadien. Ce dernier fut longtemps rédacteur sportif au journal *Le Canada*. Il est, selon *La Presse,* « l'une des figures les

16. Ils seront souvent organisés par la Young Men Hebrew Association à la fin des années 1920.

plus marquantes dans les cercles sportifs canadiens-français. Il a toujours prêché la cause du sport et de l'éducation physique » et, détail intéressant, « c'est un ancien président du National » où enseigne Brosseau. La grande vedette de ces Jeux sera le coureur finlandais Paavo Nurmi qui accumulera les médailles. Plus de 3000 athlètes se rendront dans la capitale française entre le 3 mai et le 27 juillet 1924. À eux seuls, les Américains envoient 320 athlètes. Pour sa part, la délégation canadienne, dirigée par le Dr A.-S. Lamb, de l'Université McGill, comprend 89 athlètes. Dans une envolée à la gloire de l'Empire britannique, le rapport du Comité olympique canadien souligne que chacun de ces athlètes « carried with him the symbol of homage to the *Mother Land* — the Union Jack on his singlet alongside his own flag. The frienships thus formed between the Empire athletes at Paris was something more than a casual acquaintance. It grew into real spirit of comradeship that deeply impressed all those of British blood[17] ». Les 218 boxeurs qui participent à ces Jeux proviennent de 29 pays. Onze pugilistes représentent le Canada : sept de Toronto, deux de Montréal, un de Hamilton et un de Winnipeg. Le Canada décroche, pour l'ensemble des disciplines sportives, quatre médailles : trois d'argent et une de bronze. Lors de son retour au pays, Brosseau n'a pas à rougir des résultats obtenus car les boxeurs canadiens tirent bien leur épingle du jeu, remportant l'une des quatre médailles canadiennes, celle de bronze, gagnée par le poids mi-moyen Douglas Lewis. Dans son rapport à P. J. Mulqueen, président du Comité olympique, Brosseau déplore cependant que l'équipe de boxe n'ait eu que trois jours pour s'entraîner. Il aimerait que, dans l'avenir, le Canada se montre plus généreux envers ses athlètes et fournisse les fonds suffisants pour permettre à leur entraîneur de passer un mois et même, idéalement, deux mois, avec les boxeurs pour qu'ils puissent atteindre le sommet de leur capacité. Il remarque que, malgré ce manque d'entraînement, ses hommes ont tout de même gagné dix-huit combats[18]. Un regret, il aurait

---

17. *Report Canadian Olympic Commitee 1924, Games held in Chamonix and Paris, France*, compiled and edited by J. Howarrd Croker, s.l., n.d., p. 14.

18. *Ibid.*, p. 49 ; *La Presse*, 23 octobre 1923, p. 16 ; 9 novembre 1923, p. 20 ; 17 décembre 1923, p. 16; 17 mars 1924, p. 16; 18 mars 1924, p. 20; 19 mai 1924, p. 21 ; 13 juin 1924, p. 22 ; 5 juillet 1924, p. 26 et 16 juillet 1924, p. 14 ; *La Presse : supplément illustré*, 26 juillet 1924, p. 4 ; Henry Roxborough, *Canada at the Olympics*, Toronto, The Ryerson Press, 1963, p. 58-66 ; Guy Lagorce et Robert Pariente, *La Fabuleuse Histoire des Jeux olympiques*, Paris, Éditions de La Martinière, 1992, p. 100-116.

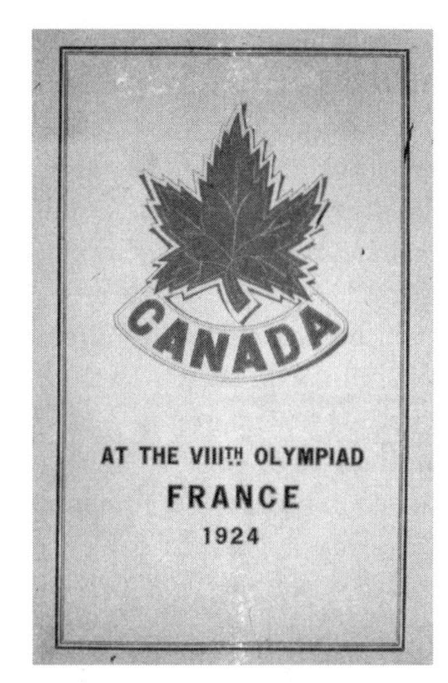

Couverture du *Report Canadian Olympic Commitee, 1924. Games held in Chamonix [premiers Jeux olympiques d'hiver] and Paris, France.*) Rapport de Brosseau comme instructeur de l'équipe olympique canadienne de boxe, aux dirigeants olympiques canadiens. Brosseau qui, à l'époque, n'a que 28 ans, ne semble pas impressionné par ces « bonzes » de l'olympisme canadien et y va de plusieurs suggestions pour améliorer les performances des boxeurs que le Canada envoie aux Jeux olympiques. (*Report Canadian Olympic Commitee, 1924*, p. 49.)

Montreal, September 15, 1924

Mr. P. J. Mulqueen,
President Canadian Olympic Committee,
Toronto.

Dear Sir:

I have the honor of offering my most sincere congratulations for the way you have conducted the Canadian Olympic team in Paris this summer.

Much credit is due to the Committee that had charge of the trip.

I also wish to state that under the conditions permitted for such competition, that our athletes have brought fame to the country.

I would suggest that in future if Canada is to take part in any departmental competitions that sufficient funds should be provided to give the coaches appointed for such competitions to have one or two months with the athletes selected for such previous to the competition, so the athletes would be in the pink of condition which would allow them to perform at their best.

It is regrettable to say that the Boxing Team had only three days of serious training in Paris before entering the ring for such fast competitions.

Altogether they won eighteen bouts before elimination, which is quite a record. It shows that with proper training we have the best of material.

Eugene Brosseau
Boxing Coach

Hoping that the officials of the A.A.U. of Canada are satisfied with the performance of our athletes under the conditions.

I remain,
Yours very truly
(Signed) Gene Brosseau,
Honorary Coach Canadian Boxing Team.

bien aimé compter Georges Chabot dans son équipe. Malheureusement, ce dernier avait été éliminé en demi-finale des essais olympiques à Toronto[19]. Fort de l'expérience vécue à Paris, il dirige, au mois de février 1925, les boxeurs canadiens au tournoi international de Boston, tenu sous les auspices de la New England Association of the Amateur Athletic Union. Ce tournoi rassemble les « principaux boxeurs amateurs de la Grande-Bretagne, du Canada et de la Nouvelle-Angleterre[20] ».

Par la suite, Brosseau organisera d'autres championnats à la Palestre nationale. Il supervise ceux de la ville de Montréal, présentés les 10 et 11 mars 1925[21] ; les championnats provinciaux de boxe junior de 1927[22], de 1930[23], de 1931[24] (lors de ce tournoi, un journaliste déclare : « Jamais nous n'avons vu un tournoi fournir autant de bons coups et présenter autant d'intérêt ») et de 1932[25]. À ce dernier tournoi, présenté dans une salle de spectacle rénovée et améliorée, « les dames sont particulièrement invitées ». Il donnera également en 1927 et 1928 plusieurs soirées de boxe pour préparer les boxeurs montréalais aux Jeux olympiques qui auront lieu à Amsterdam du 28 juillet au 12 août 1928[26]. Il ne lui déplairait pas de diriger l'équipe canadienne de boxe à ces jeux, mais, on ne sait pour quelle raison, ce souhait ne se réalisera pas. Grâce à ses relations et à sa connaissance de tout ce qui grouille dans le milieu de la boxe, Brosseau réussit à organiser à la Palestre nationale plusieurs tournois qui, même s'ils n'ont pas lieu lors de championnats, demeurent des événements importants de la scène sportive montréalaise. Ainsi, celui du 4 mars 1929 présente aux amateurs de boxe une belle brochette d'athlètes du ring. Plusieurs d'entre

---

19. *La Patrie*, 19 juin 1960, p. 30-31.

20. *La Presse*, 13 février 1925, p. 20 ; 17 février 1925, p. 16 et 19 février 1925, p. 18.

21. *La Presse*, 3 mars 1925 ; p. 18 ; 10 mars 1925, p. 20.

22. *La Presse*, 19 janvier 1927, p. 16 ; 25 janvier 1927, p. 8 ; 26 janvier 1927, p. 18 ; 31 janvier, 2 et 3 février 1927, p. 20 ; 8 mars 1927, p. 18 et 15 mars 1927, p. 22.

23. *La Presse*, 14 janvier 1930, p. 20 ; 30 janvier, 5 février 1930, p. 24 ; 4 février 1930, p. 10 et 8 février 1930, p. 61.

24. *La Presse*, 4 novembre 1931, p. 24 ; 12 novembre 1931, p. 24 et 26 ; 13 novembre 1931, p. 34 ; 16 novembre 1931, p. 21 ; 18 novembre 1931, p. 23 et 19 novembre 1931, p. 21.

25. *La Presse*, 21 novembre 1932, p. 17 ; 23 novembre 1932, p. 21 ; 24 novembre 1932, p. 24 et 30 novembre 1932, p. 19.

26. *La Presse*, 11 novembre 1927, p. 24 ; 6 février, 6 et 17 juillet 1928, p. 18 ; 14 février 1928, p. 18 et 28 juin 1928, p. 24.

eux sont soit des champions de la ville de Montréal, du Québec, du Canada ou des boxeurs qui, moins d'un an auparavant, participaient aux Jeux olympiques d'Amsterdam. Cette séance remporte un franc succès. « Rien n'a cloché dans l'organisation et les combats se sont succédé aussi intéressants les uns que les autres, avec une précision et une ponctualité toute militaire derrière laquelle on sentait la main habile d'un directeur expert[27]. » Le 5 août 1930, une nouveauté pour la Palestre, Brosseau ce « vétéran du sport », cet « homme qui s'y connaît en fait de boxeurs », donne un tournoi en plein air. Les recettes serviront à envoyer Paul Mecteau, champion poids plume du Canada et le poids mi-moyen Georges Landreville, deux de ses meilleurs élèves, aux premiers Jeux de l'Empire britannique qui auront lieu à Hamilton cette année-là[28]. Paul Mecteau n'est pas le seul champion formé à la Palestre; parmi eux se trouve Georges Ash qui, s'étant brisé la jambe, peut compter sur l'assistance de son professeur qui organise un tournoi à son profit au mois d'août 1927[29].

Comme membre du personnel de la Palestre, Brosseau n'est pas avare de son temps et il prend part à plusieurs manifestations qui débordent sa tâche. Aussi, en 1923, accepte-t-il avec empressement l'invitation du frère Eugène, enthousiaste du sport et organisateur des clubs de baseball et de hockey à l'Institut Saint-Antoine (une école de réforme), de présenter un programme de boxe aux jeunes « délinquants » de cette institution. À ces jeunes qui proviennent pour une large part de milieux défavorisés, Brosseau offre un excellent spectacle. D'abord, il obtient la participation de bons boxeurs de l'Association Sainte-Brigide et, ensuite, il envoie dans l'arène ses meilleurs talents: parmi eux Georges Blain, Georges Chabot, qui a l'âge des pensionnaires de l'Institut, Ted Cosette et Rosario Baril. Le frère Eugène, ravi, déclare à la fin de la soirée « que la boxe est un excellent sport pour intéresser la jeunesse[30] ». La même année, pour aider la Palestre à recruter de nouveaux membres, Brosseau invite ses collègues de travail de « l'hôtel des postes » de Montréal à visiter l'édifice de la rue Cherrier. Plus de 300 employés répondent à son appel. Pour l'occasion, il prépare

27. *La Presse*, 27 février et 5 mars 1929, p. 20; 28 février 1929, p. 26 et 4 mars 1929, p. 22.

28. *La Presse*, 23 juillet 1930, p. 21; 30 juillet et 5 août 1930, p. 19; 1er août 1930, p. 18; 2 août 1903, p. 50 et 4 août 1930, p. 16; *Le Devoir*, 6 août 1930.

29. *La Presse*, 30 août 1927, p. 20 et 31 août 1927, p. 10.

30. *La Presse*, 16 février 1923, p. 16 et 17 février 1923, p. 32.

quelques combats entre ses élèves et met même les gants pour affronter l'un d'eux. Les membres du bureau de direction de la Palestre profitent de la circonstance pour exhorter les visiteurs à se faire propagandistes auprès de leurs confrères des postes qui n'ont pu visiter leur centre sportif et pour les convaincre des avantages d'en devenir membre[31].

Nous le savons, le rôle de Brosseau à la Palestre nationale ne se limite pas à préparer ses élèves pour les tournois qu'il organise à cette institution. Ses protégés participent également aux très nombreuses soirées de boxe orchestrées par d'autres associations et clubs sportifs qui pullulent à Montréal à cette époque. Près de 280 boxeurs formés par Brosseau paraissent dans 135 tournois préparés par 32 institutions. L'Association athlétique Sainte-Brigide, sans doute la plus importante association amateur dans le domaine de la boxe des années 1920-1930, semble privilégiée par Brosseau qui, avec ses hommes, participe à 27 tournois mis sur pied par Ernest Métivier, le dynamique directeur des activités sportives à la Sainte-Brigide. La Young Men Hebrew Association (YMHA), organisation juive très vigoureuse, qui forme d'excellents boxeurs, reçoit ensuite la préférence des boxeurs de la Palestre qui se rendent 14 fois à son gymnase, avenue du Mont-Royal, coin avenue du Parc. Viennent ensuite les tournois de la MAAA, choisis 12 fois par les protégés de Brosseau. Il faut également mentionner les voyages faits par les jeunes boxeurs du National dans le reste du Canada et aux États-Unis pour montrer leur savoir-faire. Ces divers déplacements ajoutent 30 tournois à une feuille de route déjà passablement chargée. Si l'on additionne les 44 tournois organisés par Brosseau à la Palestre, ses élèves montent dans le ring lors de 209 tournois, soit une moyenne supérieure à 17 séances de boxe publiques par année. Personne ne chôme autour de Brosseau.

Toutes ces activités ne suffisent pas à épuiser l'énergie débordante de l'ex-champion poids moyen. Les fervents de boxe apprécient son rôle d'arbitre ou de juge lors de nombreux tournois. Au cours de la période 1922 à 1934, on fait souvent appel à sa connaissance intime de la boxe. De nombreux spectateurs peuvent admirer son calme dans l'arène, donnant avant le combat les derniers conseils aux deux adversaires, séparant des boxeurs qui s'accrochent trop souvent, surveillant les coups défendus par les règlements, comptant les secondes fatidiques qui mènent au knock-out.

31. *La Presse*, 17 décembre 1923, p. 16.

Moins souvent, ils le reconnaissent autour du ring parmi les juges, évaluant les performances pugilistiques des deux protagonistes et distribuant les points selon les mérites de chacun. Nous avons repéré 59 tournois où Brosseau remplit les fonctions d'arbitre ou de juge. Parmi ces tournois, il faut distinguer des championnats de la province de Québec, de la ville de Montréal et même deux tournois internationaux. Ainsi, les 15 et 18 mars 1926, le retrouve-t-on comme arbitre aux championnats provinciaux, organisés par l'Association athlétique des étudiants de l'Université de Montréal[32]. C'est la deuxième fois que Brosseau prête son concours comme arbitre à une activité sportive patronnée par l'université où il fut étudiant en médecine vétérinaire. Déjà, au mois d'avril 1924, il accepte de remplir cette charge lors d'une « grande soirée athlétique au bénéfice de la section sportive » de son *alma mater* qui présente des combats de boxe et de lutte et une rencontre d'escrime. La soirée, préparée par Pierre et Philippe Beaubien, réunit le gratin politique et universitaire. Brosseau y côtoie, entre autres, le premier ministre du Québec, Louis-Alexandre Taschereau, le secrétaire de la province, Athanase David, le recteur de l'université, Mgr Vincent Piette, son secrétaire général, Édouard Montpetit, le docteur Télesphore Parizeau[33], doyen de la faculté de médecine, et le docteur Arthur S. Lamb, de l'Université McGill. Cette manifestation sportive est aussi l'occasion de souligner l'obtention de la coupe Stanley par le club de hockey Le Canadien. Curieusement, les organisateurs de la soirée la décrivent comme un « hommage du peuple [...] aux champions du monde [...]. Née du peuple, formée de ses rangs et maintenue par lui, l'Université a choisi une occasion très propice pour démontrer qu'elle sait s'associer [...] à toutes les manifestations du peuple[34] ». Le soir du 29 novembre 1926, Brosseau se rend à la vaste salle du Monument national, sur la rue Saint-Laurent, en compagnie de Moe Hercovitch, Georges Chabot et Bert Light, choisis, comme lui, arbitres par la Commission athlétique de Montréal. Pour la première fois, Brosseau arbitre des combats présentés lors d'un tournoi international. Cette soirée se tient sous les auspices du Recreation

32. *La Presse*, 25 février et 12, 15, 18 et 19 mars 1926, p. 20, 9 mars 1926, p. 18 ; 13 mars 1926, p. 60 et 16 mars 1926, p. 17.

33. La docteur Télésphore Parizeau est le grand-père de l'ancien premier ministre du Québec, Jacques Parizeau.

34. *La Presse*, 3 avril 1924, p. 20. Cette soirée se veut une réponse au banquet donné à l'hôtel Windsor, où le prix élevé des billets éloignait « le peuple » de ses idoles.

Club du Canadian National Railway qui a fait appel à Ernest Métivier comme organisateur. Une nouveauté : les règlements de l'AAUC permettent des combats de cinq rounds au lieu des trois habituels. De plus, quelques combats sont « dirigés selon le cérémonial des Jeux olympiques ». Métivier a obtenu le concours de plusieurs champions du Québec, de l'Ontario, de la Nouvelle-Angleterre et de la ville de New York. Le bijoutier Edgard Charbonneau offre « une magnifique coupe [au] boxeur qui fera meilleure figure ». Les consuls des États-Unis et de l'Italie rehaussent l'événement de leur présence. Le représentant de l'État italien vient encourager deux compatriotes : Théodule Dulullo, champion du Québec à 126 livres, et Steve Rocco, champion d'Ontario à 112 livres[35]. Brosseau arbitrera dans un autre tournoi international le 4 décembre 1929[36] et jouera le même rôle lors des championnats de la ville de Montréal les 28 février 1928[37] et 18 mars 1929[38]. On le retrouve au début de mois de novembre 1931 comme l'un des « officiels » aux championnats du Québec pour les novices, qui s'étirent sur trois jours et rassemblent 125 boxeurs[39]. Du jamais vu ! Le 5 octobre 1933, il prête son concours, son expérience et sa renommée à la paroisse Saint-Jacques qui met sur pied une kermesse, où l'on présente des combats de boxe, pour amasser des fonds au profit des nombreux chômeurs de la « Grande Dépression » des années 1930[40].

Gene se rend aussi, à quelques occasions, à l'extérieur de Montréal pour arbitrer des combats professionnels. Au mois d'août 1927, à L'Annonciation, loin dans les Laurentides, le maître de cérémonie est fier d'annoncer que « l'arbitre sera Eugène Brosseau, l'un des meilleurs hommes que le Canada ait jamais produits[41] ». Un mois plus tard, c'est au tour des citoyens de Saint-Jérôme de contempler en chair et en os celui que le promoteur Édouard Drouin présente à la foule comme « l'ancien champion du Canada[42] ». Enfin, le 27 novembre 1929, les responsables d'un tournoi de boxe professionnelle à La Prairie soulignent, dans un but publicitaire

35. *La Presse*, 26 novembre 1926, p. 24 et 27 novembre 1927, p. 40.
36. *La Presse*, 4 décembre 1929, p. 24.
37. *La Presse*, 28 février 1928, p. 19.
38. *La Presse*, 18 mars 1929, p. 21.
39. *La Presse*, 30 octobre 1931, p. 31.
40. *La Presse*, 14 octobre 1933, p. 46.
41. *La Presse*, 6 août 1927, p. 51.
42. *La Presse*, 3 septembre 1927, p. 68.

évident, qu'« il ne faut pas oublier qu'Eugène Brosseau, de Montréal, sera l'arbitre ». Celui-ci devait être particulièrement heureux de se retrouver dans une municipalité où il avait vécu plusieurs années, fait ses débuts comme boxeur et où vivaient plusieurs membres de sa parenté. Parmi les rencontres qu'il aura à juger, celles d'Eddie Beaurivage, une gloire des Cantons-de-l'Est qui affronte le « fameux » Bert Heatfield, de l'Ohio, et de « Ti-Rouge » Sainte-Marie, de La Prairie, « l'orgueil des amateurs de la rive sud » qui se mesure à Adrien Guillemette, « le fameux petit boxeur » de Saint-Jean-sur-Richelieu[43].

Durant cette période, *Gentleman Gene* reste populaire parmi les amateurs de sport. Ainsi, lors d'une soirée de lutte, lorsque William Duchesne, fondateur et administrateur du gymnase Duchesne situé au 1153, rue Sainte-Catherine Est, veut faire comprendre « à la jeunesse le grand bien de la culture physique », il cite Léo Kid Roy, Delaney, Eugène Brosseau, les hommes forts Hector Décarie et Victor Delamare, le champion mondial de lutte Eugène Tremblay qui, tous « font honneur à notre race » et suscitent un « enthousiasme délirant[44] ». Il faut peut-être rappeler ici que Brosseau, comme professeur à la Palestre nationale, a formé plusieurs excellents boxeurs qui sont devenus professionnels et qui ont contribué à répandre sa renommée. Parmi ceux-ci, nommons Georges Blain, Ted Cossette, Rosario Baril, Georges Chabot, Eddie Paulhus, George Ash et Arthur Giroux.

C'est à se demander si Brosseau ne possède pas le don d'ubiquité pour organiser autant de tournois à la Palestre nationale, accompagner ses hommes dans plusieurs autres, se rendre aux Jeux olympiques de Paris comme responsable de l'équipe canadienne de boxe, jouer le rôle d'arbitre ou de juge lors de 59 tournois, travailler comme employé de l'hôtel des postes, agir comme « gérant » de boxeurs professionnels et, en deux courtes occasions, comme promoteur de boxe en plus d'assumer son rôle d'époux et de père.

---

43. *La Presse*, 27 novembre 1929, p. 23.
44. *La Presse*, 18 juillet 1931, p. 46.

CHAPITRE 4

Le manager

DANS LES ANNÉES 1920-1930, période où, en plus de jouer son rôle de professeur à la Palestre nationale, Brosseau devient manager de boxeurs professionnels et, à l'occasion, organisateur de soirées de boxe professionnelle, le monde de la boxe montréalais se complexifie et ses acteurs se multiplient. Autour du ring s'agitent les boxeurs, les managers et leurs seconds, les soigneurs, les arbitres, les juges, les commissaires de la nouvelle Commission athlétique, les promoteurs, les journalistes et une foule de « connaisseurs ». Même si les acteurs locaux montrent un dynamisme certain, l'influence américaine est partout présente. De nombreux boxeurs américains, parmi lesquels plusieurs sont d'origine canadienne-française, se retrouvent inscrits aux programmes concoctés par les promoteurs d'ici. Ces promoteurs se rendent régulièrement aux États-Unis, particulièrement à New York, recruter les meilleurs boxeurs disponibles. Ils nouent des liens d'affaires et parfois d'amitié souvent très utiles pour la carrière de leurs poulains. Par exemple, Raoul Godbout, « gérant » de Léo Kid Roy[1], « connaît une foule de promoteurs de Boston, Philadelphie et New York » heureux de mettre à leurs programmes un pugiliste aussi talentueux que Roy. Des promoteurs américains organisent des soirées dans la métropole canadienne. Les membres de la Commission athlétique de Montréal entretiennent de solides liens avec leurs homologues d'outre-frontière et également avec les responsables de la National Boxing Association (NBA) qui règne sur une large partie du monde de la boxe professionnelle au pays de l'Oncle Sam. De novembre à la mi-mars, c'est-à-dire

1. De son vrai nom Léo Paradis, né le 8 mars 1901, à Saint-Raymond, comté de Portneuf. Il a fait ses débuts comme boxeur à Lowell, où demeure sa famille.

pendant la saison de hockey, les combats de boxe professionnelle, sauf exception, cessent à Montréal. Pour vivre, les boxeurs locaux vont se battre aux États-Unis. C'est ainsi que Georges Chabot et Arthur Giroux, deux « protégés » de Brosseau, se battent régulièrement dans plusieurs villes de la Nouvelle-Angleterre l'hiver venu.

À Montréal, nous avons repéré, de 1922 à 1935, plus d'une vingtaine de promoteurs de boxe. Parmi ceux-ci, Alex Moore se distingue du peloton. On le compare souvent au fameux Tex Rickard, qui fait depuis longtemps la pluie et le beau temps dans le domaine du sport, particulièrement dans les coulisses de la boxe aux États-Unis. Au Québec, au début du xxe siècle, la boxe se limitait, pour l'essentiel, aux grands centres urbains de Montréal et de Québec. Dans les années 1920, grâce à sa « légalisation » et à des promoteurs nombreux et dynamiques, elle essaime dans plusieurs villes et villages. Des combats, qui attirent souvent des foules importantes, ont lieu, entre autres, à Joliette, Shawinigan, La Tuque, Chicoutimi, Drummondville, Sainte-Marie de Beauce, Valleyfield, Granby, Saint-Jérôme et Saint-Jovite. Les citoyens de Saint-Hyacinthe et de Trois-Rivières se rendent régulièrement à des spectacles pugilistiques. La ville de Sherbrooke, qui crée en 1929 sa propre commission athlétique, se distingue particulièrement par le nombre et la qualité des boxeurs qui s'y produisent. *La Presse* y dispose d'un correspondant qui lui transmet de longs reportages sur les péripéties se déroulant dans et autour de l'arène. Ainsi, le 8 octobre 1929, ce correspondant note, parmi les 3000 spectateurs, la présence du député fédéral de Sherbrooke, du président de la Chambre de commerce locale et « de plusieurs échevins et autres notables de la Ville[2] ».

Les débuts de Brosseau comme manager de boxeurs professionnels sont timides. Le 11 novembre 1922, *La Presse* nous apprend qu'il a découvert « un jeune homme de 18 ans du nom de Frank Provencher, 145 livres, de Trois-Rivières. C'est un garçon très bien bâti [...]. Il est très docile et a fort profité des quelques conseils que Brosseau lui a donnés depuis quinze jours qu'il lui enseigne la boxe. Il s'est grandement amélioré ». Brosseau lance un défi à plusieurs boxeurs au nom de son protégé, mais par la suite nous perdons la trace de Provencher[3]. Il faudra attendre plus d'un an pour retrouver Brosseau comme manager. Le soir du 23 janvier 1924, son homme, Charles-Auguste Turbie, un boxeur de 170 livres, affronte au

2. *La Presse*, 8 octobre 1929, p. 19.
3. *La Presse*, 11 novembre 1922, p. 16.

Monument national un athlète noir bien connu à Montréal, Silas Green. Ce dernier démolit son adversaire et Brosseau jette l'éponge au quatrième round[4]. Sans doute ébranlé par cet échec, et accaparé par son rôle de responsable de l'équipe de boxe olympique canadienne et de professeur à la Palestre nationale, il renonce, pour l'instant, à développer et diriger des boxeurs professionnels.

Au printemps 1925, il revient et reprend son chapeau de manager, cette fois pour longtemps. Pendant près de dix ans, il formera et dirigera une pléiade de jeunes et brillants boxeurs. Du printemps à la fin de l'hiver 1925-1926, il fournit des athlètes à son ami Billy Moorehouse du club Regal qui présente des combats au Monument national et à l'aréna Mont-Royal. On dit même qu'il est « l'âme de cette organisation ». Son ambition : « faire du sport pour la masse de la population, pour ceux qui ne peuvent pas se payer le luxe de voir les grands champions à l'œuvre. » Il tient à présenter aux gens à revenus modestes un spectacle entraînant dans des combats équilibrés où s'affronteront de jeunes boxeurs prometteurs qui, dit-il, deviendront « de dignes représentants de la race canadienne-française dans l'arène ». Comme nous le savons, Brosseau est un homme prudent et réfléchi. Son idée « n'est pas de faire rencontrer ses hommes avec des champions dès le début. Il veut les faire monter graduellement. Il veut voir d'abord ce qu'ils valent et leur choisir des adversaires capables de faire une bonne lutte. En en prenant de meilleurs chaque fois, on arriverait à former de très bons boxeurs et on donnerait au public de la boxe comme il veut en voir ». Ses premiers boxeurs, il les choisit d'abord parmi ses élèves les plus talentueux à la Palestre nationale, où il recrute Gérard Beaudin, Ted Cossette et Georges Chabot. Dans le cas de Cossette, c'est lorsqu'il apprend que Brosseau a décidé de s'occuper de boxeurs professionnels qu'il décide de laisser les rangs amateurs, et ce, malgré l'avis défavorable de son professeur qui estimait qu'il « n'était pas encore prêt à entreprendre une si dure carrière ». Mais, devant la ferme volonté de Cossette, Brosseau accepte de s'occuper de lui et espère même le conduire au titre de champion du Canada, espoir qui se réalise un an plus tard lorsque Cossette décroche le titre de champion poids léger. L'ambition de Brosseau ne s'arrête pas là. Il a l'intention « d'avoir sous sa direction des représentants de chaque classe ». Sa stratégie d'offrir à prix modiques de bonnes rencontres entre jeunes désireux de faire leur marque porte fruit. Lors des débuts de Beaudin et

4. *La Presse*, 24 janvier 1924, p. 17.

Chabot comme professionnels, le 1er juin 1925, la « foule immense » qui envahit l'aréna Mont-Royal assiste à un « spectacle excitant au possible ». Un journaliste de *La Presse* affirme que Brosseau « a été on ne peut mieux inspiré en organisant ces rencontres[5] ».

Après un été tranquille au point de vue pugilistique, la boxe revient en force à Montréal à l'automne 1925. Des promoteurs aussi importants qu'Alex Moore et Armand Vincent organisent régulièrement des soirées. On écrit que « Montréal est en passe de devenir une rivale sérieuse pour les plus grands centres pugilistiques américains[6] ». Billy Moorehouse et Eugène Brosseau participent à ce dynamisme et s'activent à la préparation de programmes intéressants pour le club Regal. Ce dernier a toujours sous contrat ses trois anciens élèves de la Palestre nationale. À la fin d'octobre ou au début de novembre, il ajoute à son écurie un poulain qui lui procure de grandes espérances, l'Australien Bert Brown. Dès ses premiers combats, il se bat d'une façon superbe et émerveille les amateurs. Un connaisseur pense qu'il s'agit de « l'un des plus beaux boxeurs » venu à Montréal. Heureux de l'accueil qu'il reçoit du milieu sportif montréalais et encouragé par ses succès, l'Australien, qui « fait honneur à Brosseau », décide de s'établir dans la métropole. Au mois d'avril 1926, il a déjà douze victoires en autant de combats, remportées au Canada et aux États-Unis. Devant une telle performance, Moorehouse ne craint pas d'offrir 3000 $, somme très importante à l'époque, pour une rencontre entre le protégé de Brosseau et Léo Kid Roy, champion canadien des poids mouches et des poids légers. Mais Brosseau, qui fréquente depuis longtemps Moorehouse et que tous considèrent comme son ami, sans doute attiré par une offre financière plus généreuse, signe, le 2 mai, un contrat avec Armand Vincent pour un combat entre Brown et Roy le 12 mai, au Forum. Moorehouse le prend très mal, pique une terrible colère et menace de traîner son associé devant les tribunaux. Brosseau et Vincent durent sans doute mettre un baume en espèces sonnantes et trébuchantes sur les plaies de Moorehouse, car ce dernier laisse bientôt entendre qu'il ne s'oppose plus à cette rencontre. Cependant, contrairement à ce qu'on aurait pu penser, l'imbroglio se

---

5. *La Presse*, 15 et 25 mai 1925, p. 24 ; 25 mai 1925, p. 13 ; 27 mai, 5 juin et 5 novembre 1925, p. 20 ; 30 mai 1925, p. 46 ; 1er, 2, 10 juin, 23 septembre et 23 novembre 1925, p. 18 ; 4 et 11 juin 1925, p. 22 ; 3 octobre 1925, p. 40 ; 13 octobre 1925, p. 21 ; 15 janvier 1926, p. 20 et 1er février 1926, p. 18.

6. *La Presse*, 1er mai 1926.

poursuit. Prétextant une opération au nez et encouragé par Moorehouse, Bert Brown ne se présente pas devant la Commission athlétique pour la pesée et l'examen médical réglementaires. Les commissaires, en possession d'un contrat passé devant notaire et le liant à Brosseau, le suspendent indéfiniment et révoquent la licence de promoteur de Moorehouse qui déclare être son « vrai gérant ». Dans l'aventure, Brosseau, qui avait déposé 250 $ pour garantir la présence de Brown le soir du combat, perd son dépôt et menace à son tour de « prendre une action contre Brown et Moorehouse ». Paraissant devant les commissaires pour se disculper, Brown rejette tout le blâme sur Brosseau « et demande à ce que le contrat qu'il a avec ce dernier, pour une période de cinq ans, soit rompu ». Les membres de la Commission, disposés à se montrer cléments, croient tout de même que le boxeur australien a cherché « à nuire à la dernière séance de boxe[7] ».

Après ces événements rocambolesques, Brown disparaît pour un temps du paysage sportif montréalais et Brosseau reporte toute son attention sur Georges Chabot, bien décidé à le conduire au sommet. Brosseau peut se féliciter des succès de Chabot. Depuis ses débuts comme professionnel, au printemps de 1925, il a su profiter des conseils de son manager. Un an plus tard, après la déception causée par Bert Brown, Chabot a un palmarès de 13 victoires dont une par K.-O. et un combat déclaré nul par les juges. Durant l'automne 1926, il continue d'accumuler les victoires. L'hiver venu, comme la majorité des boxeurs professionnels montréalais, Chabot doit s'exiler aux États-Unis pour continuer à vivre de son « art ». Le 25 février 1927, il se bat à Cleveland. Quelques jours plus tard, il défait par knockout Dave Brown, à Toronto. De retour aux États-Unis, il remporte une nouvelle victoire à Buffalo. Devant tant de succès, Brosseau espère lui décrocher une rencontre avec Chris Newton qui vient de remporter le titre de champion poids léger du Canada en battant Cliff Graham. C'est ce même Cliff Graham que Chabot vaincra le 18 mars. Mais c'est finalement Léo Kid Roy qui se mesure avec Newton[8].

---

7. Sur l'Australien Bert Brown voir : *La Presse*, 5 novembre 1925, p. 20 ; 24 novembre 1925, p. 18 ; 15 janvier, 13 avril, 3 et 26 mai 1926, p. 20 ; 18 janvier 1926, p. 16 ; 20 et 25 janvier et 1er février et 24 avril 1926, p. 18 ; 23 janvier 1926, p. 74 ; 26 janvier 1926, p. 10 et 20 mars 1926, p. 48 ; *La Patrie*, 1er et 8 mai 1926, p. 20 ; 3 mai 1926, p. 7 ; 4 et 12 mai 1926, p. 6 ; *Le Canada*, 26, 27, 28 avril, 3, 4, 8, 10, 12 et 14 mai 1926, p. 2.

8. Sur Chabot voir : *La Presse*, 15 mai 1925, p. 24 ; 25 mai 1925, p. 13 ; 27 mai, 25 septembre et 5 novembre 1925, p. 20 ; 1er et 2 juin 1925, p. 18 ; 6 juin 1925, p. 38 ; 11 juin 1925, p. 22 et 29 ; 3 octobre 1925, p. 40 ; 24 février et 1er mars 1927, p. 20 ; *La Patrie*, 10 mai 1926, p. 6.

Georges Chabot, formé par Brosseau à la Palestre nationale, entretiendra une longue relation d'amitié avec ce dernier qu'il appelle « professeur » lorsque les deux hommes se rencontrent. On se rappellera qu'au mois d'avril 1922 Brosseau avait refusé à son jeune boxeur de 15 ans une participation à la finale du tournoi des championnats amateurs du Québec, provoquant les larmes de son élève. Mais, deux ans plus tard, il déplore que Chabot n'ait pas été choisi pour participer aux Jeux olympiques de Paris, où, selon lui, il avait d'excellentes chances de remporter une médaille. La carrière professionnelle de Chabot, sous l'égide de son ancien professeur, même si elle fait couler beaucoup d'encre, sera courte. Elle durera moins de 4 ans (1925-1928). Après sa défaite aux mains de « son ami » Al Forman, le 19 octobre 1928, il accroche ses gants et décide de consacrer tout son temps à l'épicerie qu'il vient d'acheter. En 1932, il tentera un retour dans l'arène, mais un problème de vision mettra fin rapidement à cette tentative. En 1950, Brosseau le place au sein du palmarès de « ses idoles » du ring, en compagnie, entre autres, de Léo Kid Roy et d'Al Foreman. Il appréciait que Chabot soit un boxeur scientifique et non un simple cogneur, alors qu'un promoteur comme Alex Moore, qui voyait la boxe avant tout comme une source de profit, se disait persuadé que le public montréalais préférait les cogneurs. (Archives de Clément Brosseau.)

Caricature de L. Schwartz, illustrant le projet du promoteur Armand Vincent d'un tournoi entre les meilleurs poids légers du Canada dans le but de trouver un adversaire au champion Léo Kid Roy. Georges Chabot se retrouve au quatrième rang. (*La Presse*, 11 mai 1927, p. 22.)

Alors germe dans l'esprit de Brosseau l'idée d'opposer son homme à Roy, le nouveau champion. C'est le début d'une véritable saga mettant aux prises le promoteur Alex Moore, Raoul Godbout, « le gérant » de Roy, et Brosseau. Pendant près de six mois, les belligérants s'affrontent par journaux interposés et parfois en viennent presque aux coups. À travers ses péripéties, se dessine le portrait d'un Brosseau rusé, tenace, agressif, ayant un sens aigu de la stratégie, sachant manipuler la presse sportive à son profit et, surtout, un homme d'affaires averti. Le 30 avril 1927, il dépose, au nom de Chabot, un défi à la Commission athlétique sommant Roy de rencontrer son protégé pour le titre de champion poids léger du Canada. Entre-temps, le promoteur Armand Vincent organise un tournoi des meilleurs poids légers canadiens dans le but avoué de trouver un adversaire valable à Roy. Pour élaborer son programme, Vincent a consulté les commissions athlétiques du pays. Chabot est parmi les premiers inscrits à ce tournoi qui se déroulera les 11, 18 et 25 mai, au Forum. Face à l'importance de l'enjeu, le manager et entraîneur de Chabot ne le lâche pas d'une semelle et l'oblige à un entraînement rigoureux. Le premier soir du tournoi, Chabot se présente dans l'arène en parfaite condition. Conseillé par son entraîneur et se battant avec adresse et jugement, il remporte « une victoire rapide et impressionnante » contre Young Tunney, d'Ottawa, déclassé dès le premier round. La semaine suivante, Chabot fait un pas de plus vers les honneurs en défaisant Syd Conn, de Toronto. Rapportant cette nouvelle victoire, un journaliste remarque que le jeune boxeur, « sans être sensationnel, est solide, agressif et effectif. Ce n'est pas un boxeur théâtral, c'est un homme qui se bat pour gagner et qui profite de ses chances », comme le lui a enseigné Brosseau. Malheureusement, lors du combat, il a eu l'arcade sourcilière fendue d'un coup de tête et il ne pourra prendre part à la finale. Les médecins lui conseillent même d'éviter de monter dans l'arène pendant un mois. Devant les maigres résultats financiers des premières soirées du tournoi, Vincent annule la finale[9].

Malgré ces avatars, Brosseau garde le cap sur son objectif : une rencontre Chabot-Roy pour le titre de champion canadien. Il s'informe et consulte les gens du milieu sur le réalisme de son projet. Ainsi, au lendemain de la victoire de Chabot sur Conn, il se présente chez Louis-A. Larivée, rédacteur sportif au journal *Le Canada*, pour avoir son opinion et pour le prier de sonder le promoteur Alex Moore pour l'organisation d'un tel combat. Larivée juge l'initiative de Brosseau irréaliste et Moore croit au canular. Il déclare : « Le public ne prendra jamais cette affaire au sérieux et je n'aurai pas l'audace de lui imposer une pareille affaire. » Brosseau s'attendait visiblement à une telle réaction et, nullement découragé, il mijote son plan. De la fin de mai à la mi-septembre, les journaux montréalais publient six lettres où il clame le droit de son poulain à une rencontre avec Roy. Le 30 mai, il écrit à Louis Rubenstein, président de la Commission athlétique de Montréal, pour réitérer son défi et, pour respecter les règles de la Commission, il accompagne sa missive d'un chèque de 500$. Il assure avoir pris cette décision après avoir longuement évalué

9. *La Presse*, 13 avril 1927, p. 24 ; 23 avril 1927, p. 58 ; 29 avril 1927, p. 26 et 25 mai 1927, p. 6 ; *La Patrie*, 20 mai et 1er juin 1927, p. 6.

la situation. Léo-Kid Roy étant un Franco-Américain de Lowell, Brosseau joue habilement sur les sentiments identitaires du public francophone montréalais. Il rappelle que Georges Chabot est « un vrai *Canayen*, né à Montréal, qui a grandi parmi nous, qui a porté les couleurs du National avec éclat ». Alex Moore, homme d'affaires avant tout, craint de s'embarquer dans l'aventure. Il doute qu'une rencontre mettant aux prises deux Canadiens français soit rentable. Pour lui un affrontement entre un Canadien français et un « étranger » aurait plus de chance d'attirer les foules au Forum. Ce sentiment semble partagé par plusieurs. Un lecteur du *Devoir* dit comprendre les réticences du promoteur. Selon lui, « deux boxeurs de même race [...] n'attireraient pas une assistance très considérable ». Le rédacteur sportif Xiste-E. Narbonne abonde dans le même sens. Il croit que « les amateurs [...] se soucient peu de voir deux *Canayens* aux prises et, comme l'assistance à nos séances se compose de plus des trois quarts de Canadiens français, nous croyons que le public montréalais s'abstiendra de se rendre au Forum ». Pour étayer son refus, Moore ajoute que le public préfère un « batailleur » alors que Chabot est un boxeur scientifique et non un vrai « cogneur ». Raoul Godbout, le manager de Roy, partage la philosophie mercantile de son ami Moore. Son homme ne craint pas de défendre son titre pourvu qu'on lui garantisse une somme raisonnable. « Roy est en grande demande aux États-Unis et il ne se battra pas, dit-il, à Montréal, pour les beaux yeux des promoteurs[10]. »

Cependant, par ses interventions incessantes dans les journaux et auprès de la Commission athlétique, Brosseau maintient la pression. Le montant de la bourse offerte à son protégé lui importe peu. Il vise le titre de champion. Ce titre « signifie de gros contrats, des rencontres alléchantes et des bourses rondelettes [...]. Les promoteurs sont toujours à l'affût des champions ». Ceux-ci reçoivent de nombreuses offres pour aller combattre au Canada et surtout aux États-Unis. Malgré ses réticences, Moore consent finalement à organiser une rencontre si Godbout et Brosseau finissent par s'entendre. Après d'âpres discussions, un contrat est signé pour un combat le 6 juillet, au Forum. Dans cette entente, la bourse de l'aspirant champion couvrira à peine ses frais d'entraînement. Ce combat, c'est un investissement pour l'avenir. Comme il croit très peu au succès financier de l'entreprise, Moore saute sur le premier prétexte venu pour annuler la rencontre :

10. *Le Canada*, 20 mai 1927, p. 2 ; *Le Devoir*, 1er juin 1927, p. 7 et 2 juin 1927, p. 9 ; *La Presse*, 31 mai et 3 juin 1927, p. 20 ; 4 juin 1927, p. 48.

des courses de chiens à Montréal dans la première semaine de juillet. Il se dit persuadé « qu'on ne peut mener deux sports concurremment durant l'été », considérant que plusieurs amateurs sont en villégiature. Brosseau feint l'indignation, mais s'accommode très bien de ce contretemps. La blessure à l'œil de Chabot pourra guérir parfaitement et son manager-entraîneur disposera de temps supplémentaire pour convaincre le public de l'importance du combat qu'il espère de tous ses vœux[11].

L'été tirant à sa fin, Brosseau revient à la charge réclamant « à grands cris » le combat promis. La saison de boxe doit s'ouvrir le 7 septembre à Montréal et le manager-entraîneur-homme de coin de Chabot exige qu'elle débute par une rencontre pour le titre de champion poids léger du Canada entre Léo Kid Roy et son protégé. Lorsqu'il apprend que le trio Moore, Godbout et Roy prévoit plutôt un match entre Roy et Al Gordon, combat qui, selon Godbout lui rapportera 15 000 $, Brosseau confesse : « Je sortis hors de moi-même, chose qui ne m'arrive pas souvent, car je suis d'un tempérament calme. » Aussitôt, il s'adresse à la Commission athlétique pour faire interdire la rencontre Roy-Gordon. Les commissaires lui donnent raison et obligent Roy à affronter Chabot avant Gordon. La réaction de Godbout ne se fait pas attendre. Ordinairement « doux comme un agneau », selon ses amis, il rugit « tel un lion blessé ». Jamais il n'acceptera de se soumettre au diktat de la Commission. Il menace même de prendre « des procédures » contre elle. « Nous pouvons, dit-il, retourner à Philadelphie où nous avons fait $ 25,000 en six mois et où Roy est aussi à l'aise qu'à Montréal. » Brosseau n'est pas long à se saisir de cette déclaration maladroite susceptible de blesser certains amateurs de boxe montréalais. Il souligne l'ingratitude de Roy qui était bien heureux de pouvoir compter sur l'appui des fervents de boxe de Montréal lorsqu'il est arrivé de Lowell sans le sou. Pourquoi traite-t-il ainsi ces amateurs qui lui ont permis « d'amasser une petite fortune ? » Brosseau ne lâche pas son os. À un journaliste qui l'interviewe, il déclare : « Si je n'obtiens pas satisfaction de la Commission, il se peut que j'aille en cour [...]. Mon avocat est en ce moment en train d'étudier la question. » Le 19 septembre, la Commission réunit tous les belligérants. L'atmosphère est extrêmement tendue. Brosseau est d'humeur massacrante et menace de « nettoyer » la salle. Une

11. *La Presse*, 18 et 25 juin 1927, p. 36 ; 22 juin 1927, p. 20 ; 27 et juin 1927, p. 18 ; 27 juin 1927, p. 6 ; 28 juin 1927, p. 7.

Le docteur Damase Généreux, qui enseigna à l'École de médecine vétérinaire de 1902 jusqu'à son décès au mois d'août 1937 et fut professeur d'Eugène Brosseau lors de son passage à l'école (1914-1915). Le 19 septembre 1927, il désamorce avec humour « une chicane mémorable » entre son ancien étudiant et Raoul Godbout, manager de Léo Kid Roy. (*Le Canada*, 21 août 1937, p. 16.)

« chicane » mémorable l'oppose à Godbout. Les invectives pleuvent. Le docteur Damase Généreux, commissaire et ancien professeur de Brosseau, réussit tant bien que mal à calmer l'humeur belliqueuse de son ancien élève[12]. Il déclare avec humour qu'il le « mettrait en pénitence s'il continuait d'afficher de telles dispositions ». De peine et de misère, on en arrive à une entente pour un combat le mercredi 19 octobre 1927, au Forum. Procédure peu habituelle, pour s'assurer qu'il n'y ait aucune contestation possible, le contrat est signé « devant les membres de la Commission et le président [Louis] Rubenstein a même signé le document comme témoin. Et pour ne prendre aucun risque et voir à ce que tout soit fait dans les règles, Guillaume Saint-Pierre, chef du contentieux de la ville de Montréal, et avocat de la Commission, s'est chargé de voir à ce que la procédure soit bien dans l'ordre[13] ».

12. Le docteur Damase Généreux est « échevin » du quartier Saint-Jacques de 1920 à 1930, mais surtout il enseigne à l'École de médecine vétérinaire de 1902 jusqu'à son décès en 1937. Voir *Le Canada*, 21 août 1937, p. 16.

13. *La Presse*, 11 et 25 août 1927, p. 18 ; 13 août 1927, p. 60 ; 15 août 1927, p. 16 ; 23 août 1927, p. 6 ; 14 septembre 1927, p. 20 ; 15 septembre 1927, p. 25 ; 17 septembre 1927,

Sous son masque d'homme blessé, Raoul Godbout demeure aussi rusé que Brosseau. Il n'est pas sans savoir que le public sportif tenu en haleine depuis plusieurs mois par les tactiques et la stratégie publicitaire de son rival réclame ce combat qui attise les passions, non seulement à Montréal, mais dans tout le Québec et au Canada. S'il se fait tirer l'oreille, c'est pour obtenir des avantages financiers plus généreux pour lui et son homme. Finalement, il obtient satisfaction et on raconte que le promoteur Moore « faillit faire une maladie du prix » garanti à Roy[14].

Les deux managers pouvaient maintenant remiser leurs armes et consacrer leur énergie à l'entraînement de leur homme. Finies les escarmouches par lettres, Commission et journaux interposés. La préparation du véritable combat pouvait commencer. Brosseau a atteint son but. « La longue polémique autour de ce match lui donne un cachet particulier. » Rarement, répète un journaliste, « avons-nous vu un combat soulever autant d'intérêt, surtout à la veille de la saison de hockey ». Roy prédit qu'il administrera une raclée mémorable à son adversaire. Mais, conscient de la valeur de Chabot, il ne prend aucun risque et part s'entraîner à Boston avec les meilleurs boxeurs. Toujours sous le coup de la colère, il ne peut s'empêcher de décocher une dernière flèche à Brosseau avant son départ. Il le compare au « Shylock de Shakespeare qui réclamait une livre de chair de son créancier ». Après un tel battage publicitaire, le combat du 19 octobre soulève d'interminables discussions parmi la gent sportive. On compare la valeur des deux athlètes. On suppute leurs chances de l'emporter et presque toutes les discussions se terminent par un pari. Chabot, dit-on, est « jeune et ambitieux, possède un genre de vie modéré [...]. Ayant à ses côtés un [homme] de la trempe de Brosseau, il a acquis la plupart des secrets de son art ». Roy « est un grand boxeur. Consciencieux, il a toujours apporté une sage préparation à ses combats. Honnête envers lui-même, juste envers le public, impitoyable envers ses adversaires, Roy est un chevalier sans peur et sans reproche[15] ».

---

p. 54 et 21 septembre 1927, p. 26 ; *La Patrie*, 23 août et 21 septembre 1927, p. 6 et 25 août 1927, p. 7 ; *Le Canada*, 15, 20 et 21 septembre 1927, p. 2.

14. *Le Canada*, 19 octobre 1927, p. 2.

15. *La Presse*, 10, 13, 17, 18 et 19 octobre 1927, p. 20 ; 11 octobre 1927, p. 22 ; 12 octobre 1927, p. 18 ; 14 octobre 1927, p. 24 et 15 octobre 1927, p. 54 ; *La Patrie*, 10 octobre 1927, p. 7 ; 13, 17, 18 et 19 octobre 1927, p. 6 ; 15 octobre 1927, p. 16 ; *Le Devoir*, 15 octobre 1927, p. 13 ; 18 octobre 1927, p. 7 et 19 octobre 1927, p. 9 ; *Le Canada*, 15, 18 et 19 octobre 1927, p. 2 et 17 octobre 1927, p. 3.

Léo Kid Roy, de son vrai nom Léo Paradis, naît à Saint-Raymond, comté de Portneuf, le 8 mars 1901. Il fait ses débuts de boxeur à Lowell, Massachusetts, où a émigré sa famille. Dans les années 1922-1930, il remportera les titres de champions poids plume et poids léger du Canada. Il jouira d'une très grande popularité à Montréal, s'y battant plusieurs fois devant des foules dépassant 14 000 spectateurs. Le 19 octobre 1927, lors de son fameux combat contre Chabot, l'assistance dépasse, selon les commentateurs de l'époque, les meilleures foules jamais vues à une joute de hockey, sport pourtant très populaire. Sa rencontre avec Al Foreman, le 22 octobre 1928, a lieu devant 15 000 personnes. À la fin de sa carrière, en 1930, il achète une taverne, angle des rues Delorimier et Ontario, face au stade Delorimier, et consacre tout son temps à gérer cette entreprise. (*La Presse, Magazine illustré*, 26 mai 1928, p. 18.)

Le soir du combat, l'immense foule qui prend d'assaut le Forum donne raison à la persévérance de Brosseau. Très tôt, une mer humaine se presse sur les rues Sainte-Catherine et Atwater. On estime que cette multitude dépasse la meilleure assistance jamais vue à une joute de hockey et qu'il s'agit de la plus grande foule rassemblée pour un match de boxe au pays. Près de 14 000 spectateurs franchissent les barrières. « Quand toutes les places furent occupées, la direction du Forum, se rendant au désir du promoteur Moore, mit en vente des places [...] debout » au prix d'un dollar, somme importante pour l'époque. Ainsi, des milliers d'amateurs, « tassés les uns sur les autres », assistèrent au spectacle. Le maire Méderic Martin et « plusieurs citoyens marquants » occupent les meilleures loges[16].

Après douze rounds, Roy reçoit la décision des juges, mais Chabot lui a opposé une belle résistance. Selon un expert, il « est presque aussi grand aujourd'hui dans sa défaite que Roy dans sa victoire ». Les partisans de Roy doivent avouer « que la tenue du protégé d'Eugène Brosseau les a beaucoup surpris [...]. Jamais [...] il n'a défendu son titre contre un adversaire aussi dangereux ». Chabot réussit même à expédier son rival au plancher au septième round. À la fin de la rencontre, le boxeur montréalais est sorti de l'arène « aussi frais qu'au début ». Xiste-E. Narbonne écrit au lendemain de cette fameuse rencontre que Georges Chabot peut être fier de sa tenue « et pour peu qu'il continue à s'entraîner sous la direction habile d'Eugène Brosseau, il sera de taille avant longtemps à enlever le titre ». Horace Lavigne de *La Patrie* ajoute qu'il a livré « une bataille serrée et acharnée et n'a pas craint les coups de son antagoniste [...]. Courageux et déterminé, il a rendu le combat intéressant [...] [Il a] livré le plus beau combat de sa carrière[17] ». Dans son texte, Lavigne rend un vibrant hommage à Brosseau, hommage qu'il vaut la peine de citer ici dans son intégralité.

> S'il est, dit-il, un personnage qui n'a pas reçu tout le crédit qu'il aurait dû, c'est Eugène Brosseau. L'ancien champion amateur d'Amérique a été l'entraîneur de Chabot, il a été son Mentor, l'homme de confiance, le protecteur. Depuis des mois Eugène s'est dévoué pour placer la cause de Chabot en bonne posture devant l'opinion publique ; depuis des mois il n'a cessé de proclamer les titres de son protégé à une rencontre avec le champion. Devant la Commission de boxe comme devant l'opinion

16. *La Presse*, 20 octobre 1927, p. 24 ; *La Patrie*, 20 octobre 1927, p. 6.

17. *La Presse*, 20 ocotobre 1927, p. 24 ; *Le Devoir*, 20 octobre 1924, p. 9 ; *Le Canada*, 20 octobre 1927, p. 3 ; *La Patrie*, 20 octobre 1927, p. 6.

> populaire, il a fait valoir les prétentions de Chabot [...]. Mais Brosseau ne se contenta pas de faire du bruit; aux paroles il joignit les actes et, dans le silence du gymnase, il a fait entraîner son poulain [...]. Avec ses menaces de poursuites, avec ses protestations devant la Commission, avec ses controverses dans les journaux, avec l'intérêt intense qu'il réussit à créer dans le peuple, Brosseau a été le premier agent du succès financier de la soirée de mercredi. Il a été le meilleur agent de publicité du promoteur Moore et à cause de son intégrité et de sa compétence, il a créé un courant dans l'opinion publique qui a tout balayé sur son passage et a conduit au Forum une foule comme jamais on en vit à une séance de boxe. L'ancien champion d'Amérique jouit donc encore de toute sa popularité et le succès de mercredi est un peu son triomphe. Brosseau n'est pas un bluffeux et la foule a confiance en lui[18].

Devant tous ces éloges, le « protecteur » de Chabot est aux étoiles. « Le combat a prouvé que Léo n'est pas le seul au monde, a dit Eugène en fumant un gros cigare que Georges venait de lui payer[19]. »

Brosseau n'est pas du genre à s'asseoir sur ses lauriers et sait flatter ses alliés potentiels. Six jours après l'éclatant succès du 19 octobre, *La Presse* publie une lettre où il remercie les partisans qui l'« ont si chaleureusement appuyé avant, pendant et après le combat ». Il adresse un merci « à tous les journaux [...] pour la bonne publicité » et en profite pour affirmer que Chabot est supérieur à Roy et que les juges auraient dû, au pis aller, rendre un verdict nul. Il n'est donc pas surprenant de le voir déposer un nouveau défi à la Commission athlétique au début de novembre pour une reprise des hostilités entre Chabot et Roy dès le printemps prochain. À la fin de l'année, il se rappelle aux bons souvenirs des amateurs en expédiant aux journaux ses meilleurs vœux pour la nouvelle année. Il saisit l'occasion pour offrir ses « sincères remerciements à la grande fraternité sportive de Montréal, ainsi qu'à tous les journaux, pour l'appui généreux donné à mes entreprises sportives ». Il n'oublie pas de mentionner que « Georges Chabot s'entraîne actuellement avec soins pour entreprendre une campagne active vers la mi-janvier[20] ».

L'année 1928 réserve des surprises à Brosseau et ne se déroulera pas selon ses plans. Il dirigera pendant cette période les destinées d'au moins

---

18. *La Patrie*, chronique d'Horace Lavigne intitulée : « Ce que nous en pensons », 21 octobre 1927, p. 6.

19. *Le Canada*, 21 octobre 1927, p. 2.

20. *La Presse*, 25 octobre 1927, p. 20; 31 décembre 1927, p. 40.

cinq boxeurs professionnels : Georges Chabot, Bert Brown, Arthur Giroux, Jack Mulveney et Charley Bélanger, champion mi-lourd du Canada. Seuls les trois premiers retiendront notre attention.

Au début de l'année, après une absence de deux ans, le boxeur australien Bert Brown réapparaît dans le décor et revient se placer sous la direction de Brosseau. Après plusieurs mois d'entraînement, il remporte, le 15 mai, une belle victoire à Portland, sur Georges Bolduc, Franco-Américain de Lewiston, dans le Maine. Jack Carey, un nouveau promoteur de boxe à Montréal, qui donne des soirées en plein air au stade Delorimier, où joue le club de baseball les Royaux, réussit à conclure deux contrats avec Brosseau pour sa première soirée prévue le 13 juin. Ce soir-là, Bert Brown rencontrera Bobby Garcia, 23 ans, un Amérindien, né à El Paso, Texas, qui a déjà 120 combats à son actif et que les Montréalais connaissent bien pour l'avoir déjà vu deux fois contre Léo Kid Roy. Georges Chabot lui, affrontera Joe Trabon, un « dur cogneur » de Kansas City[21]. Pour arracher ce deuxième contrat, Carey a dû négocier serré et se montrer généreux, car Brosseau craint qu'une défaite de Chabot tue toutes ses chances d'obtenir un match revanche avec Roy. Une autre considération n'est sans doute pas étrangère à sa décision. Il veut tester la véritable force de son poulain contre un adversaire réputé pour cogner dur. Il sait que, depuis quelques mois, Chabot a beaucoup de difficultés à faire le poids exigé pour pouvoir se battre dans la catégorie des poids légers. Le 13 juin, les 8000 spectateurs présents au stade Delorimier réservent une ovation à Brown et des huées à Chabot. Dans la victoire, l'Australien a fourni « un spectacle enlevant [fort] goûté par la foule », alors que le combat de Chabot et Trabon, jugé « monotone et peu intéressant », s'est terminé par une défaite décisive de Chabot. Cette défaite confirme l'intuition de son manager qui avait refusé la proposition d'Alex Moore d'un match revanche Chabot-Roy au Forum pour le 6 juin. Les choses ne s'améliorent pas. Un mois plus tard, Chabot est battu à Portland. Cette nouvelle défaite amène Brosseau à retirer le défi déposé devant la Commission et ainsi à récupérer les 500 $ versés en garantie. Il explique aux commissaires « que Chabot a pris du poids et qu'il n'est plus en état de se battre comme poids léger sans s'affaiblir considérablement ». Brosseau le met au repos jusqu'en septembre[22].

---

21. Certains articles disent qu'il est de Denver, Colorado.

22. *La Presse*, 16, 29, 30 mai, 13 et 14 juin 1928, p. 20 ; 23 mai 1928, p. 26 ; 25 mai 1928, p. 24 ; 26 mai 1928, p. 76 et 78 ; 31 mai 1928, p. 24 ; 1er juin 1928, p. 23 ; 2 juin 1928, p. 61 ; 9 juin 1928, p. 75 et 11 juin et 17 juillet 1928, p. 18 ; *La Patrie*, 14 juin 1928, p. 8.

L'automne venu, Alex Moore, qui négociait avec Brosseau depuis un an, annonce que Chabot et Al Foreman se battront au Forum le 10 octobre 1928, pour déterminer qui affrontera Roy dans un combat de championnat[23].

L'adversaire de Chabot est né à Londres en 1904, de parents juifs. Il s'est battu en Angleterre, en France et en Allemagne. Vers l'âge de 18 ans, il s'installe à Montréal où habite un de ses frères. Il se bat pour la première fois dans la capitale, contre un dénommé Gagnon. Lors de cette rencontre, des spectateurs le traitent de « maudit Juif, maudit bloke ». Comme il ne parle pas français, il demande à son manager la signification de ces cris. La réponse l'attrista. « Imaginez-vous mon impression, dit-il. Je n'avais pas encore 19 ans, j'arrivais de mon pays et, dès mon premier combat, j'étais traité grossièrement, insulté [...]. Mon pilote me dit [...] que ce n'était pas toute l'assistance qui m'avait traité ainsi, mais bien un petit groupe [...]. Il me déclara qu'au contraire la grande partie de l'assistance s'était montrée sympathique à mon égard. » Après cet incident, il livre plusieurs combats, dont un contre Léo Kid Roy, avant de s'engager pour trois ans dans la marine américaine. Il revient souvent à Montréal rendre visite à son frère et à des amis. Au printemps de 1927, il accepte l'invitation d'Armand Vincent de participer au tournoi des poids légers et s'établit à Montréal. Il rencontre Chabot pour une première fois et subit la défaite. Au moment de son deuxième combat avec le protégé de Brosseau, un journaliste de *La Presse* qui l'interviewe est séduit par sa personnalité. Ce boxeur, écrit-il, « ressemble plus à un acteur de cinéma qu'à un pugiliste [...]. Sa conversation est très intéressante et [il] est capable de causer non seulement de boxe mais sur une foule d'autres sujets. C'est l'athlète qui, à la force physique, joint de belles qualités intellectuelles. Il est modeste et ne craint nullement de parler en bien de ses adversaires. Il sait éviter toute fanfaronnade et parle peu de ses victoires[24] ».

Le soir du 10 octobre, Foreman remporte une victoire crève-cœur sur son ami Chabot. Il l'envoie quatre fois au plancher avant de le mettre K.-O. au quatrième round. Voici comment, malgré sa victoire, il décrit son calvaire.

---

23. *La Presse*, 13 septembre 1928, p. 20 ; 29 septembre 1928, p. 48 et 4 octobre 1928, p. 26.

24. *La Presse*, 19 octobre 1924, p. 24.

> Ce n'est pas une rencontre que j'ai aimée, ni goûtée. L'arbitre aurait dû arrêter le combat dès la première fois que Chabot est allé au plancher. Il m'a rendu la tâche ingrate. Il m'a laissé frapper mon ami alors que celui-ci était incapable de se défendre. Il a failli me faire perdre la tête. Chabot est un garçon pour qui j'ai beaucoup d'estime. Sur la rue, il me demanderait de faire quelque chose pour lui, je le ferais avec empressement, content de lui rendre service. On organiserait une séance au profit de Chabot, je demanderais à me battre gratuitement contre n'importe quel adversaire. Il me fallait donc oublier toute notre amitié et frapper pour ainsi dire un copain [...]. Lorsque j'envoyais Chabot pour la première fois au plancher [...], je croyais que la rencontre était finie ou du moins que l'arbitre allait l'arrêter. Non, il la laissa continuer. Ce geste me fit mal au cœur et, lorsque la deuxième ronde commença, je me demandais si je devais frapper mon adversaire. Je ne savais que faire. Si je ne le frappais pas, le public aurait été mécontent et m'aurait hué; si je continuais à frapper je craignais que la foule ne me conspuât, parce que je continuais à bûcher sur un homme totalement incapable de se défendre. Sans savoir ce que je faisais, je continuai à frapper mon ami Chabot. Ainsi pendant quatre rondes, j'eus la tâche ingrate de frapper un jeune homme pour qui j'ai la plus haute estime. Si je n'avais craint d'entendre les gens crier *fake*, j'aurais dit à Brosseau de jeter l'éponge [...]. Je vous avouerai que, pendant ces quatre rondes, j'ai enduré un véritable supplice. J'aurais désiré plus que tout autre, [...] que la rencontre prit fin plus tôt. C'est la raison pour laquelle, dans la quatrième ronde, vous m'avez vu foncer comme un fou vers Chabot afin de le frapper le plus fort que je pouvais afin de l'étendre pour qu'il ne se relève pas après la dixième seconde. Lorsque Chabot tomba finalement, je fus content parce que j'avais fini de marteler mon adversaire et mon ami. Je veux rendre ici hommage au courage de Chabot. Le jeune protégé d'Eugène Brosseau s'est montré courageux à l'extrême et a fait grandement honneur à sa race. Jamais je n'ai vu un homme faire autant d'efforts et continuer aussi bravement la lutte. [...] Je m'efforcerai d'oublier ce combat, mais je veux toujours me rappeler le courage dont a fait preuve mon ami Georges[25].

Devant la tournure que prenait le combat, comme Foreman, plusieurs spectateurs se demandent pourquoi Brosseau n'a pas jeté l'éponge. Ce dernier explique que Chabot lui avait dit de n'en rien faire. Il avoue également qu'il avait confiance que, si Chabot pouvait résister pendant les

25. *La Presse*, 20 octobre 1928, p. 64.

premiers rounds, « il pourrait ensuite prendre le dessus et remporter la victoire ». Chabot corrobore les dires de son manager-entraîneur. Il ajoute qu'il a de plus en plus de difficultés à faire le poids. Quelques heures avant le combat, il pesait encore une demi-livre de trop et dut courir dans les rues de Montréal pour éliminer cet excédent de poids et ne pas perdre le 400 $ qui garantissait sa présence dans l'arène à 136 livres. Il ne veut plus continuer ainsi et annonce qu'il accroche ses gants pour consacrer tout son temps à l'épicerie qu'il vient d'acheter. Parlant de Chabot quelques années plus tard, Brosseau se dit persuadé que son homme aurait décroché les plus grands honneurs n'eût été d'un problème de vision[26].

Grâce à sa victoire, Foreman obtient une rencontre, le 22 octobre, au Forum, avec Léo Kid Roy pour le titre de champion poids léger du Canada. Devant une assistance record de 15 000 personnes, il met un terme au règne de Roy au deuxième round. Avant le combat, Roy avait déclaré vouloir venger « son ami Chabot », mais c'est plutôt Foreman qui vengera « son ami Georges ». Après sa victoire, le jeune Juif retourne en Angleterre voir ses parents. Il affirme qu'à son retour à Montréal il a l'intention d'apprendre la langue française. « J'aime bien, dit-il, les Canadiens français et je veux parler leur langue. La plupart de mes amis sont des Canadiens français. » Brosseau n'allait sûrement pas le contredire, lui qui entretenait d'excellents rapports avec la Young Men Hebrew Association et avec plusieurs boxeurs montréalais d'origine juive[27].

Une fois Chabot rentré dans ses terres, Brosseau tourne ses regards vers un autre jeune boxeur très prometteur, Arthur Giroux, fils d'un ancien pugiliste bien connu au Québec. Dans les années 1923-1925, Giroux avait suivi les cours de Brosseau à la Palestre nationale. Son premier combat professionnel a lieu le 18 mai 1927, lors du tournoi des poids légers auquel participe Chabot. Il bat à cette occasion Young Burns, de Québec. On le retrouve ensuite, le 5 septembre, à Saint-Jérôme, dans un tournoi organisé par Édouard Drouin, un promoteur de l'endroit. L'arbitre de ce tournoi n'est nul autre que Brosseau. Le 22 mai 1928, à Portland, il affirme sa supériorité sur Duke Menard, champion des poids mouches du Maine, et démontre « qu'il peut avec raison être classé parmi les meilleurs petits boxeurs ». On apprend à cette occasion qu'il est « l'un des protégés d'Eugène

26. *La Presse*, 11 octobre 1928, p. 24; *Le Miroir*, Montréal, 15 mars 1931, p. 6.

27. *La Presse*, 16 et 23 octobre 1928, p. 20 et 20 octobre 1928, p. 64.

Arthur Giroux, le troisième à partir de la gauche. Eugène Brosseau se tient à ses côtés. Il semble s'agir du banquet de mariage de Giroux, ce qui indique les relations cordiales entre le boxeur et son manager malgré quelques épisodes houleux. Selon toute vraisemblance, l'homme debout à l'extrême gauche serait le père de Giroux, excellent boxeur dans les premières années du XXe siècle, lui-même prénommé Arthur. Giroux se battra pour Brosseau de l'automne 1928 à l'automne 1932. De 1923 à 1925, il avait été son élève à la Palestre nationale. (Archives de Clément Brosseau.)

Brosseau ». À l'automne de 1928, lors d'une tournée aux États-Unis, Giroux remporte « de brillants succès ». Un de ses exploits particulièrement digne de mention a lieu le 27 novembre, à Portland. Ce soir-là, il bat le champion du monde des poids plumes, Frankie Genaro, dans un match où le titre du champion n'était cependant pas en jeu. Pour arracher cette victoire, il « a combattu avec une énergie superbe » et soulevé l'enthousiasme des milliers de personnes présentes. Le lendemain soir, lorsque le train le ramenant à Montréal entre à la gare Bonaventure, des membres de la Palestre nationale, de l'Association Sainte-Brigide et du Club des millionnaires l'accueillent avec joie et fierté[28].

28. *La Presse*, 18 et 19 mai 1927, p. 24 ; 3 septembre 1927, p. 25 ; 23 mai 1928, p. 26 ; 7 novembre 1928, p. 22 ; 21 novembre 1928, p. 24 et 28 novembre 1928, p. 22.

Après un tel exploit, les offres s'empilent sur le bureau de Brosseau. Parmi celles-ci, un promoteur de Paris promet 3500 $ plus les frais d'un voyage aller-retour en France pour Giroux et son manager-entraîneur, pour une série de trois combats. L'un de ces combats serait contre le Français Émile « Spider » Pladner, champion de France. Brosseau aimerait bien retourner dans la capitale française, mais, homme d'affaires avant tout, il demande 5000 $ plus les frais de voyage. Si le promoteur accepte cette proposition, il fera le voyage à Paris avec Giroux. Entre-temps, le 4 janvier 1929, à Toronto, Giroux affronte Willie Davies pour le titre de champion poids mouche du Canada. Il est battu par une faible marge. *The Globe*, de Toronto, écrit en parlant de cette rencontre : « Giroux est un boxeur rapide et agressif qui donnera du mal à n'importe quel poids mouche. [...] Ni l'un ni l'autre des deux hommes n'a eu un gros avantage. » Onze jours plus tard, le jeune boxeur montréalais administrait « une raclée en règle » à Harry Goldstein, de Boston, champion de la Nouvelle-Angleterre. Alors que les plus grands espoirs lui semblent permis, son manager annonce qu'il renonce, du moins officiellement, « à la gérance » de boxeurs pour occuper le poste d'organisateur de soirées de boxe pour le club de hockey Le Canadien. Nous sommes le 7 février 1929[29].

29. *La Presse*, 12 décembre 1928, p. 22 ; 17 décembre 1928, p. 19 ; 28 décembre 1928, p. 25 ; 31 décembre 1928, p. 15 ; 8 janvier 1928, p. 16 ; 17 janvier 1929, p. 24 et 7 février 1929, p. 25.

CHAPITRE 5

Le matchmaker

Ce n'est pas la première fois que le club de hockey Le Canadien s'intéresse à la boxe. De 1916 à 1920, dirigé par George Kennedy, le club organise d'excellents combats au parc Sohmer. Kennedy entretient des liens étroits avec d'influents promoteurs sportifs américains et réussit à attirer à Montréal des champions détenteurs du titre mondial : John Kilbane, un poids plume, et, chez les mi-lourds, Jack Dillon et Battling Levensky. La venue à Montréal, le 15 mai 1920, du célèbre champion français Georges Carpentier constitue son dernier coup de maître. Après l'inauguration du Forum, à la fin de 1924, les spectateurs pourront assister à des soirées de boxe et de lutte, avant et après la saison de hockey. Cependant, ces spectacles ne sont pas organisés par Le Canadien, mais par des promoteurs indépendants qui, pour l'occasion, louent le Forum.

Au moment de l'engagement d'Eugène Brosseau par le club Le Canadien, une certaine effervescence règne dans le milieu de la boxe. Plusieurs hommes d'affaires, sans doute alléchés par les profits générés par le combat entre Georges Chabot et Léo Kid Roy et le combat de ce dernier avec Al Foreman, demandent et obtiennent une licence de promoteurs de la Commission athlétique. À Alex Moore, qui visite tous les clubs de boxe de New York et « assiste à tous les combats, faisant signer des contrats aux meilleurs hommes », s'ajoutent plusieurs « sportifs bien connus » des Montréalais. Au mois de mars 1929, Lou Smith, propriétaire du King's Park Jockey Club, à ville Saint-Laurent, annonce son intention de faire de la boxe « l'été prochain » à son champ de course. À la même date, un projet plus ambitieux émane de la Canadian International Amusement, présidée par Léon Mercier, assisté de Jules Livine, gérant de la Colombus Film, de l'avocat Vigneault et de plusieurs autres personnes parmi lesquelles on compte un « puissant capitaliste qui ne veut pas que son nom soit connu [...]. Cette organisation, qui dispose de capitaux énormes, veut faire de la boxe et du baseball. Elle a actuellement deux promesses de vente pour deux terrains d'un arpent carré au centre ville ». Ce syndicat financier veut construire sur l'un de ces terrains « une salle de boxe » pouvant accueillir entre 10 000 et 12 000 spectateurs. Georges Jarry, l'un de ses membres, parcourt les camps de bûcherons du Nord québécois dans l'espoir de dénicher « des hommes susceptibles de devenir boxeurs. Il a déjà trouvé de remarquables spécimens d'humanité et les a mis sous contrat ». Les directeurs engagent comme gérant le fameux boxeur Jack Delaney, Franco-Américain né à Saint-François-du-Lac, sous le nom d'Ovila Chapdelaine, et qui fut champion du monde des mi-lourds pour quelques mois en 1926. En avril, « le gérant d'affaires » du club de baseball Les Royaux, Walter Hapgood, déclare qu'il « est probable » que l'ancien champion mondial des poids lourds, Jack Dempsey, organise au stade Delorimier quelques séances de boxe pendant la saison estivale. Pendant quelque temps, le promoteur Armand Vincent, « l'âme dirigeante » de la Montreal Garden Corporation, « puissante organisation financière et sportive », jongle avec l'idée de présenter des soirées de boxe. Il songe lui aussi, si le succès couronne ses initiatives, à construire « d'ici une couple d'années une immense salle dans le genre du Madison Square Garden » de New York. Finalement, devant « la perspective d'une pléthore de concurrents », il se retire, « persuadé qu'il n'y a pas à Montréal une population encore assez sportive pour faire vivre cinq ou six promoteurs et [surtout il] n'entend pas faire de l'opposition au club Canadien, dont l'entrée en lice a été accueillie avec enthousiasme[1] ».

Comme nous pouvons le constater, lorsque Brosseau entre en scène comme *matchmaker* du Canadien, la concurrence est vive. De plus, au début, Brosseau devra partager le Forum avec son concurrent le plus sérieux, Alex Moore. C'est d'ailleurs Moore qui ouvre la saison de boxe à Montréal, le 10 avril 1929. Ce soir-là, 6000 spectateurs se rendent au Forum. Le 3 mai, c'est toujours lui qui attire au même endroit près de 12 000 amateurs de boxe. Si Brosseau veut obtenir des succès semblables, il devra travailler fort. En février, à l'hôtel Windsor, lors de sa rencontre pour conclure son contrat

---

1. *La Presse*, 9 février 1929, p. 71 ; 23 février 1929, p. 68 ; 7 mars 1929, p. 26 ; 18 mars 1929, p. 21 ; 2 avril 1929, p. 23 ; 6 avril 1929, p. 69 ; 22 avril 1929, p. 20 ; 29 avril 1929, p. 25 et 10 mai 1929, p. 34-35.

d'engagement avec Léo Dandurand, l'un des propriétaires du Canadien, il est question de présenter des combats de boxe avant la fin de la saison de hockey et de louer à cette fin le théâtre Saint-Denis. Jos Cattarinich, l'associé de Dandurand, optimiste, se dit persuadé que Brosseau fournira « du sport de premier ordre ». Mais la marche est haute. Alex Moore, en selle depuis plusieurs années, bien connu dans le monde de la boxe aussi bien au Québec qu'aux États-Unis, est un promoteur avisé et coriace. De plus, les nombreux projets des nouveaux promoteurs font sans doute réfléchir la direction du Canadien. Le 25 avril, Brosseau, qui veut pour ses débuts comme organisateur « offrir une séance extraordinaire », annonce qu'elle n'aura pas lieu avant le 22 mai[2].

Pour l'ouverture de sa saison, il veut présenter aux amateurs un match avec Al Foreman, le nouveau champion poids léger du Canada. Arthur Giroux serait aussi au programme. Durant cette saison, il aimerait, dit-il, « donner une chance aux jeunes boxeurs de Montréal et les aider à gagner leur vie ». Il assure vouloir « les mettre à l'affiche de préférence aux étrangers. Encourageons les nôtres », lance-t-il. Deux jours avant le début de sa saison, une première tuile lui tombe sur la tête. Al Foreman, la locomotive qui devait entraîner la foule au Forum, joue les capricieux et, prétextant « qu'il a mal aux mains », fait faux bond. Il est aussitôt suspendu par la Commission athlétique. Le manager de Foreman, son frère Harry, accuse les commissaires d'agir comme « au pays des Soviets » et d'avoir refusé de l'entendre alors que la Commission a permis à Brosseau de témoigner. Ce dernier doit remplacer son attraction principale en catastrophe. Le soir du 22 mai, les six combats à l'affiche attirent une « assistance désappointante[3] ».

Comme pour le narguer, une semaine plus tard, 8000 personnes assistent au programme d'Alex Moore. Soutenu par les dirigeants du Canadien et nullement découragé par ce premier échec, Brosseau négocie la venue au Forum du Français André Routis qui arracha, en novembre précédent, le titre mondial des poids plumes à Tony Canzoreni, victoire fort populaire chez les francophones de Montréal. Il veut lui opposer Jackie Cohen. Pour faire venir le champion français à Montréal, le Canadien « a dû débourser

2. *La Presse*, 7 février 1929, p. 25 ; 21 février 1929, p. 25 ; 23 avril 1929, p. 27 et 25 avril 1929, p. 31.

3. *La Presse*, 4 mai 1929, p. 69 ; 7 mai 1929, p. 21 ; 17 mai 1929, p. 26 ; 20 mai 1929, p. 15 ; 21 mai 1929 ; 22 mai 1929, p. 24 ; 23 mai 1929, p. 30 et 8 juin 1929, p. 70. *Le Canada*, 18 mai 1929, p. 2.

une jolie somme». Par ce geste, il croit «faire plaisir à la population montréalaise qui réclamait depuis longtemps la venue du Français». Selon un journaliste, «Routis sait qu'il va se trouver ici, dans une ville française et qu'il aura beaucoup de partisans». Avec une attraction pareille, le Canadien aurait pu augmenter les prix d'entrée, mais il ne l'a pas fait car il «comprend que tous les fervents de sport ne sont pas des millionnaires». Au programme de sa deuxième soirée, Brosseau a inscrit surtout des «cogneurs», des «batailleurs». Il justifie le choix de Routis non seulement par son titre de champion du monde, mais parce «qu'il est un cogneur de première classe». Le 17 juin, en compagnie de monsieur Michon, consul de France, Brosseau se rend à la gare Bonaventure serrer la main du champion. À sa descente du train, enchanté de la réception qui lui est réservée, le cousin de France déclare: «Ça fait bon au cœur [...] d'entendre une foule [...] parler français. Je me serais cru dans mon pays.» Le soir du 19 juin, malgré la présence de Routis et le battage publicitaire qui a entouré sa venue, une assistance clairsemée assiste à la domination totale du Français sur le Juif Jackie Cohen. Un témoin tient à souligner que, dans la victoire, Routis a montré «l'esprit chevaleresque de sa race[4]».

Une semaine plus tard, Brosseau peut enfin compter sur la présence d'Al Foreman. Il l'oppose à l'Américain d'origine grecque, Phil MacGraw. Ce même soir, plusieurs boxeurs francophones sont à l'affiche: Midget Lavigne, de Burlington, Léo Lafontaine et Gérard Lebrun, de Sherbrooke, «la terreur des Cantons-de-l'Est». Au point de vue sportif, la soirée se révèle un véritable succès. Air connu, on affirme que le combat de Foreman-MacGraw, qui se termine par un verdict nul, «restera dans l'histoire du sport comme l'un des plus excitants jamais présentés dans la métropole du Canada». Cependant, la qualité des boxeurs en présence aurait dû drainer vers le Forum une assistance plus considérable[5].

Devant tous ces déboires, une soirée prévue pour le 17 juillet est annulée. Face aux exigences d'Al Foreman, une autre séance, annoncée pour le 7 août, subit le même sort. Ce jour-là, Brosseau aurait aimé présenter un combat pour le titre entre Foreman et Sylvio Mireault. Mais, les trois soirées de boxe

4. *La Presse*, 24 mai 1929, p. 15; 30 mai 1929, p. 30; 4 juin 1929, p. 20; 11 juin 1929, p. 19; 12 juin 1929, p. 24; 14 et 19 juin 1929, p. 25; 15 juin 1929, p. 50; 17 et 18 juin 1929, p. 18 et 20 juin 1929, p. 26.

5. *La Presse*, 21 juin 1929, p. 25; 22 juin 1929, p. 46; 24 juin 1929, p. 15; 26 juin 1929, p. 21; 27 juin 1929, p. 24.

qu'il a organisées n'ayant pas attiré des foules nombreuses au Forum, Foreman qui, selon son contrat, reçoit un pourcentage des recettes, refuse de se battre pour « une somme dérisoire de quelques centaines de dollars ». Harry Foreman, son manager, ajoute: « Mon frère est dans la boxe pour gagner sa vie et il serait bien fou de défendre son titre de champion pour rien. » Il ne se laissera pas intimider par la Commission athlétique qui pourrait lui retirer son titre, dit Harry: « Le titre de champion lui a tellement apporté d'argent [...] qu'il se moque pas mal de la menace de la Commission. » Nous le savons, Brosseau est tenace et il n'abandonne pas l'espoir de présenter un combat pour le titre de champion entre Mireault et Foreman, surtout que ce dernier a signé un contrat le liant pour la saison au club Le Canadien. Après d'âpres et violentes discussions, une entente est enfin conclue. Mireault et Foreman se rencontreront le 21 août. Comme pour le fameux combat Chabot-Roy, la polémique qui entoure le match favorise les discussions chez les amateurs et amène au Forum plus de 8000 spectateurs. Pour la première fois, les recettes justifient l'énorme travail fourni par Brosseau pour donner au public des soirées de boxe intéressantes[6].

Mais rien n'est facile pour le *matchmaker* du Canadien. Le 5 septembre, un combat mettant aux prises Foreman et Johnny Dundee est contremandé, l'Américain ne pouvant venir à Montréal pour cette date. Malgré les contretemps, la persévérance de Brosseau, peu à peu, porte fruit. Le public se rend compte que l'ancien champion organise des spectacles de qualité et l'assistance double à chaque séance. « Tous sont convaincus que la direction du Canadien a fait un bon choix en s'adjoignant les services du populaire Eugène Brosseau », écrit *La Presse*. Le 11 septembre, il met à l'affiche, pour une deuxième fois, son ancien poulain Arthur Giroux qui défait Harry Goldstein, de Boston[7].

Quelques jours plus tard, il annonce son intention d'organiser au Forum un tournoi de championnat des poids coq du Canada. Malheureusement, la Commission athlétique refuse d'accorder son autorisation[8].

---

6. *La Presse*, 3, 19 juillet, 14 et 21 août 1929, p. 19 ; 26 juillet 1929, p. 18 ; 30 juillet 1929, p. 20 ; 1er août 1929, p. 21 ; 8 et 15 août 1929, p. 22 ; 12, 13, 16 et 19 août 1929, p. 10 ; 20 août 1929, p. 11 et 22 août 1929, p. 24.

7. *La Presse*, 4 septembre 1929, p. 21 ; 5 et 6 septembre 1929, p. 24 ; 7 septembre 1929, p. 67 ; 11 septembre 1929, p. 22 et 12 septembre 1929, p. 25 ; *Le Canada*, 9 et 11 septembre 1929, p. 2.

8. *La Presse*, 14 septembre 1929, p. 50.

BOBBY LEITHAM

Ce jeune boxeur de Verdun, âgé de 24 ans, a remporté il y a quelques semaines le titre de champion poids coq du Canada, dans un combat avec Arthur Giroux, au Forum. Leitham est devenu professionnel il y a un peu plus de trois ans. Il est sous la direction de Sam Gibbs qui, par sa ténacité, sa persévérance et son travail a réussi à le conduire au championnat. En 1926, Leitham a remporté le championnat poids coq amateur du Canada à Winnipeg et en 1927, à New-Westminster. A gauche, on voit le portrait de Sam Gibbs, gérant de Leitham. — Clichés Famous Studio, rue Sainte-Catherine Est.

Bobby Leitham, de Verdun, né vers 1907, fut l'entraîneur du Verdun Boxing Club. Ces hommes rencontreront à plusieurs reprises les élèves de Brosseau de la Palestre nationale. Comme boxeur amateur, Leitham remporte, en 1926, le championnat canadien des poids coqs. Il devient professionnel en 1929, sous la direction du manager Sam Gibbs. Le 27 octobre 1931, il arrache le titre de champion poids coq du Canada à Arthur Giroux. (*La Presse, Magazine illustré*, 5 décembre 1931, p. 18.)

Les difficultés de Brosseau avec la Commission athlétique de Montréal ne sont pas terminées. Il organise, pour le 25 septembre, un combat entre Al Foreman et Johnny Dundee. Dundee « n'est pas un poulet du printemps » comme on dit dans le milieu. Il se bat depuis plus de douze ans. Il a déjà porté le titre de champion mondial des poids plumes et des poids légers juniors et n'a été mis hors de combat qu'une seule fois dans sa carrière. Pour ajouter du poids à un programme qui comprend déjà quatre rencontres et lui assurer une plus grande publicité dans les médias, Brosseau ajoute un match de championnat entre Jos Villeneuve, de Québec, champion des poids plumes du Canada et Bobby Leitham, excellent athlète de Verdun. Cependant, la Commission athlétique de Québec, qui possède un contrat et la garantie du boxeur de la capitale qu'il se battra contre Arthur Roger pour le titre de champion, fait pression sur sa consœur de Montréal pour empêcher la rencontre Villeneuve-Leitham. La question est remise entre les mains de Me Guillaume Saint-Pierre, chef du contentieux de la Ville, qui donne raison aux gens de Québec. Brosseau ne se laisse pas démonter par toutes ces tractations. Il soutient que la Commission athlétique de Montréal ne peut s'opposer au match de championnat qu'il souhaite présenter au public de Montréal. Dans l'avant-midi du 25 septembre, aux bureaux de *La Presse*, il répète une fois de plus sa conviction, entouré, entre autres, des deux boxeurs et de leur manager qui l'appuient dans ses démarches. Il dit avoir « produit des contrats en règle ». À deux heures de l'après-midi, tout ce beau monde se retrouve devant les commissaires qui exigent de nouveaux contrats, où il serait clairement spécifié que le titre de champion ne serait pas en jeu, sinon la rencontre n'aurait pas lieu. Après de nombreuses hésitations, Eugène Létourneau, le manager de Villeneuve, se dit prêt à signer les contrats préparés par la Commission, mais le coloré Sam Gibbs, « gérant » de Leitham, refuse carrément d'apposer sa signature. Il menace les commissaires de poursuites judiciaires et quitte en claquant la porte. Trois heures avant le début de la soirée, dans une dernière tentative pour sortir de cette impasse, Brosseau se présente devant le juge Coderre avec Jos Budyk, l'avocat du club de hockey Le Canadien, pour obtenir une injonction et forcer la main de la Commission. Le magistrat déclare « que la Commission athlétique n'a pas agi en sportsman en cette affaire et que la position du club Canadien est digne de sympathie ». Il rappelle que Brosseau a soumis les contrats à la Commission le 11 septembre et que celle-ci n'a fait part de son refus que le 23 septembre, moins de deux jours avant la rencontre. Il va même jusqu'à dire que la Commission a agi en « traître » envers le club Canadien mais malheureusement, ajoute-t-il, « le droit est contre lui, la requête en injonction aurait dû être soumise à la Ville et non à la Commission. À contrecœur, il se voit dans l'obligation de refuser la demande de Brosseau. Cependant, l'histoire ne s'arrête pas là. Au début de la soirée, les belligérants sont de nouveau réunis au Forum. Alors que le premier des cinq combats prévus est déjà commencé, Létourneau signe. Gibbs, plus rétif, n'appose sa griffe, suivie de celle Brosseau, que pendant le déroulement du troisième combat. Il déclare agir ainsi « par égard pour le club Canadien ». En conclusion, Leitham défait facilement un Villeneuve épuisé par toutes ces péripéties. Dans la rencontre principale, Dundee « fait piètre figure » devant Foreman qui remporte la victoire par knock-out technique au dixième round. Encore une fois, toutes ces procédures, menaces de poursuites et injonction profitent aux entreprises de Brosseau. Elles maintiennent les noms de Leitham et Villeneuve dans les pages sportives des journaux pendant plusieurs semaines et assurent à la soirée du 25 septembre « un véritable succès à tous les points de vue. L'assistance était considérable, ce qui a permis au club Canadien de [...] réaliser un surplus[9] ».

Après ce succès sportif et financier, Brosseau réserve les dates du 9 et du 23 octobre auprès de la Commission athlétique. La soirée du 23 octobre serait la dernière de l'année avant le début de la saison du Canadien au Forum. Pour son avant-dernière séance de boxe, il n'a aucun champion à offrir aux amateurs. Comme pour s'excuser, il affirme que les combats mettront aux prises des jeunes « boxeurs populaires à des prix populaires » et permettront sans doute « de découvrir dans ces novices de futurs champions ». Le soir du 9 octobre, malgré la vaillance des combattants, l'absence de vedettes du ring se fait cruellement sentir et explique, en partie, la « maigre assistance » et, par conséquent, les pertes financières subies par le Canadien. Selon le journaliste Xiste-E. Narbonne, en dépit des prétentions de Brosseau, le prix élevé des billets joue aussi un rôle dans cette déconfiture financière[10].

---

9. *La Presse*, 17 septembre 1929, p. 18; 18 septembre 1929, p. 22; 19 septembre 1929, p. 20; 20 septembre 1929, p. 24; 21 septembre 1929, p. 69; 23 septembre 1929, p. 25; 24 septembre 1929, p. 21 et 25 et 26 septembre 1929, p. 26; *Le Canada*, 19, 23, 24, 25 et 26 septembre 1929, p. 2.

10. *La Presse*, 28 septembre 1929, p. 60; 1er octobre 1929, p. 22; 3 octobre 1929, p. 26; 4 octobre 1929, p. 30; 5 octobre 1929, p. 56-57; 7 octobre 1929, p. 20; 9 octobre 1929,

On comprendra facilement qu'après un tel échec l'organisateur des soirées de boxe du Canadien se soit lancé à la recherche d'un champion qui « remplirait le Forum » le 23 octobre. La course aux champions, que l'on pourrait qualifier de course à obstacles, commence donc. Pendant un moment, Brosseau pense opposer Arthur Giroux à Izzy Schwartz, reconnu comme champion mondial des poids mouches par la Commission athlétique de New York. Cette rencontre, dit-il, « serait une puissante attraction pour les fervents de la boxe à Montréal ». Malheureusement, Schwartz refuse l'offre du Canadien. Brosseau jette alors son dévolu sur le Français Eugène Huat, champion poids mouche d'Europe, venu en Amérique pour se battre le 8 novembre, contre ce même Izzy Schwartz, au Madison Square Garden de New York. Nouveau refus. En désespoir de cause, il se tourne, sans plus de succès, vers Albert « Frenchy » Bélanger, de Toronto, champion poids mouche du Canada. N'ayant pu trouver un homme digne de Giroux, capable d'attirer les foules au Forum, et prévoyant un autre déficit financier, Brosseau renonce finalement à la soirée du 23 octobre[11].

---

p. 23 et 10 octobre 1929, p. 27 ; *Le Devoir*, 4, 8 et 9 octobre 1929, p. 7 ; 5 octobre 1929, p. 11 et 10 octobre 1929, p. 9.

11. *La Presse*, 12 octobre 1929, p. 60 ; 16 octobre 1929, p. 23 ; 17 octobre 1929, p. 27 ; 18 octobre 1929, p. 26 et 19 octobre 1929, p. 66 ; *Le Devoir*, 18 octobre 1929, p. 7.

CHAPITRE 6

Le retour du manager

Ces dernières difficultés mettront un terme à la carrière de *match-maker* de Brosseau. À la mi-février 1930, au seuil d'une nouvelle saison de boxe à Montréal, le club de hockey Le Canadien engage Alex Moore comme organisateur. La grande crise économique, qui ébranle le monde depuis octobre 1929, rend la concurrence encore plus périlleuse. Lors de son engagement, Moore soutient qu'il n'y a plus de place pour deux grands promoteurs de boxe dans la métropole « et que l'union des volontés et des énergies sera pour le plus grand bien de la boxe ». Louis-A. Larivée, du journal *Le Canada*, se félicite de la fin de cette « guerre dans les cercles pugilistiques [...]. L'an dernier, ajoute-t-il, une grande rivalité a existé entre la direction du club de hockey Le Canadien et le promoteur Alex Moore. Cette année la paix est faite ». Il est certain que Moore a su établir de solides réseaux dans le monde de la boxe aux États-Unis et qu'il a ses entrées dans les cercles pugilistiques des grandes villes américaines comme New York, Boston, Philadelphie et Buffalo. Brosseau, malgré sa notoriété au Canada, ne pouvait rivaliser, en cette période économique très difficile, avec l'un des plus grands, sinon le plus grand promoteur de boxe au Canada. Il pouvait cependant jouer un rôle dans cette nouvelle distribution des acteurs en reprenant sa tâche de manager de boxeurs professionnels[1].

Brosseau reprend donc son rôle de manager et s'occupe de nouveau d'Arthur Giroux. Durant l'éclipse de Brosseau, Giroux, en plus d'avoir mis les gants deux fois avec succès lors de soirées organisées par son ancien « gérant » pour le Canadien, a continué à accumuler les victoires dans

1. *La Presse*, 14 février 1930, p. 24 et 17 mars 1930, p. 20 ; *Le Canada*, 15 février 1930, p. 2.

plusieurs villes de la Nouvelle-Angleterre, particulièrement à Portland, où on le considère comme une vedette locale. Des succès si éclatants outre-frontières amènent ses amis à célébrer son retour dans sa ville natale par un grand banquet, à la salle Sainte-Brigide, le 29 mars 1930. Tout le Montréal sportif est convié à cette fête pour honorer ce « jeune boxeur qui s'est fait une si belle réputation aux États-Unis[2] ».

Alex Moore, qui désire opposer le petit poids mouche canadien-français[3] au « petit Anglais » Harry Hill, au Forum, le 28 mai, doit négocier ferme avec Brosseau. Finalement, après avoir discuté « des jours et des jours », il arrache une signature à son ancien concurrent. Cependant, pour des raisons que nous ignorons, la soirée, remise le 4 juin puis reportée le 12 juin, n'aura lieu que le 18 juin, non au Forum, mais au parc Delorimier. Les nombreux reports de cette soirée remettent en cause, selon Brosseau, les termes d'un contrat pourtant si âprement négocié quelques semaines plus tôt. Il refuse, au nom de son poulain, une offre de 10 % des recettes. Moore, dans une ultime tentative pour le ramener à une position qu'il juge plus raisonnable, se rend, accompagné d'Albert Laberge, à son lieu de travail. Il lui apprend, que, pour donner une plus grosse bourse à Giroux, il a réussi à convaincre Harry Hill de se battre pour 250$ seulement. Peine perdue. Brosseau n'est pas seul à se montrer intraitable face aux propositions du promoteur. Al Foreman, à la même époque, fait aussi la fine bouche. Moore déplore amèrement ces comportements. « Pendant que la lutte fait des progrès, dit-il, la boxe descend de plus en plus et nos pugilistes se verront bientôt dans l'obligation d'adopter un métier quelconque pour vivre[4]. »

Giroux, qui désire ardemment se battre à Montréal, et qui, pour gagner sa vie, doit retourner régulièrement se battre aux États-Unis, trouve l'intransigeance de son manager exagérée dans le contexte économique difficile des années 1930. Il demande à la Commission athlétique d'annuler le contrat le liant à Brosseau. La Commission, prudente, refuse d'intervenir, de crainte que Brosseau ne lui intente une poursuite. Cependant, l'apparition de Giroux devant les commissaires pousse son manager à mettre un

2. *La Presse*, 31 mars 1930, p. 18.

3. Arthur Giroux se bat également comme poids coq (118 livres).

4. *La Presse*, 17 mai 1930, p. 64; 20 mai 1930, p. 23; 21 mai et 12 juin 1930, p. 24; 22 mai 1930, p. 46; 24 mai 1930, p. 44; 7 juin 1930, p. 47; 10 juin 1930, p. 20; 21 juin 1903, p. 77; 26 juin 1930, p. 28.

peu d'eau dans son vin. Il accepte finalement les propositions de Moore pour un combat qui aura lieu le 6 août, au stade Delorimier, entre son protégé et Routier Para. Les amateurs, craignant de ne plus voir le brillant jeune poids mouche durant l'été à Montréal, se réjouissent. L'intéressé se montre enthousiaste de pouvoir enfin se battre devant ses plus fidèles partisans. Giroux est d'autant plus heureux que la direction du Canadien lui fait miroiter la possibilité d'un combat pour le championnat du monde contre Frankie Genaro « s'il se signale au cours de l'été ». Para ayant subi la défaite aux mains de Victor Ferrand, le 1er août, c'est ce dernier qui est vaincu par Giroux le soir du 6 août[5].

Pour un certain temps, il n'est plus question d'une rencontre avec Genaro. Les championnats canadiens poids mouche et poids coq accaparent l'intérêt des amateurs. Alex Moore souhaite organiser de telles rencontres et ainsi relever « le sport de la boxe qui en a beaucoup perdu à Montréal. Pour cela, il faudra que les boxeurs qui se ressentent de la crise fassent leur part de sacrifices ». Il pense un instant pouvoir s'entendre avec Brosseau pour un combat le 24 septembre, entre Giroux et Albert « Frenchy » Bélanger, champion poids mouche du Canada. Mais, nous le savons, Brosseau est un négociateur à la « couenne dure ». Il faut y mettre le prix si l'on veut arracher le morceau. La veille de la rencontre, Giroux, sans doute conseillé par son manager, déclare avoir fait ses preuves aux États-Unis et mériter d'être « richement payé » pour un combat de championnat. De son côté, Moore, qui subit régulièrement des déficits lors de ses soirées de boxe, dit « qu'il ne peut bourrer les poches de Giroux et de son gérant avec l'argent du club Canadien ». Faute d'entente, le combat n'a pas lieu. Moore, aussi têtu que Brosseau, n'abandonne cependant pas la partie. Il reprend les négociations et propose la date du 22 octobre. Après cette date, comme chaque année depuis son ouverture en 1924, le Forum sera réservé au hockey. Nouvel échec[6].

À ce moment arrive un nouvel acteur, Rosario Delisle, qui vient tout juste d'obtenir sa licence de promoteur de boxe de la Commission athlétique. Comme le Forum n'est pas disponible de la fin d'octobre à la fin d'avril, privant ainsi les amateurs de boxe professionnelle de leur sport

---

5. *La Presse*, 14 juillet et 1er août 1930, p. 19 ; 15 juillet 1930, p. 21 ; 4 août 1930, p. 17 et 5 et 7 août 1930, p. 18.

6. *La Presse*, 11 septembre 1930, p. 24 ; 23 septembre 1930, p. 21 et 9 octobre 1930, p. 25.

préféré durant tout l'hiver, il loue le théâtre Saint-Denis pour remédier à cette situation. Delisle réussit où Moore a échoué. Il s'entend avec Brosseau et Giroux. Ce dernier participera à la majorité des soirées présentées au Saint-Denis et ailleurs pendant la saison froide. Dès le 3 novembre 1930, Giroux paraît sur la scène du théâtre. Devant 2000 personnes, il déclasse complètement l'Écossais Bobby Adair, le mettant hors de combat au quatrième round. Pendant la durée de la rencontre, Brosseau, dans le coin de Giroux, le conseille et l'encourage. Le 1er décembre, ne pouvant disposer du Saint-Denis, Delisle présente sa soirée de boxe au théâtre Gayety. Il doit débourser une forte somme pour amener à Montréal le Philippin, domicilié à New York, Tommy Palacio, un adversaire qu'il juge digne de Giroux. Les 1500 spectateurs assistent à « un spectacle passionnant au possible ». Selon les témoins du match, le jeune Montréalais remporte « l'une des plus glorieuses victoires de sa carrière ». Brosseau, qui a vu lui-même à l'entraînement, répète à qui veut l'entendre « que Giroux est à l'heure actuelle l'égal de n'importe quel poids mouche du monde » et qu'il sera bientôt le détenteur du titre mondial. La Commission athlétique de Montréal partage cette prétention et propose à la National Boxing Association des États-Unis, avec laquelle elle entretient d'excellentes relations, Arthur Giroux, Al Foreman et Pete Sanstol comme aspirants légitimes au titre mondial dans leur classe respective[7].

En cette fin d'année 1930, la priorité de Giroux et de son manager est la conquête des titres de champion poids mouche et poids coq du Canada, détenus respectivement par Albert « Frenchy » Bélanger, de Toronto, et Jos. Villeneuve, de Québec. Dans cette quête, Brosseau et son homme reçoivent l'appui de la Commission athlétique de Montréal qui juge leur prétention légitime. Au début du mois de janvier 1931, Rosario Delisle organise une rencontre Bélanger-Giroux au Monument national pour le 26. Bélanger s'étant blessé à un œil, il lui substitue le Noir Ruby « Dark Cloud » Bradley, un rude cogneur selon Jack Dempsey qui, il y a quelque temps, a battu Frankie Genaro. La revue *Ring*, la bible des boxeurs et de leurs partisans, le classe au quatrième rang mondial des poids mouche. Ce combat enflamme l'imagination de Giroux. Il y voit le point de départ devant le conduire « à la conquête des championnats poids mouche et poids coq du

---

7. *La Presse*, 22 et 28 octobre 1930, p. 23 ; 29 octobre 1930, p. 25 ; 3, 4, 12 et 26 novembre 1930, p. 25 ; 29 novembre 1930, p. 47 ; 2 décembre 1930, p. 22 et 18 décembre 1930, p. 29 ; *Le Miroir*, Montréal, 15 mars 1931, p. 6.

Scène prise avant le combat entre Ruby « Dark Cloud » Bradley, classé quatrième au monde dans la catégorie des poids mouche par la revue *Ring*, et Arthur Giroux, au Monument national (on peut apercevoir des éléments de décors de théâtre à l'arrière-plan), le 26 janvier 1931. À l'extrême droite, derrière Giroux, se tient Eugène Brosseau. On peut voir quelques femmes dans l'assistance. Dans la publicité des promoteurs, la présence de femmes était un gage de respectabilité et ajoutait à l'attrait du spectacle. Les journalistes et les juges sont placés au premier rang. L'arène était située sur la scène et les spectateurs les plus fortunés pouvaient se payer un siège près du ring, car les organisateurs installaient des sièges et des estrades au fond de la scène. Les spectateurs aux revenus plus modestes assistaient au combat de la salle. Au début des années 1930, il est assez rare de voir à Montréal des photos prises parmi les spectateurs, comme celle-ci. La majorité des photos de boxeurs sont prises en studio, dans des poses souvent stéréotypées. (Archives de Clément Brosseau.)

Canada et peut-être même du monde». Dans la matinée du 26, Willie Brosseau, frère d'Eugène, très actif sur la scène sportive montréalaise, accompagné du promoteur Delisle, accueille Bradley à sa descente du train. Le soir venu, Giroux remporte une populaire victoire. *La Presse* écrit : « Le protégé d'Eugène Brosseau a clairement affiché sa supériorité. [...] Il a prouvé qu'il est sûrement l'un des aspirants les plus logiques au titre de champion du monde des poids mouche et que ce n'était pas sans raison que [...] Brosseau réclamait depuis des mois et des mois une rencontre avec un bon homme.» De plus, cette soirée se révèle un succès financier, car 3000 spectateurs envahissent le Monument national. Au dire des vétérans, jamais celui-ci «n'avait abrité autant de fervents du sport depuis les jours glorieux d'Eugène Brosseau[8]».

Giroux, «l'orgueil des pugilistes canadiens-français», qui attire les foules, bat une nouvelle fois Tommy Palacio devant 3500 personnes, au théâtre Saint-Denis, le 23 février 1931. Il part ensuite en tournée aux États-Unis où il accumule les victoires avant de revenir à Montréal à la fin du mois d'avril. À son retour, le promoteur Rosario Delisle qui, il y a quelques années, n'était «qu'un obscur organisateur de séances sportives», et qui, par ses succès, contribue «à relever le sport de la boxe à Montréal», promet de lui opposer «les meilleurs hommes du monde». À cette époque, la revue *Ring* classe Giroux au troisième rang mondial chez les poids mouche, dépassé seulement par Midget Wolgast et Frankie Genaro. Dès son retour, Giroux se remet à l'entraînement à la Palestre nationale où enseigne toujours Brosseau. Le 6 mai, dans un combat difficile, Willy Davies le domine pendant les six premiers rounds. À compter du septième, changement de scénario, le Montréalais déclasse son adversaire. Il le frappe comme il veut, «l'ébranlant, le faisant chanceler et l'affaiblissant énormément». Il ajoute ainsi une nouvelle victoire à son crédit[9]. Parmi les spectateurs, le maire Camillien Houde et tous les membres du conseil municipal participent à la joie générale.

L'acte suivant se déroule le 18 mai, à l'aréna de Québec. C'est là que Delisle réussit à organiser un combat pour le championnat poids coq du Canada entre Giroux et Joseph Villeneuve, détenteur du titre. Après la rencontre, le Canada a un nouveau champion. Dans un spectacle sensationnel et dramatique, Villeneuve subit «le premier knock-out de sa carrière» pour perdre le championnat qu'il détenait depuis deux ans. Après

8. *La Presse*, 31 décembre 1930 et 26 janvier 1931, p. 19; 10 janvier 1931, p. 54; 17 janvier 1931, p. 79; 20 et 23 janvier 1931, p. 23; 24 janvier 1931, p. 46 et 27 janvier 1931, p. 11.

9. *La Presse*, 17 février 1931, p. 20; 18 février 1931, p. 23; 20 février 1931, p. 27; 24 février 1931, p. 27; 26 février 1931, p. 24; 28 février 1931, p. 45; 20, 29 avril et 1er mai 1931, p. 25; 25 avril 1931, p. 48; 2 mai 1931, p. 51; 4 mai 1931, p. 22 et 7 mai 1931, p. 33; *The Montreal Herald*, 5 mai 1931, p. 7.

la bataille, le père de Giroux, ancien boxeur, saute dans l'arène pour étreindre son fils[10].

Au moment où Giroux savoure sa victoire, la rumeur circule que l'aréna Mont-Royal, qui, mis à part le hockey, s'était jusqu'ici cantonné dans la présentation de spectacles de lutte, songe à présenter durant tout l'été des séances de boxe. Selon un journaliste, qui dit tenir cette nouvelle d'une « source officielle », Brosseau serait l'organisateur de ces soirées de boxe et présenterait dès le mois de juin un face-à-face Arthur Giroux-Frankie Genaro pour le titre mondial des poids mouche. La « source officielle » semble mal renseignée car la nouvelle disparaît de l'actualité aussi vite qu'elle est apparue[11].

Les semaines suivantes, l'intérêt des médias se concentre sur les préparatifs d'un combat qui, selon les prétentions de la Commission athlétique de Montréal, serait pour le titre mondial des poids coq. Tout commence le 20 mai, par la victoire de Pete Sanstol, Norvégien, domicilié à Montréal depuis quatre ans, contre le « Juif de Brooklyn » Archie Bell. Par cette victoire, Sanstol est reconnu, du moins dans la métropole, comme le détenteur de la couronne de champion du monde des poids coq. Comme, deux jours plus tôt, Giroux remportait le titre canadien dans la même classe, des promoteurs avisés, en l'occurrence Armand Vincent et Rosario Delisle, songent immédiatement à opposer les deux hommes. Vincent entre aussitôt en contact avec Brosseau. Comme à son habitude, le manager de Giroux se montre exigeant. Si exigeant que les premières négociations aboutissent à un cul-de-sac. Vincent en rejette le blâme sur Brosseau. « Je suis Canadien français, dit-il, et je tenais à ce qu'un Canadien français eut la première chance au titre de champion. » Il rappelle qu'habituellement la part d'un aspirant est de 12,5 % des recettes et qu'il offre 15 %. Refus de Brosseau. Nouvelle offre de 17,5 %. Nouveau refus. « Je montai, dit Vincent, à 20 %, ce qui est le plus gros montant jamais offert à un aspirant. » Rien à faire, Brosseau reste intraitable. Vincent en conclut que Brosseau et Giroux ne veulent pas rencontrer Sanstol, mais seulement se procurer « de la publicité à bon marché ». Pour compliquer une situation déjà difficile, Brosseau exige que Vincent s'associe à Rosario Delisle. L'intéressé réplique : « Je n'ai

10. *La Presse*, 24 février 1931, p. 21 ; 30 avril 1931, p. 34 ; 9 mai 1931, p. 46 ; 13 mai 1931, p. 31 et 19 mai 1931, p. 26.

11. *La Presse*, 20 mai 1931, p. 28.

aucunement l'intention de prendre un partenaire, et j'ai encore moins l'intention qu'on me force à en prendre un. » Cependant, comme on le sait, toutes ces passes d'armes, rapportées fidèlement par les journaux, servent à maintenir l'intérêt du public. Et c'est sans surprise qu'on apprend qu'après deux semaines de discussions et d'arguments, un contrat est enfin signé pour une rencontre Giroux-Sanstol le 17 juin, au Forum. Ce combat sera de quinze rounds, une première à Montréal depuis la fondation de la Commission athlétique en 1922. Giroux obtient son 20 % des recettes, le promoteur Delisle reçoit 5 % et Sanstol, le champion, 32,5 %. Brosseau a de quoi être satisfait, il gagne sur toute la ligne. De plus, Vincent, qui ne craint pas de prendre des risques en pleine crise économique, doit payer le loyer du Forum, le coût des rencontres préliminaires « et toutes les autres dépenses que comporte un programme de ce genre », ce qui en fait l'un des programmes les plus dispendieux présenté à Montréal depuis longtemps[12].

Les journaux francophones insistent sur le fait qu'Arthur Giroux est un Canadien français, né à Montréal, et rappellent que son père, prénommé lui aussi Arthur, un fameux boxeur « reconnu comme l'un des plus durs cogneurs de sa classe dans l'est du Canada », fit de la boxe jusqu'à quarante ans. Le fils, orgueil des siens, remplace dans l'estime des Canadiens français « des étoiles telles qu'Eugène Brosseau, un des meilleurs boxeurs canadiens et Léo Kid Roy ». Pour rendre le tableau encore plus intéressant, Brosseau est le « gérant » de Giroux. Le décor parfait pour enflammer l'imagination des amateurs, stimuler la verve des chroniqueurs sportifs et faire mousser la vente des billets. Dans un tel contexte, il n'est pas surprenant que ce combat de boxe, qu'on dit pour le championnat du monde, fasse l'objet de toutes les conversations[13].

> Des personnes qui ne sont jamais allées à un combat de boxe, d'autres qui n'ont jamais vu les boxeurs, discutent les mérites respectifs des deux hommes avec autant d'enthousiasme que les vétérans amateurs de boxe. [...] Ce sera la rivalité de la partie ouest [anglophone] contre la partie est [francophone], les Maroons contre le Canadien, le National contre la M.A.A.A., qui recommencera de nouveau avec toute la couleur et l'en-

12. *La Presse*, 21 mai 1931, p. 32 ; 22 mai 1931, p. 36 ; 30 mai 1931, p. 26 et 1er et 3 juin 1931, p. 19.

13. *La Presse*, 5 juin 1931, p. 25 ; 8 juin 1931, p. 18 ; 15 juin 1931, p. 19 ; 16 juin 1931, p. 31 et 17 juin 1931, p. 21 ; *Le Devoir*, 12 et 17 juin 1931, p. 7.

HE'S "ON THE SPOT" AT FORUM TO-MORROW NIGHT

ART GIROUX, great Montreal flyweight, a fighter with a chance to win the world's title, will have his rating established one way or the other in his meet-

Les journaux anglophones de Montréal suivent la carrière d'Arthur Giroux avec beaucoup d'intérêt. Quelques semaines avant le combat de celui-ci avec Pete Sanstol, *The Montreal Herald* publie une grande photo du jeune boxeur canadien-français, accompagnée d'un long article. Il y est question du combat de Giroux et de Wee Willie Davies, surnommé « the Charleroi Cyclone ». Dans cet article du journaliste Elmer W. Ferguson, on apprend que le maire de Montréal, Camillien Houde et l'échevin Bray, président du Comité exécutif et responsable de la création de la Commission athlétique de Montréal en 1922, deux fervents admirateurs de Giroux et qui suivent sa carrière depuis ses débuts, assisteront avec plusieurs notables au combat. Le journaliste souligne que Giroux a de bonnes chances de décrocher bientôt le championnat mondial des poids mouche. Il ajoute : « Giroux is the first real Montreal-born fighter since Fleming and Brosseau with a world title chance. He was born on the Montreal east side ». (*The Montreal Herald*, 5 mai 1931, p. 7.)

thousiasme que l'on voit lorsque deux clans rivaux se rencontrent sur le terrain sportif. La section est se rendra en foule encourager le petit Canadien, tandis que la section ouest sera en faveur du petit Norvégien[14].

À une semaine du combat, une nouvelle exigence de Brosseau vient donner la frousse aux organisateurs. Dans une lettre à la Commission, il demande la nomination d'un arbitre canadien-français. « Ce serait, écrit-il, une décision des plus populaires. Comme vous le savez sans doute, ce sera la première fois qu'un Canadien français se battra pour le championnat du monde. Nous sommes dans une ville canadienne-française et, sans vouloir demander de faveurs, je crois que, si un arbitre canadien-français était

14. *La Presse*, 8 juin 1931, p. 18.

nommé, ce serait dans les circonstances juste et logique. » La situation est plutôt inusitée, car ordinairement c'est l'entourage du champion qui exerce des pressions pour faire nommer l'arbitre de son choix. Comment réagiront Sanstol et Raoul Godbout, son manager ? Sanstol rassure tout le monde. Il déclare que le choix de l'arbitre l'indiffère. « Eugène Brosseau pourra lui-même arbitrer, réplique-t-il. N'importe qui fera mon affaire : un Canadien français, un Canadien anglais, un Zoulou[15]. » Citons ici un texte publié dans *Le Devoir* et dans *La Presse* qui résume bien l'atmosphère qui règne dans les milieux sportifs à quelques jours du combat :

> [Pete Sanstol et] Arthur Giroux, l'aspirant au titre, l'espoir du Canada et de Montréal, le plus beau spécimen de la jeunesse sportive qui soit jamais monté dans l'arène de boxe [...], se rencontreront au Forum, dans une arène de vingt pieds, d'après les règlements du Marquis de Queensburry, avec des gants de six onces, pour un combat de quinze rondes [...]. Ces deux jeunes boxeurs seront là, seuls avec l'arbitre et leur courage et leur habileté. Ce sera l'agilité du tigre [Sanstol] contre la détermination du bouledogue [Giroux], le boxeur contre le batailleur [...]. La science et la force brutale en viendront aux prises pour deux petites fortunes et la couronne de champion. Des rois et des princes de la finance, des politiciens, des beautés, des magnats des affaires, des commerçants, des avocats seront sur le qui-vive, dans la semi-obscurité de l'immense enceinte du Forum[16].

Le soir du 17 juin 1931, les 12 000 spectateurs présents retiennent leur souffle lorsque les deux adversaires se présentent sous le feu de la rampe. Rapidement, ils sont fixés sur l'issue du combat. Pete Sanstol se bat en champion et se montre « fort supérieur à Giroux ». Le jeune Montréalais goûte au tissu du matelas à plusieurs reprises. « Son courage et son énergie l'ont seuls tenu sur ses jambes jusqu'au bout. » Selon Xiste-E. Narbonne, on « doit reconnaître qu'il n'appartient pas à la même catégorie que Sanstol[17] ».

Étonnamment, le 7 juillet, on annonce que Giroux irait se battre l'hiver prochain à Paris, contre Frankie Genaro, champion mondial des poids mouche. Eugène Brosseau « est actuellement en pourparlers avec le gérant de Genaro et avec un promoteur de Paris ». Mais ce qui retient surtout

---

15. *La Presse*, 9 juin 1931, p. 23 et 10 et 11 juin 1931, p. 26 ; *La Patrie*, 9 et 10 juin 1931, p. 11 et 10 juin 1931, p. 10.

16. *La Presse*, 13 juin 1931, p. 47 ; *Le Devoir*, 13 juin 1931, p. 11.

17. *La Presse*, 18 juin 1931, p. 26 ; *Le Devoir*, 18 juin 1931, p. 9.

l'attention de la presse sportive, c'est l'organisation par Vincent d'un deuxième combat pour le championnat mondial des poids coq entre le Français Eugène Huat et Sanstol, le 29 juillet, au Forum. Cette fois, le Noir Al Brown, reconnu par la NBA comme le véritable champion, ne reste pas les bras croisés. Il retient les services des avocats Bertrand, Guérin, Goudreault et intente une action contre Vincent et la Commission athlétique de Montréal qui se servent, dans leur publicité pour la rencontre Huat-Sanstol, du titre de championnat du monde. Pour calmer le jeu, la NBA déclare qu'elle obligera Brown à se battre contre le boxeur qui sortira victorieux de l'arène le soir du 29 juillet, mettant ainsi fin à la controverse. Cependant, la décision des juges qui, devant un combat fort contesté, accordent la victoire au Norvégien ressuscite la polémique et crée presque un incident diplomatique. Pour la majorité de la foule, Huat méritait sans conteste la victoire. Monsieur Édouard Carteron, consul général de France, venu encourager un citoyen français, partage l'avis des amateurs présents. Il fustige en termes fort peu diplomatiques la décision des juges. Selon lui, la Commission athlétique, « déjà impopulaire à cause du manque de tact et de la balourdise de ses membres, vient d'ajouter une autre lâcheté à son bilan. [...] Une telle décision causerait une émeute dans n'importe quelle ville européenne » soutient-il. Léon Trépanier, conseiller municipal et amateur de sport, en rajoute. Il croit qu'« une petite bande de larrons en foire » manipule le public et promet de porter l'affaire devant le comité exécutif de la Ville. Le docteur Gaston Demers, président de la Commission, ne se laisse pas impressionner par toute cette indignation. Dans une lettre publique, il conteste la compétence du consul « en matière de pugilat ». Il termine sa missive par cette phrase assassine : « Lorsqu'on voit un homme comme M. Carteron parler d'émeute possible à cause d'une décision à la boxe, on avouera qu'il va un peu loin. Les Canadiens sont plus pacifistes. » Mais, malgré cette réponse qui ne manque pas d'éclat, la Commission semble donner raison au consul en destituant deux des trois juges du combat Huat-Sanstol[18].

Après cet incident, on en revient aux véritables combats de boxe. Tous les regards se tournent vers le prochain combat de Sanstol contre le vrai

18. *La Presse*, 7 juillet 1931, p. 16 ; 11 juillet 1931, p. 49 ; 16 juillet 1931, p. 26 ; 20 juillet 1931, p. 20 ; 22, 24, 27 et 31 juillet 1931, p. 18 ; 23 et 30 juillet 1931, p. 24 ; 25 juillet 1931, p. 48 ; 28, 29 et 31 juillet 1931, p. 19 et 1er août 1931, p. 49.

détenteur du titre de champion mondial des poids coq, Al Brown, qui aura lieu au Forum le 26 août. Pour attirer le champion noir à Montréal, Vincent a mis le paquet. Il lui garantit 7500 $, « la plus grosse bourse jamais offerte à un boxeur au Canada ». Le risque du promoteur s'avère payant. Le soir du combat, les recettes battent « tous les records, dépassant de plusieurs milliers celles de n'importe quelle autre séance offerte jusqu'ici au Canada ». Brown obtient la décision après 15 rounds, devant 14 000 spectateurs. Parmi eux, on comptait le maire Camillien Houde et le secrétaire provincial, Athanase David[19].

Malgré sa défaite aux mains de Sanstol, qu'il espère rencontrer de nouveau, Giroux demeure populaire auprès du public sportif francophone de Montréal, surtout qu'il est toujours champion canadien des poids coqs. Le promoteur Rosario Delisle ne craint pas de louer le stade Delorimier pour un combat le mettant en vedette contre Johnny Bide, le 4 septembre 1931. À la fin de la rencontre, le protégé de Brosseau obtient la décision sur son adversaire. Une semaine plus tard, Delisle annonce que Giroux se battra de nouveau le 16 septembre, cette fois à l'aréna Mont-Royal, contre « Young » Peter Jackson, « le boxeur de couleur qui a livré de si beaux combats ces derniers temps à Montréal ». Les dames accompagnées n'auront que la taxe d'amusement à payer pour assister au match. Finalement, Giroux s'étant blessé à un œil, la rencontre est reportée. Sur ces entrefaites, on apprend que Brosseau aurait refusé de signer le contrat présenté par le promoteur. Il le jugeait, avec raison, illégal et malhonnête, car il accordait à Jackson 10 % des recettes s'il gagnait et 25 % s'il perdait ! Mise devant les faits, la Commission retire son permis à Delisle. *La Presse*, qui ne doute pas un instant de son honnêteté, trouve la sanction sévère et croit qu'il a été « victime d'un piège ». Selon elle, « il est certain que ses intentions n'ont jamais été d'organiser un combat arrangé. Delisle est dans le sport pour faire du sport, écrit-elle. Ses entreprises ne lui ont toujours rapporté que des pertes, mais il a continué à faire de la boxe parce qu'il aime ce sport ». Peut-on croire que seule la naïveté de Delisle soit blâmable dans cette affaire ? La Commission le croit et lui redonne bientôt son permis[20].

---

19. *La Presse*, 5 août 1931, p. 19 ; 11 août 1931, p. 18 ; 25 août 1931, p. 20 et 26 août 1931, p. 16.

20. *La Presse*, 19 août 1931, p. 19 ; 26 août 1931, p. 16 ; 5 septembre 1931, p. 58 ; 11 et 29 septembre 1931, p. 22 ; 16 septembre 1931, p. 20 ; 22 septembre 1931, p. 24 et 22 octobre 1931, p. 31.

Quelques semaines après ces événements, Armand Vincent réussit à organiser un deuxième championnat du monde des poids coqs à Montréal. Al Brown accepte de rencontrer Eugène Huat au Forum, le 27 octobre. Aussitôt, Bobby Leitham, la gloire de Verdun, et Arthur Giroux lancent un défi au futur gagnant. Les plans de Vincent pour les deux hommes sont plus modestes. Il aimerait les ajouter à son programme du 27, dans un combat pour le championnat canadien des poids coqs. Brosseau refuse d'abord la proposition du promoteur. Devant la générosité de la bourse offerte, il revient sur sa décision et accepte que Giroux défende son titre contre Leitham. Ce programme de boxe permet d'appréhender l'influence que commencent à exercer les nouveaux moyens de communication sur la présentation et l'organisation d'événements sportifs. Ainsi, deux stations de radio locales pressentent Vincent pour obtenir l'autorisation de radiodiffuser le combat Huat-Brown. Celui-ci refuse par crainte qu'une telle diffusion agisse négativement sur le nombre de spectateurs. De plus, Al Brown, au lieu de prendre le train et d'arriver à Montréal quelques jours avant le combat, utilise l'avion et atterrit sur l'île quelques heures avant sa rencontre avec Huat. Vincent déplore amèrement cette situation qui prive sa soirée d'une précieuse publicité. La présence de Brown à Montréal quelques jours avant sa rencontre et son entraînement dans un gymnase montréalais auraient attiré « de grosses assistances » et stimulé la vente de billets. Malgré tout, plus de 12 000 spectateurs assistent à la victoire de Brown sur Huat et voient Giroux disqualifié par l'arbitre au sixième round pour un coup porté en bas de la ceinture et perdre ainsi son titre aux mains de Leitham. Dès le lendemain, Brosseau réclame un combat revanche où toute la bourse irait au gagnant. Pour sa part, il promet de donner à des institutions de charité la moitié des gains que lui rapporterait une telle rencontre. Mais cette défaite de Giroux réanime ses griefs et accrédite la rumeur qu'il se séparerait de son manager pour aller se battre aux États-Unis sous la direction de Gus Wilson. Le jeune boxeur montréalais rend visite à un journaliste de *L'Illustration* « pour savoir, dit celui-ci, si nous ne pouvions pas lui enseigner un moyen de faire *casser* son contrat avec l'ancien champion poids moyen du Canada ». Son interlocuteur lui conseille plutôt « de faire la paix et de promettre de mieux écouter son gérant à l'avenir ». Brosseau, habitué aux coups de tête d'Arthur, ne s'inquiète pas outre mesure. Il consent tout de même à renégocier les termes du contrat le liant à son boxeur vedette. Ils s'entendent sur de nouvelles conditions pour une période de trois ans[21].

« Vincent, qui est en train de devenir l'un des plus grands promoteurs [d'événements sportifs[22]] du continent », ne chôme pas longtemps. Après le championnat mondial des poids coq, il travaille à amener dans la métropole Lou Brouillard, de Worcester, qui vient tout juste de décrocher le titre de champion mondial des mi-moyens. Ce dernier, né au Québec le 23 mai 1911, reçoit à son baptême le prénom de Lucien-Pierre. Il n'a que 4 ans lorsque sa famille s'établit au Vermont, pour déménager ensuite au Connecticut. Vincent veut l'opposer au boxeur noir « Baby » Joe Gans lors d'une soirée qui aurait lieu le 15 décembre, au profit des chômeurs. Son problème : trouver une salle assez vaste pour contenir tous les amateurs attirés par l'importance d'un tel combat. Seul le Forum lui semble suffisamment vaste. Malheureusement, à la mi-décembre, la saison de hockey bat déjà son plein. La technologie vient à son secours. Un système de réfrigération plus moderne et plus performant permet d'étendre une toile sur la glace de la patinoire, de la recouvrir de sciure de bois pour ensuite y construire un plancher de bois sur lequel on visse les sièges. Grâce à cette méthode, on peut chauffer le Forum à une température de 70 degrés Fahrenheit sans nuire à la qualité de la glace, « de sorte que les dames en costume de soirée ne seront pas incommodées ». Pour la première fois dans l'histoire du Forum, on y verra de la boxe en plein hiver. Pour une garantie de 4000 $ et 27,5 % des recettes, Brouillard accepte de venir à Montréal. Le 2 décembre, alors que tout semble réglé, Cecil P. Dodge, le manager de Brouillard, déclare que ce dernier « refuse de rencontrer un nègre ». Deux jours plus tard, Brouillard contredit Dodge. Il ne partage pas ses préjugés. « Je ne veux pas, dit-il, me sauver de personne, et Gans est le bienvenu. » Après plusieurs jours, grâce à sa ténacité, il réussit à convaincre son manager de retirer ses objections « au sujet des boxeurs de couleur ». Cette soirée, au profit des « nécessiteux », jouit du soutien de plusieurs person-

21. *L'Illustration*, 30 octobre 1931, p. 1 ; 10 juin 1933 ; *La Presse*, 16 octobre 1931, p. 30 ; 17 octobre 1931, p. 49 ; 19 octobre 1931, p. 21 ; 23 octobre 1931, p. 25 ; 24 octobre 1931, p. 56 ; 28 octobre 1931, p. 20-21 ; 29 octobre 1931, p. 27 et 30 novembre 1931, p. 23.

22. En plus de soirées de boxe, Vincent organise plusieurs événements sportifs importants. Par exemple, il est le promoteur d'un marathon international de raquetteurs Québec-Montréal en janvier 1930 et, l'été de la même année, il organise un marathon de 500 milles pour lequel les frères Samuel et Allan Brofman offrent une bourse de 10 000 $.

nalités du monde de la politique, de la finance et de l'industrie. Pour la première fois dans l'histoire de la boxe au Canada, un gouverneur général, Lord Bessborough, accorde son patronage à une soirée de boxe professionnelle. Un comité, composé, entre autres, d'E. W. Beatty, président du Canadian Pacific Railway, d'Henry Thorton, président du Canadien National, de Charles Gordon, président de la Banque de Montréal, du colonel Herbert Molson et d'Arthur Currie, principal de l'Université McGill, cautionne cette séance de boxe exceptionnelle et assure sa respectabilité. On tient à souligner que « Sam et Allan Bronfman, de la Distiller Corporation, sportsmen bien connus, [...] ont acheté huit sièges et loges aux prix de $100 ». Tout ce déploiement de représentants de la haute bourgeoisie anglophone de Montréal autour d'une soirée de boxe intimide peut-être « le monde ordinaire » à majorité francophone, qui assiste généralement à ce genre de spectacle, car, le soir du 15 décembre, à peine 5000 personnes se rendent au Forum pour voir Brouillard et Gans faire match nul. Vincent perd 5000 $ dans l'aventure[23].

Brosseau commence l'année 1932 en réclamant de nouveau et, à plusieurs reprises, une rencontre Giroux-Leitham. Sam Gibbs, le manager de Leitham, affirme que celui-ci a administré une raclée à Giroux et qu'il « refuserait une fortune pour remonter dans l'arène avec lui ». Cette détermination tiendra jusqu'en juin. Entre-temps, Brosseau ajoute à son écurie les boxeurs Elzéar Rioux et René Loubier[24]. Rioux paraît sur la scène de la boxe en 1922. Le docteur Joseph-Pierre Gadbois qui, « depuis vingt ans, rêve de trouver un Canadien français capable de devenir un champion du monde » dans la classe des poids lourds, découvre ce colosse natif de Trois-Pistoles, de six pieds six pouces, pesant 260 livres. Immédiatement germe dans son esprit l'idée d'opposer sa « trouvaille » au champion du monde Jack Dempsey. Présomptueux, il déclare à *La Presse*, le 18 février 1922 : « Les Canadiens français auront peut-être l'orgueil de voir l'un des nôtres remporter le titre qu'aucune nationalité n'a pu enlever aux Américains depuis John L. Sullivan. » Certains « patriotes » partagent cette foi dans les capacités pugilistiques de Rioux. Un dénommé Louis Gagné, du Maine,

23. *La Presse*, 29 octobre 1931, p. 26 ; 30 octobre 1931, p. 30 ; 21 novembre 1931, p. 55 ; 23 et 25 novembre 1931, p. 20 ; 24 novembre 1931, p. 28 ; 27 novembre 1931, p. 36 ; 28 novembre 1931, p. 58 ; 30 novembre et 2 décembre 1931, p. 24 ; 10 décembre 1931, p. 21 ; 11 décembre 1931, p. 25 ; 12 décembre 1931, p. 60 et 14 et 16 décembre 1931, p. 22.

24. *La Presse*, 12 mars 1932, p. 50 et 17 mars 1932, p. 23.

laisse la bride à son imagination dans une lettre à Gadbois: «Imaginez-vous pour une minute que nous, les Canadiens [français], nous lisions dans la bonne *Presse*, un jour: *Un Canadien [français] est devenu champion de l'univers*. Cette date sera inscrite en grosses lettres d'or dans l'histoire du Canada [...]. Et ce jour-là votre devoir sera accompli, parce que la race canadienne[-française] sera remplie d'orgueil. [...] Cher docteur parlez-nous souvent de Monsieur Rioux. Donnez-nous tous les petits détails. Cela nous intéresse.» Le réveil sera brutal. Jack Dempsey, en visite à Montréal, accepte de rencontrer Rioux dans un combat de quelques rounds. Le 18 juillet 1922, près de 10 000 personnes se pressent à l'aréna Mont-Royal pour juger par eux-mêmes de la valeur du gars de Trois-Pistoles. Comme il fallait s'y attendre, Dempsey déclasse complètement un homme sans expérience. Coup dur pour ceux qui voyaient en Rioux le futur héraut d'une nation forte et courageuse. «Cette exhibition, écrit un journaliste, a été une profonde humiliation pour les Canadiens français et nous couvre de ridicule.» Cependant, la suite est moins calamiteuse. En 1923, Dempsey prend Rioux dans son équipe comme *sparring partner*. Jack Sharkey, un autre champion du monde des poids lourds, fait la même chose. Pendant dix ans, Rioux, boxeur consciencieux, pour reprendre la formule de Xiste-E. Narbonne, du *Devoir*, accumule les victoires, surtout aux États-Unis. Quelques mois avant de passer sous la tutelle de Brosseau, il remporte plusieurs victoires en Angleterre. René Loubier, lui, est un jeune boxeur poids léger de Sherbrooke, reconnu comme une gloire régionale[25].

En mars 1932, lorsque Brosseau devient manager d'Elzéar Rioux, ce dernier jouit donc d'une certaine notoriété dans les milieux de la boxe. De plus, c'est l'un des rares poids lourds du Québec, qui compte surtout des poids plumes, des poids coqs et des poids légers. Brosseau se persuade que ce géant, «bien entraîné, avec de bons conseils, devrait remporter un peu d'argent pour lui-même et un peu pour son gérant». Le 15 avril, Rioux

---

25. Sur Élzéar Rioux nos sources sont nombreuses. Voici les principales: *La Presse*, 18 février 1922, p. 17; 1er, 24 et 30 mars 1922, p. 6; 30 juin 1922, p. 12; 13 juillet 1922, p. 23; 14 et 19 juillet 1922, p. 14; 26 juin 1923, p. 16; 15 août 1923, p. 13; 31 août 1923, p. 14; 16 octobre 1923, p. 17; 14 août 1925, p. 17; 10 avril 1926, p. 66; 19 juin 1926, p. 70; 7 janvier 1928, p. 43; 30 mai 1928, p. 20; 12 février 1929, p. 19; 29 avril 1929, p. 25; 30 avril 1929, p. 21; 25 octobre 1930, p. 46 et 13 juin 1931, p. 48; *La Presse. Magazine illustré*, 17 novembre 1928, p. 18; *Le Devoir*, 24 août 1928, p. 7; *The Gazette*, 19 juillet 1922, p. 12; Randy Roberts, *Jack Dempsey, the Manassa Mauler*, Urbana and Chicago, University of Illinois Press, 2003, p. 177.

conforte les espérances de son nouveau manager. Sa présence, jumelée à celle de Giroux, attire une assistance considérable à l'International Sporting Club, situé sur la rue Sainte-Catherine, en face de Dupuis Frères, lors d'une soirée organisée par le nouveau promoteur Jules Racicot. À cette occasion, Rioux met Frankie Wood hors de combat au quatrième round. Pour sa part, Giroux se blesse sérieusement à la main droite. Cette blessure le met au désespoir car, le 3 mai, il devait se mesurer au Français Émile Pladner, champion poids coq d'Europe, venu en Amérique à l'instigation d'Armand Vincent. Ce malheureux accident le prive d'une bourse de 1000 $ qui aurait été fort bienvenue en cette période de crise économique. Quinze jours plus tard, Rioux engrange une nouvelle victoire contre Owen Flynn, de Boston, à l'aréna Mont-Royal. Il le met K.-O. au deuxième round, à la grande joie des 3000 spectateurs. Un chroniqueur sportif présent remarque que « Rioux fait admirablement bien depuis qu'il est sous la direction d'Eugène Brosseau ». Mais n'allons pas trop vite en affaire[26].

Quelques semaines plus tard, Jules Racicot, « le benjamin de tous les promoteurs du Canada », conclut une entente avec l'administration de l'aréna Mont-Royal. Désormais, il donnera toutes ses soirées de boxe à cet endroit. Il veut rendre cet amphithéâtre « aussi populaire pour la boxe qu'il l'est présentement pour la lutte ». Il annonce que sa première séance aura lieu le 26 mai. Pour meubler son programme, il entreprend de dures négociations avec les managers Brosseau et Sam Gibbs. Brosseau aimerait placer Rioux, Giroux et Loubier, mais certainement pas pour des *peanuts*. Le jeune promoteur arrache difficilement un premier contrat au manager de Rioux, qui rencontrera « le plus dur adversaire de sa carrière », en la personne de Jack Gagnon, de Boston. Brosseau se montre encore moins conciliant pour Giroux qui est, selon lui, « encore l'idole des Canadiens français ». Gibbs, le manager de Frankie Martin, que Racicot voudrait bien opposer à Giroux, veut quant à lui imposer sa loi. Martin fut champion amateur du Canada à 112 livres en 1928. La même année, il représentait le Canada aux Jeux olympiques d'Amsterdam. Tout cela se paie ! Le 20 mai, « après avoir discuté jusqu'aux petites heures du matin » avec Gibbs et Brosseau, Racicot obtient finalement leur consentement. Le soir du 26 mai, Giroux redonne

26. *La Presse*, 17 mars et 5 avril 1932, p. 23 ; 9 avril 1932, p. 48 ; 13 avril 1932, p. 25 et 26 ; 16 avril 1932, p. 54 ; 18 avril 1932, p. 18 ; 23 avril 1932, p. 52 ; 30 avril 1932, p. 49 ; 2 mai 1932, p. 20 ; 3 mai 1932, p. 21 ; 4 mai 1932, p. 25 ; 6 mai 1932, p. 36 et 7 mai 1932, p. 54.

espoir à son protecteur qui rêve toujours d'un match revanche contre Bobby Leitham, en remportant une victoire méritée sur Martin. La performance de Rioux enlève toutes ses illusions à Brosseau. Il se dit dégoûté par la tenue médiocre de son homme qui reçoit une leçon de boxe de Gagnon et les huées des 4000 spectateurs. Excédé, il lance : « Il va retourner dans les bois. » Ce soir-là, malgré sa mauvaise humeur, Brosseau remarque le combat mettant aux prises le Noir Algérien Albert Ladou[27] qui remporte une magnifique victoire par knock-out sur l'Irlandais Barney O'Connell. Ce jeune boxeur mettra bientôt ses talents au service de Brosseau[28].

Après sa déconfiture avec Rioux, Brosseau reporte toute son attention sur Giroux. À ceux qui doutent de la valeur de son protégé, il rétorque : « Giroux n'est pas un *has been.* » Son obsession, un combat contre Leitham. Surtout que le champion canadien des poids coqs vient de subir la défaite contre le Français Émile Pladner. Pour cette soirée présentée lors d'un tournoi parrainé par la NBA et la Commission athlétique de Montréal, Armand Vincent avait fait les choses en grand. Le Forum était décoré aux couleurs françaises. Notre vieille connaissance Édouard Carteron, consul de France, occupait une loge avec quelques amis. Il côtoyait les membres du comité exécutif de la ville, ainsi que le maire Fernand Rinfret et l'ancien maire Camillien Houde. La défaite de son protégé rend Sam Gibbs moins arrogant et plus sensible aux arguments de Brosseau. Comme à son habitude, ce dernier multiplie les initiatives pour forcer un Gibbs, déjà ébranlé, à consentir une nouvelle rencontre Leitham-Giroux pour le titre de champion poids coq du Canada. Dans une lettre à la Commission athlétique, il fait valoir les droits de Giroux à un combat revanche. Ses efforts portent fruit. Jules Racicot annonce que les deux boxeurs montréalais se feront face le 16 juin, à l'aréna Mont-Royal. Pour attirer les amateurs en ces temps difficiles, le jeune promoteur adopte « une échelle de prix d'admission populaire ». Pour rendre son spectacle encore plus attrayant, il admettra « les dames accompagnées » qui n'auront que la taxe d'amusement à payer. Giroux prend les choses très au sérieux et répète qu'il livrera « le combat de sa vie ». Il s'entraîne avec le Noir Albert Ladou, qui vient tout juste de se placer sous l'aile protectrice de Brosseau et qui émerveille déjà les ama-

27. On écrit parfois qu'Albert Ladou est Sénégalais, mais la majorité des journaux consultés le disent Algérien.

28. *La Presse*, 15 mai 1932, p. 50 ; 17 mai 1932, p. 19 ; 18 et 27 mai 1932, p. 23 ; 19 mai 1932, p. 25 ; 20 mai 1932, p. 22 ; 21 mai 1932, p. 48 et 25 mai 1932, p. 21.

teurs de Montréal. D'ailleurs, Ladou montera dans l'arène le même soir que Giroux. Il se battra contre Arthur Chapdeleine. Plusieurs connaisseurs, qui assistent aux séances d'entraînement des deux petits pugilistes, croient que « le sensationnel boxeur noir français » a l'étoffe d'un futur champion du monde. Le 16 juin, Giroux déçoit les espoirs de son manager. Leitham le met pratiquement hors de combat. Par contre, le magnifique combat livré par Ladou atténue l'amertume de Brosseau. L'Algérien électrise la foule et remporte « une victoire fort populaire[29] ».

La popularité grandissante du jeune Noir pousse un promoteur aussi important que Vincent à le présenter au public du Forum, où il remporte une victoire convaincante sur le Franco-Américain Vernon Cormier, de Worcester, au Massachusetts. Le 13 juillet, quelques semaines après ce nouveau succès, Racicot l'oppose à Joe Scalfaro, qui vient de battre le Norvégien Pete Sanstol à New York. Tous veulent voir « le merveilleux boxeur de couleur ». Brosseau, pour faire valoir son nouveau protégé, l'accompagne aux bureaux de *La Presse*. Ladou révèle au journaliste qui les reçoit son amour pour Montréal. « Je veux, dit-il, me battre comme un local à présent et non comme un étranger. J'aime Montréal et je veux y demeurer et surtout je désire faire honneur à la fraternité sportive qui m'a si bien accueilli. » Pour concrétiser cette volonté, il s'installe au deuxième étage de la maison de Brosseau, au 4262, rue De Lanaudière, près du parc La Fontaine. Huguette, l'une des filles de Brosseau, se souvient avoir été bercée par lui. Elle décrit la surprise et parfois l'inquiétude des voisins peu habitués à voir des Noirs dans leur quartier et qui rencontraient cette toute petite bonne femme se promenant au parc La Fontaine, tenant Ladou par la main[30]. Pour se préparer à son combat contre l'Italien, Ladou s'entraîne à la Palestre nationale avec Georges Chabot, revenu depuis quelques mois dans le monde de la boxe et qui montera dans le ring contre Jimmy Thompson le même soir que lui. Profitant de l'occasion, on rappelle que Chabot « fut l'une des plus grandes vedettes développées ici, et fut un digne boxeur de notre race ». Malheureusement, Chabot ne pourra faire mieux

29. *La Presse*, 28 avril 1932, p. 30 ; 29 avril 1932, p. 32 ; 7 et 13 juin 1932, p. 19 ; 9 juin 1932, p. 24 ; 10 juin 1932, p. 23 ; 14 juin 1932, p. 18 ; 15 juin 1932, p. 20-21 ; 16 juin 1932, p. 24 et 17 juin 1932, p. 21.

30. Les informations sur l'installation d'Albert Ladou dans la maison d'Eugène Brosseau et sur la réaction des voisins proviennent d'une entrevue réalisée avec Clément, Huguette et Pauline, enfants d'Eugène, le 16 avril 2004.

Eugène Brosseau et Albert Ladou. Presque tous les journaux affirment que Ladou est Algérien. Nous nous sommes ralliés à cette thèse même si parfois un journaliste le déclarait Sénégalais. Ce jeune Noir suscite un véritable engouement chez les francophones de Montréal qui l'adopteront comme l'un des leurs. Il devient « le grand favori de la foule » qui, lors de ses combats, lui chante *Albert Ladou est là*. Brosseau développe une affection particulière envers lui et le loge parmi les siens, rue De Lanaudière où, marque évidente de confiance, il joue les *baby sitters*. L'ex-champion d'Amérique appréciait chez Ladou les qualités d'un excellent boxeur, son côté chaleureux, son honnêteté, sa garde-robe, car Ladou était toujours vêtu comme une carte de mode. On sait que Brosseau était lui aussi bien vêtu, quoique plus sobrement que son locataire. Avec un certain lyrisme, son manager le considère comme un preux chevalier « de sang français ». (Photo du Famous Studio, 33, rue Sainte-Catherine Est, Montréal. Archives de Clément Brosseau.)

qu'un match nul. Cependant, grâce à Ladou, les 4000 spectateurs ont leur plein d'émotions fortes. Joe Scalfaro succombe aux coups foudroyants de son adversaire. Le Noir « était le grand favori de la foule [qui] n'a cessé de l'encourager, l'applaudissant et chantant *Albert Ladou est là* sur l'air des Montagnards sont là[31] ». Un témoin, emporté par l'ambiance survoltée qui règne à l'aréna Mont-Royal, croit que le jeu de pieds du nouveau héros vaut trois fois celui du champion mondial Al Brown[32] !

Le public en redemande. Conscient de l'attraction que représente maintenant Ladou pour les amateurs, Racicot entreprend des négociations ardues avec Brosseau, négociations conclues en pleine nuit, après de longues discussions. Contrat en poche, Racicot déniche un adversaire de qualité au boxeur que les amateurs francophones ont pris en affection. Il l'opposera à l'Italien Roger Bernard, de Flint, au Michigan. Il loue ensuite le stade Delorimier pour le 2 août. Les juges gâchent le spectacle et soulèvent l'ire de la foule en rendant un verdict de match nul. Pourtant, selon la majorité des témoins, Ladou a « donné une magistrale leçon de boxe à Bernard. [Il] s'est montré, une fois de plus, le brillant boxeur que nous avons applaudi à maintes reprises cette saison [...]. [Son] jeu a été de toute beauté[33] ».

Près d'un mois plus tard, Vincent réclame à son tour les services de la nouvelle vedette du ring pour remplir les gradins du Forum. Il sait que Ladou jouit d'une popularité croissante auprès du public francophone. « Il est même considéré comme une idole dans certains quartiers, surtout dans la partie Est, où les amateurs se rendent chaque jour au gymnase pour suivre le travail de leur favori. » Vincent ajoute à son programme le Français Eugène Huat, champion poids mouche d'Europe, arrivé à Montréal le 19 août, accompagné de sa femme. Si les francophones montréalais considèrent Ladou comme une idole, Huat ne semble pas partager leur sympathie envers les « boxeurs de couleur », lui qui voyait en Al Brown « un

31. Le Montagnard, fondé en 1895, fut un club de raquetteurs très populaire pendant une quarantaine d'années. Cette association sportive posséda à ses débuts un club cycliste et un club de hockey. Elle fit construire une vaste patinoire couverte au coin des rues Saint-Hubert et Duluth.

32. *La Presse*, 29 juin 1932, p. 22 ; 2 juillet 1932, p. 47 ; 4 et 8 juillet 1932, p. 17 ; 7 juillet 1932, p. 21 et 14 juillet 1932, p. 24.

33. *La Presse*, 19 juillet 1932, p. 18 ; 21 juillet 1932, p. 21 ; 1er août 1932, p. 14 ; 2 août 1932, p. 16 et 17 et 3 août 1932, p. 17.

sale nègre, un singe tombé du cocotier[34] ». Le 31 août, Huat remporte une victoire contestée sur Pete DeGrasse et Ladou, une victoire facile sur l'Argentin Johnny Pena. Encore une fois, il émerveille les spectateurs. Un journaliste, ébloui par son « habileté phénoménale » et la grande variété de ses coups, écrit qu'il « possède tous les trucs du métier. En plus, il a la science, l'habileté, la vitesse ». Seule lui manque « la force dans ses coups[35] ».

L'automne 1932 commence mal pour Brosseau. Le 21 septembre, son locataire africain perd aux mains du Roumain Jol Ghouly à l'aréna Mont-Royal. Pour excuser cette défaite, il déclare que Ladou était affaibli par la maladie. Viennent s'ajouter à cette déception ses relations difficiles avec Giroux qui, depuis quelque temps, tente à nouveau de briser le contrat le liant à son manager. Cette rébellion a des répercussions jusqu'en Pennsylvanie. L'athlète montréalais refuse de se battre à Millevale, près de Pittsburgh, prétextant qu'il n'a pas de « gérant ». Après enquête, la Commission de boxe de l'État de Pennsylvanie recueille la preuve des fausses déclarations de Giroux auprès de la Commission athlétique de Montréal et le suspend « indéfiniment ». À Montréal, on pense que « Giroux et Brosseau vont nécessairement vider leur querelle devant le tribunal ». Nous n'avons pas trouvé de documents sur les suites de cet incident. Tout ce que nous savons, c'est que Giroux devient entraîneur au club de boxe Saint-Charles[36] au début du mois de novembre 1932 et qu'il subit une défaite à Portland le 27 février 1933, aux mains de Fish Dutil. Puis il disparaît des colonnes des journaux[37].

---

34. André Rauch, *Boxe, violence du xxe siècle*, Aubier, 1992, p. 354. Sur le racisme envers les boxeurs noirs aux États-Unis, voir Thomas R. Hietala, *The Fight of the Century. Jack Johnson, Joe Louis, and the struggle for racial equality*, New York, Londres, M. E. Sharpe Inc., 2002. À la page 8 de cet ouvrage, le sénateur Theodore Bilbo, du Mississippi, déclare : « I think one of the most disgraceful things that we tolerate in American life is prize fights between Negroes and white men. »

35. *La Presse*, 13 août 1932, p. 47 ; 19 et 30 août 1932, p. 16 ; 22 août 1932, p. 17 ; 31 août 1932, p. 15 et 1er septembre 1932, p. 22.

36. Ce club est fondé au mois de janvier 1932. Il est situé dans le quartier ouvrier de Pointe-Saint-Charles.

37. *La Presse*, 15 septembre 1932, p. 25 ; 16 septembre 1932, p. 22 ; 17 septembre 1931, p. 48-49 ; 19 septembre l932, p. 17 ; 20 septembre 1932, p. 18 ; 21 septembre 1932, p. 16 ; 22 septembre 1932, p. 24 ; 20 octobre 1932, p. 24 ; 21 octobre 1932, p. 20 et 28 février 1933, p. 16.

Au moment de ces événements, un article intitulé « De Brosseau à nos jours » dut mettre un peu de joie dans le quotidien de l'ancien boxeur. Le 19 octobre 1932, Jules Racicot organise à l'International Sporting Club un tournoi de poids légers. Dans cet article, il justifie son projet par la nécessité de découvrir des boxeurs aussi talentueux que Brosseau et Roy. « Lorsque Eugène Brosseau était à son meilleur et qu'il était l'idole des Canadiens français, dit-il, on en était tous fiers [...]. Mais, lorsqu'il disparut comme vedette, on entendait dire partout : *Ah ! Il n'y aura jamais un autre Brosseau* [en italique dans le texte original]. Mais, lorsque tout à coup, un autre Canadien français du nom de Léo Kid Roy commença à faire sa marque pour devenir l'idole de notre race, nous en étions tous fiers. » Racicot trouve d'autres raisons d'appuyer son initiative. En cette période de crise économique où « le mot d'ordre est donné partout achetons *Fait au Canada* [en italique dans le texte original], ne se pourrait-il pas que la même règle soit appliquée dans le domaine de la boxe ? Servons-nous d'abord de Canadiens français ». Aussi, « comme la plupart de nos boxeurs locaux sont des chômeurs, ils auront donc l'opportunité de faire un peu d'argent en plus de montrer ce qu'ils sont capables de faire[38] ».

La crise frappe dur en cette fin d'année 1932. La boxe semble particulièrement touchée. Jules Racicot abandonne sa licence de promoteur. Comme Racicot, Alex Moore souhaite l'arrivée d'un autre Eugène Brosseau ou Léo Kid Roy qui redonnerait à la boxe « l'ère de prospérité et d'intérêt qu'elle a connue il y a quelques années », à Montréal. Passant de la parole aux actes, il organise des soirées de boxe bimensuelles à l'International Sporting Club. Sa première soirée permettra de revoir Ladou, inactif depuis quelques mois. Le 12 décembre, c'est un « Ladou pimpant comme toujours, la canne à la main et les gants beurre frais », qui se présente au Club. Le protégé de Brosseau gagne contre Harold Stewart, ancien champion mondial chez les amateurs, par knock-out technique devant 1000 spectateurs. Cependant, malgré un réseau bien établi, Moore échoue dans sa tentative de sortir la boxe de sa léthargie[39].

Armand Vincent joue la carte des grandes vedettes pugilistiques qui brillent sur la scène internationale. Il planifie la venue à Montréal du

38. *La Presse*, 1932, p. 19.

39. *La Presse*, 30 novembre 1932, p. 19 ; 3 décembre 1932, p. 38 ; 10 décembre 1932, p. 39 ; 12 décembre 1932, p. 16 ; 13 décembre 1932, p. 19 et 25 février 1933, p. 41.

champion mondial des poids lourds, Jack Sharkey, et de l'ancien champion, l'Allemand Max Schemling. Sharkey arrive dans la métropole accompagné de son épouse, le 2 avril 1933. Les deux visiteurs ont fait le voyage dans un wagon privé mis à leur disposition par la compagnie du Canadien Pacifique et, dès leur descente du train, Georges Clermont, de Clermont Motor, leur fournit une luxueuse automobile[40].

Schmeling qui, le 16 avril, entreprend une tournée qui le mènera, entre autres, à Québec et Trois-Rivières, doit répondre aux interrogations des journalistes inquiétés par l'arrivée d'Adolphe Hitler au pouvoir au mois de janvier 1933 et par les rumeurs de brutalités envers les Juifs. Il tente de rassurer ses interlocuteurs. Selon lui, « l'Allemagne n'a jamais été plus tranquille ni plus pacifique qu'elle l'est aujourd'hui ». Il ajoute : « Je n'ai eu connaissance d'aucun mauvais traitement envers les Juifs[41]. »

Revenons à des enjeux moins dramatiques. À Montréal, loin de Berlin, Albert Ladou et René Loubier occupent les colonnes des pages sportives. Le 10 mai, le petit boxeur noir inflige une raclée en règle à Wilbur Chevalier. Il se montre « trop rusé et trop rapide pour son adversaire ». Preuve des difficultés que traverse la boxe, Moore, habitué à des assistances substantielles, n'a attiré que 3000 spectateurs au Forum. À la même époque, Loubier, qui désire depuis longtemps rencontrer Georges Girardin, champion des poids légers du Québec, voit son souhait se réaliser. Après sa victoire sur le Noir Battling Johnson, de Québec, le 16 mai, à l'aréna Mont-Royal, il arrache, le 29 mai, le championnat à Girardin, devant 2000 Sherbrookois. À la même occasion, Ladou défait Young Lebrun, « la terreur des Cantons-de-l'Est », qui ne réussit pas à le terroriser[42].

Brosseau attache toujours autant d'intérêt à la carrière de sa vedette et néglige celle de Loubier. Il parvient à négocier avec son vieil ennemi Raoul Godbout un combat entre Ladou et Roger Bernard, pour le 26 juillet, au Forum. Le même soir, René Loubier rencontrera le boxeur montréalais

---

40. *La Presse*, 22 mars 1933, p. 18 ; 24 et 30 mars 1933, p. 25 ; 25 mars 1933, p. 40 ; 27 mars 1933, p. 19 ; 29 mars 1933, p. 21 ; 1er avril 1933, p. 30 et 3 avril 1933, p. 18.

41. *La Presse*, 15 avril 1933, p. 30. Selon Alexis Philonenko, de telles déclarations ne suffisent pas à faire de Schmeling un sympathisant nazi : voir son *Histoire de la boxe*, Paris, Bartillat, 2002, p. 312.

42. *La Presse*, 10 décembre 1932, p. 38 ; 2 mai 1933, p. 21 ; 3 mai 1933, p. 28, 5 mai 1933, p. 25 ; 8 mai 1933, p. 19 ; 9 mai 1933, p. 23 ; 11 mai 1933, p. 24 ; 17 mai 1933, p. 26 et 30 mai 1933, p. 26.

René Taillefer. Conscient, comme toujours, de l'importance des journaux dans le succès de ses entreprises, il leur adresse une lettre où il décrit son préféré comme un gentilhomme et un preux chevalier « de sang français » qui, un jour, aimerait rencontrer Al Foreman et venger Léo Kid Roy et Georges Chabot. Pour l'instant, l'obstacle à abattre se nomme Roger Bernard. Malheureusement, « fournissant une rare exhibition de boxe défensive », Ladou perd sur décision des juges. « Jamais probablement, décision ne fut plus impopulaire et jamais aussi le cœur du Noir ne fut pareillement brisé lorsqu'elle fut annoncée. » Cette décision déclenche chez les 4000 spectateurs « un chahut indescriptible : sifflements stridents, huées et cris de protestation et applaudissements aussi bruyants au vaincu à qui on était en train de faire une démonstration délirante ». Brosseau, indigné, demande à la Commission athlétique le renversement de la décision. Godbout blâme les agissements de son concurrent. « Je n'approuve pas, dit-il, le geste qui consiste à garder un pugiliste vaincu dans l'arène plusieurs minutes après la fin d'un combat pour soulever la colère de ses partisans contre les officiers de la Commission. » Bernard, le boxeur vainqueur, déplore le manque d'esprit sportif de Brosseau et Ladou, « qui ne peuvent encaisser un échec sans crier à l'injustice et sans se lamenter qu'on les a volés. » Cette soirée, fertile en émotions, laisse dans l'ombre l'excellente performance de Loubier qui affiche sa supériorité sur Taillefer et emporte la décision des juges[43].

La polémique se poursuit dans les journaux et, bien entendu, contribue à la publicité d'un combat revanche. Moore se dit prêt à présenter un tel combat, mais trouve inacceptables les conditions qu'on veut lui imposer. On se lance des défis dans les journaux, « mais, dit-il, lorsqu'il faut parler affaires, c'est tout autre chose ». Comme il fallait s'y attendre, les combats verbaux cessent bientôt et la langue des affaires reprend le dessus. Encore une fois, Brosseau et Ladou passent aux bureaux de *La Presse* annoncer une rencontre de 12 rounds avec Bernard, au Forum, pour le 16 août. Dans les jours précédant le combat, l'animosité ne fait que croître entre les deux camps et laisse présager des incidents regrettables. Le soir du combat, dans une atmosphère chargée d'électricité, un Ladou plus rapide et plus agressif obtient la victoire. Aux abords de l'arène, la tension entre les deux

---

43. *La Presse*, 22 juillet 1933, p. 40 ; 25 juillet 1933, p. 14 ; 26 juillet 1933, p. 17 ; 27 juillet 1933, p. 18 ; 28 juillet 1933, p. 16 et 29 juillet 1933, p. 32 ; *Le Canada*, 27 juillet 1933, p. 5 ; *La Patrie*, 27 juillet 1933, p. 10 et 29 juillet 1933, p. 23.

managers dégénère en affrontement. Lorsque, après le match, Brosseau et Ladou « s'avancèrent pour serrer la main de leurs adversaires », Godbout invectiva Brosseau et tenta de le frapper. Son boxeur, Roger Bernard, dut le retenir, « pendant que Brosseau, interdit, ne savait guère que faire ». Le frère de Roger, Freddie Bernard, se mit de la partie et voulut lancer une chaise dans l'arène. L'intervention rapide et efficace des placiers ramena le calme. À la suite de ces événements, la Commission athlétique convoque participants et témoins de l'échauffourée. Brosseau, convoqué le 29 août, refuse de se présenter devant les commissaires et perd son permis « pour une période indéfinie ». Le 6 septembre, la Commission, après enquête, le réinstalle dans ses fonctions. L'incident est clos[44].

La période qui va de l'automne 1933 à l'automne 1934 semble une phase difficile pour la boxe à Montréal. Les promoteurs bien établis, qui doivent débourser des sommes importantes afin de présenter des programmes susceptibles d'attirer les foules, se montrent prudents en ces temps de récession économique et diminuent la fréquence de leurs spectacles. Montréal, ville industrielle et commerciale, est touchée très durement, « entre le quart et le tiers de sa main-d'œuvre est en chômage[45] ». Les francophones, qui constituent la clientèle principale des soirées de boxe, sont particulièrement affectés par la crise et réticents à débourser le prix d'entrée qui, pour une soirée typique, varie de 50 cents à 4 $. Dans un tel climat d'insécurité économique, les combats clandestins, présentés dans de petites salles et peu dispendieux à organiser, prolifèrent[46].

Les managers de boxeurs professionnels comme Brosseau subissent les contrecoups de cet étiolement de la demande. Cette situation explique peut-être en partie la présence de moins en moins fréquente des hommes de Brosseau sur le ring. S'ajoutent à cette cause les performances décevantes de son boxeur vedette Albert Ladou et ses difficultés avec un autre de ses poulains, René Loubier. En effet, l'année 1933 se termine mal pour l'Algérien. Le 27 septembre, il fait match nul de peine et de misère contre Frankie

44. *La Presse*, 1er août 1933, p. 16 ; 2 et 14 août 1933, p. 17 ; 3 août 1933, p. 18 ; 7 août 1933, p. 14 ; 12 août 1933, p. 41 ; 17 août 1933, p. 22 et 7 septembre 1933, p. 25 ; *Le Canada*, 17 août 1933, p. 5 ; *La Patrie*, 11 août 1933, p. 13 ; 14, 15, 16 et 17 août 1933, p. 10 et 30 août 1933, p. 11.

45. Paul-André Linteau, *Brève histoire de Montréal*, Montréal, Boréal, 1992, p. 117-120.

46. *La Presse*, 27 juin 1934, p. 18.

Kid Canelli, un bagarreur, de New York. Le 18 octobre, au Forum, il subit la défaite face à Harold Stewart, devant une foule respectable, en ces temps difficiles, de 8500 personnes. Par la suite, l'étoile de Ladou s'éteint. On ne reverra plus de foules émerveillées par sa science du combat, son intelligence, sa vitesse, sa ruse, son jeu de pieds et son habileté à éviter les coups d'adversaires plus puissants que lui et qu'il ridiculisait en les faisant régulièrement frapper dans le vide[47].

Les ennuis de Brosseau avec René Loubier paraissent plus graves. Le boxeur sherbrookois, champion du Québec dans la classe des 135 livres, signe un contrat au mois de mars 1931, le liant pour cinq ans à son manager et entraîneur. Un combat disputé à Sherbrooke, le 20 octobre 1934, semble être la goutte d'eau qui fait déborder le vase entre les deux hommes. Ce soir-là, Loubier affronte Paul Junior[48], un Franco-Américain, de Lewiston, au Maine. Selon un journaliste de *La Tribune*, de Sherbrooke, il s'agit du plus dangereux adversaire opposé au champion du Québec depuis le début de sa carrière comme professionnel. Depuis trois ans, Junior « se bat dans [...] les plus importantes villes américaines » où il fait très bonne figure. Dernièrement, il a battu, dans un combat où le titre n'était pas en jeu, Tommy Bland, le champion canadien des poids légers. Pour le vaincre, Loubier doit pouvoir compter sur tout le soutien possible. Or, Brosseau, au lieu de se déplacer, envoie à Sherbrooke, deux semaines avant le match, un de ses protégés, Henri Auger, pour l'aider à se préparer à cette rencontre importante. Le soir du combat, la renommée des deux hommes a drainé au Manège militaire de la rue Belvédère plus de 2000 spectateurs. Le maire Frederick Hamilton Bradley[49], de Sherbrooke, entouré de membres du conseil municipal, occupe un siège près de l'arène.

---

47. *La Presse*, 27 septembre 1933, p. 16; 28 septembre 1933, p. 24; 12 octobre 1933, p. 28; 17 octobre 1933, p. 33; 18 octobre 1933, p. 16 et 19 octobre 1933, p. 24.

48. On le nomme habituellement Paul Junior aux États-Unis et Paul Labbé au Québec.

49. Le maire Bradley est un fervent du sport. Il est président du Metropolitan Amateur Athletic Club (un organisme qui s'occuppe de développement du hockey, de la crosse et de la boxe), membre de la Commission athlétique de Sherbrooke. Il promeut l'aménagement de parcs publics et de terrains de sport pour sa municipalité. Ses initiatives dans le domaine du sport incitent certains citoyens et groupes organisés à fonder le Sherbrooke Amateur Association Hockey Club, le New Wellington Bowling Club, une équipe de hockey et une équipe de baseball. Voir *Les maires de Sherbrooke, 1852-1982*, La Société d'histoire des Cantons-de-l'Est, 1983, p. 218-222.

POURSUIT BROSSEAU

Le pugiliste sherbrookois demande l'annulation de son contrat avec son entraîneur montréalais.

25 GRIEFS

Une poursuite en annulation de contrat, qui ne manquera pas de causer une certaine commotion dans les cercles sportifs de notre ville, vient d'être intentée par René Loubier, pugiliste de cette ville, champion de la province dans la catégorie de 135 livres, contre son gérant Eugène Brosseau, de Montréal. Pour des raisons qu'il énumère au long dans 25 allégués, le boxeur local demande que le contrat intervenu entre lui et Brosseau en mars 1931 à Sherbrooke soit annulé avec dépens contre le défendeur.

Loubier allègue que Brosseau a manqué aux obligations qu'il avait prises dans le contrat, de devenir le gérant et professeur du boxeur local, de le prendre à son emploi pour cinq ans, de surveiller son entraînement, de le faire bénéficier de son influence et de son expérience afin de lui procurer toute la publicité possible et voir à ce que ses combats lui procurent le plus de renommée. Loubier déclare encore que depuis la signature du contrat, il a pris part à 35 combats dont 21 ont été le fruit de sa propreinitiative, devant l'apathie, l'indifférence et la négligence de Brosseau.

La défaite d'octobre

Loubier énumère un certain nombre de combats où il a eu à se préparer sans le concours de son gérant qui, prétend-il, arrivait toujours à la dernière minute. Loubier parle encore des circonstances qui ont amené sa défaite lors de son combat avec Paul Junior en octobre dernier, déclarant qu'à cette occasion, "au lieu d'encourager Loubier à soutenir le combat, de lui indiquer les points faibles de son adversaire, Brosseau a incité le demandeur à abandonner la lutte bien que Loubier fut encore en état de continuer" ... "qu'au cours de cette même rencontre, le défendeur Brosseau a fait, à la vue de l'assistance, des signes à Junior lui indiquant comment frapper le demandeur pour mieux le déclasser, démontrant ainsi qu'il sacrifiait le demandeur pour son adversaire."

Après avoir déclaré que par son manque de loyauté envers le demandeur, Brosseau a causé à celui-ci des dommages considérables pour lesquels Loubier se réserve recours, Loubier ajoute encore que non seulement Brosseau ne travaille pas dans l'intérêt de son protégé, mais se fait payer un pourcentage auquel il n'a pas droit et que Loubier est intéressé à demander l'annulation du contrat puisque le défendeur, en vertu du contrat en question, a seul le droit de retirer tous les revenus provenant des combats et à retenir un pourcentage de 33 et un tiers sur chaque bataille.

Article de *La Tribune* de Sherbrooke énumérant les griefs de René Loubier à l'endroit de son manager Eugène Brosseau, qu'il accuse de ne pas avoir respecté les obligations du contrat liant les deux hommes. (*La Tribune*, 29 novembre 1934, p. 3.)

Plusieurs dames se mêlent aux amateurs. « Vu l'importance du combat principal, quelques membres de la Commission [athlétique] de Montréal » se sont déplacés. Loubier perd par knock-out technique au septième round. On peut facilement imaginer sa frustration. Au mois de novembre, devant ce qu'il considère comme « l'apathie, l'indifférence et la négligence de Brosseau », il intente une poursuite en annulation de contrat. Dans un long réquisitoire en 25 points, il énumère ses griefs. Selon lui, « Brosseau a manqué aux obligations qu'il avait prises dans le contrat, de devenir [son] gérant et professeur, [...] de le prendre à son emploi pour cinq ans, de surveiller son entraînement, de le faire bénéficier de son influence et de son expérience afin de lui procurer toute la publicité possible et de voir à ce que ses combats lui procurent le plus de renommée». Il allègue que, des 35 combats qu'il a livrés depuis la signature du contrat, 21 furent le fruit de sa propre initiative. Il prétend aussi que généralement «il a eu à se préparer sans le concours de son gérant qui, [...] arrivait toujours à la dernière minute». Fait plus grave, il accuse Brosseau d'avoir aidé son adversaire, lors du combat du 20 octobre. À cette occasion, non seulement Brosseau ne l'aurait ni encouragé ni soutenu, mais il aurait, «à la vue de l'assistance», indiqué à Junior comment le frapper pour le vaincre. Cette accusation paraît troublante lorsque l'on sait que Paul Junior était depuis peu sous la direction de Brosseau. Comme nous n'avons retrouvé aucun des contrats passés entre Brosseau et ses protégés, cette poursuite nous permet d'apprendre que ce dernier retenait un pourcentage de 33 ⅓ % sur chaque bataille livrée par un poulain de son écurie. Pour ce prix-là, Loubier se croyait justifié d'attendre toute l'aide possible de son manager. Nous ne saurons sans doute jamais si cette poursuite était fondée. Toute l'affaire connaît son dénouement à la fin du mois de décembre 1934. Après un règlement intervenu hors cour, Brosseau «consent à l'annulation du contrat. [...] En retour Loubier abandonne son action avec frais[50]».

L'année 1934 semble la dernière où Brosseau joue un rôle actif dans la direction et la formation de boxeurs professionnels. Il pourra par la suite conseiller quelques jeunes désirant faire carrière dans l'arène, mais il ne paraît plus s'être lié par contrat avec de jeunes boxeurs prometteurs comme il l'avait fait depuis plus de dix ans. Parmi ses derniers protégés, outre Loubier, on peut nommer Henri Auger et Paul Junior, que nous venons de rencontrer dans des circonstances plutôt troublantes, et Al Jaillet.

Avant de venir se placer sous la direction de Brosseau comme professionnel, Henri Auger le connaissait déjà très bien. Né à Montréal, le 16 novembre 1914, Auger «fréquentait encore l'école quand il fit la connaissance de Brosseau, en 1926. Il avait 12 ans». Quelque temps plus tard, il devient l'un de ses élèves à la Palestre nationale. Brosseau le considère bientôt comme l'un des meilleurs boxeurs amateurs de sa classe. Un

50. *La Tribune*, 5 et 6 octobre 1934, p. 10; 11, 12, 17, 19 et 22 octobre 1934, p. 6; 13, 18 et 20 octobre 1934, p. 8 et 29 novembre 1934, p. 3; *La Presse*, 25 juillet 1934, p. 15; 11 septembre 1934, p. 16; 12 septembre 1934, p. 18; 13 septembre 1934, p. 27; 30 novembre 1934, p. 22 et 29 décembre 1934, p. 41; *Le Canada*, 31 août 1934, p. 5.

journaliste du *Devoir*, qui partage cette opinion, écrit: « Auger est une trouvaille d'Eugène Brosseau et un de ses meilleurs élèves à tous les points de vue. Tous les connaisseurs s'accordent à dire qu'Auger a parfaitement le genre de Brosseau dans ses beaux jours. C'est un boxeur de grand avenir. » De 1928 à 1934, il livre 38 combats et en gagne 29. Il décroche le titre de champion amateur des poids légers du Québec durant cette période. Lorsqu'il devient professionnel, à l'été 1934, tout naturellement, il demande à son ancien professeur de le guider. Il se bat maintenant dans la classe des mi-moyens. Dès ses débuts, il se distingue par des victoires rapides et décisives. Ainsi, le 1er août, il met hors de combat Nick Alaka en trois rounds. Il « a frappé l'Italien à volonté. Voyant qu'Alaka pouvait à peine se tenir debout, étant *groogy*, l'arbitre Girardin mit fin au combat ». Le 12 septembre, le même scénario se répète contre Arthur Primrose: K.-O. après 5 rounds. Le fameux soir du 20 octobre, à Sherbrooke, il fait face à Jack Dubois, « le meilleur *prospect* sorti de Sherbrooke en 1933 ». Ce dernier, malgré sa réputation de dur à cuire et de cogneur, ne résiste pas plus de 5 rounds aux furieux assauts du Montréalais. Même si Brosseau disparaît plus ou moins de l'actualité sportive à la fin de 1934, il continue de s'intéresser à la carrière d'Auger et à lui prodiguer ses conseils. Le 12 avril 1937, Brosseau accompagne Auger et Des Greene aux bureaux de *La Presse* et annonce qu'il se présentera devant la Commission athlétique afin de faire ratifier les deux contrats qui le lient à ces deux boxeurs. Il demandera aux commissaires « que ses deux protégés soient considérés comme les plus sérieux aspirants aux championnats canadiens des catégories poids mouches et poids mi-moyens ». Auger brisera bientôt ce contrat. Influencé par Brosseau, il s'enrôle dans la Royal Canadian Air Force en septembre 1938 et, transféré dans la Royal Air Force, part pour l'Angleterre le 12 janvier 1939, quelques mois avant le début de la Seconde Guerre mondiale. Trois mois après le début de la guerre, *La Presse* nous apprend qu'il « a été grièvement blessé et qu'il est actuellement dans un hôpital quelque part en Angleterre ». Il s'en remettra et entretiendra par la suite une correspondance assidue avec son ancien entraîneur et manager, devenu son ami. Lorsque son rôle de pilote de guerre lui en laisse le loisir, il aime bien « mettre les gants de temps à autre ». Quant à Des Greene, il disparaît de l'actualité sportive aussi vite qu'il était apparu[51].

---

51. *La Patrie*, 5 février 1930, p. 11; *La Tribune*, 5, 11, 17, 19 et 22 octobre 1934, p. 6 et 18 octobre 1934, p. 8; *Le Devoir*, 4 février 1930, p. 9; *La Presse*, 29 novembre 1939, p. 21.

Paul Junior entre dans l'orbite de Brosseau à l'automne de 1934. Ce Franco-Américain du Maine s'était déjà battu à Montréal un an auparavant, mais avait dû interrompre momentanément sa carrière en raison d'une fracture de la main gauche. Une fois rétabli, il concentre ses activités pugilistiques en Nouvelle-Angleterre. La possibilité d'une rencontre, à Montréal, avec Tommy Bland, champion des poids légers du Canada, l'amène à se chercher un manager montréalais. Il jette son dévolu sur Brosseau. S'il triomphe de Bland, il exprime l'intention de s'établir à Montréal. Brosseau se dit convaincu que le retour de son nouveau protégé « sera triomphal. » Le 12 septembre, à l'aréna Mont-Royal, il obtient la décision des juges sur le champion canadien[52].

Le soir de la victoire de Junior, un autre poulain de Brosseau, Al. Jaillet, poids coq, affronte, à l'aréna Mont-Royal, Ray Cook. Ce Franco-Américain de New Bedford, au Massachusetts, compte de nombreuses victoires en Nouvelle-Angleterre. Lui aussi « espère faire de Montréal son centre d'activités ». Son nouveau manager, présomptueux et vivement impressionné par les séances d'entraînement de Jaillet, prédit que Cook ne durera « pas les dix rondes réglementaires devant son protégé ». La suite lui donne tort. L'arbitre disqualifie son homme au septième round[53].

Après « l'affaire Loubier », Brosseau quitte, si l'on excepte l'intermède Auger et Des Greene, les coulisses de la boxe. Même si, en 1938, il espère encore découvrir « un jeune » qui pourrait répéter ses exploits, désormais il ne sera plus un acteur, mais un spectateur attentif et renseigné. Il concentrera dorénavant son temps à sa famille et à son travail au bureau de poste central de Montréal[54].

Dans les archives de Clément Brosseau, on retrouve un long article, sans mention de lieu ni de date (probablement vers juin 1941), qui nous en apprend beaucoup sur Henri Auger et sur ses liens avec Eugène Brosseau.

52. *La Presse*, 11 et 13 septembre 1934, p. 16 et 12 septembre 1934, p. 18.

53. *La Presse*, 11 et 13 septembre 1934, p. 16 et 12 septembre 1934, p. 18.

54. *Le Canada*, 22 novembre 1938, p. 6.

CHAPITRE 7

La vie après la boxe

Après la boxe, la vie continue. Bien sûr, les liens créés par plus de vingt ans de carrière ne s'effacent pas comme par enchantement et ils restent multiples. Ainsi, Brosseau fréquente régulièrement son ancien élève et protégé Georges Chabot qui l'appelle toujours « professeur ». Il rencontre l'ancien champion olympique Bert Schneider à la MAAA pour parler « du bon vieux temps », entre autres de La Casquette qu'ils fréquentaient tous les deux[1].

Souvent, des journalistes sportifs demandent à l'ancienne vedette de commenter les événements importants qui scandent l'actualité pugilistique. À l'occasion des championnats mondiaux de poids lourds, on sollicite ses commentaires sur la valeur des adversaires en présence. On veut savoir ce qu'il pense de la boxe « aujourd'hui », lui qui a tellement fréquenté ce milieu. On réclame son jugement sur les capacités des boxeurs locaux ou étrangers. Les questions sont nombreuses. Est-il en faveur de la boxe professionnelle ou préfère-t-il la boxe amateur ? Quels conseils donnerait-il à un jeune adolescent désireux de se lancer sur ses traces ? A-t-il des prévisions à faire sur tel ou tel combat ? Hante-t-il toujours les clubs et les spectacles de boxe ? Discute-t-il régulièrement avec les gens qu'il a connus autour des arènes et dans les gymnases entre les années 1914 et 1934 ? On peut raisonnablement penser qu'un homme qui, de l'âge de 18 à 40 ans environ, fut étroitement mêlé à l'évolution de la boxe au Québec, garde le contact avec un monde qui lui a procuré gloire, joie, inquiétude tout en

1. *The Montreal Star*, 4 août 1962, p. 19 et entrevue avec ses enfants Clément, Huguette et Pauline le 16 avril 2004.

Vingt-cinquième anniversaire de mariage d'Eugène Brosseau et de Marie-Louise Denault (mai 1946). On y voit le père Wilfrid Gariépy, s.j. (troisième à partir de la gauche). Le père Gariépy était l'un des principaux animateurs des loisirs de la paroisse de l'Immaculée-Conception. En 1951, il fonde et dirige le Centre des loisirs Immaculée-Conception (aujourd'hui, le Centre Marcel de La Sablonnière). Ce centre situé sur la rue Papineau, près de la rue Rachel, s'élevait à proximité de la résidence de Brosseau. Ce dernier s'y rendait régulièrement et entretenait de cordiales relations avec ce jésuite. À la même table nous remarquons le maire de Montréal, Camillien Houde, assis entre Gariépy et Brosseau. Houde, admirateur de Brosseau, était un mordu de boxe et de baseball. (Archives de Clément Brosseau.)

lui permettant de gagner honorablement sa vie. Le détachement fut sans doute graduel, mais jamais total. Selon le témoignage de trois de ses enfants, il écoutait presque tous les combats de boxe diffusés à la radio et, à compter de 1952, il regardait ceux qui étaient présentés à la télévision.

De plus, Brosseau n'habite pas très loin de la Palestre nationale et il est membre à vie de cette institution qui, absente de la boxe pendant des années, formera bientôt, comme par le passé, d'excellents boxeurs. En 1951, un autre lieu, à proximité de la résidence de l'ancien boxeur, ouvre ses portes : le Centre des loisirs Immaculée-Conception. Ce centre, fondé et dirigé d'abord par le père Wilfrid Gariépy, ensuite administré et développé par le père Marcel de la Sablonnière, offrait aux jeunes la possibilité de faire de la boxe et Brosseau fut parfois invité à fournir conseils et encou-

Elmer W. Ferguson, l'un des grands journalistes sportifs du Québec. Il fit une bonne partie de sa carrière au *Montreal Herald*. Il appréciait les qualités sportives et humaines de Brosseau et lui consacra de nombreux articles. Il considérait *Gene* comme « one of the greatest ring warriors Canada ever produced ». (Portrait paru dans *The Montreal Herald*, 4 novembre 1951, p. 1.)

ragements aux jeunes pugilistes. Il semble fréquenter régulièrement le père Gariépy, car on voit le jésuite à la table d'honneur de son 25e anniversaire de mariage en 1946. À cette même table on aperçoit l'ancien maire de Montréal, Camillien Houde. Dix ans après l'ouverture du Centre, Brosseau s'y rend régulièrement[2].

Plusieurs fois, Brosseau aura l'occasion de côtoyer Elmer W. Ferguson, un grand journaliste, qui fut rédacteur sportif au *Montreal Herald* pendant plusieurs décennies et qui termina sa carrière au *Montreal Star*. Ferguson appréciait les qualités sportives et humaines de Brosseau et il lui consacra plusieurs articles. Il considérait le boxeur montréalais comme « one of the greatest ring warriors Canada ever produced[3] ». À l'automne 1952, l'ancien boxeur répond avec empressement à l'invitation de Léo Dandurand, qui

2. Pour un court historique du Centre Immaculée-Conception, voir le texte de Gilles Janson dans le *Répertoire numérique détaillé du fonds du Centre des loisirs Immaculée-Conception*, Service des archives, Université du Québec à Montréal, 1988, p. 9-17. La photo du 25e anniversaire de mariage provient des archives de Clément Brosseau.

3. *The Montreal Star*, 18 novembre 1960, p. 29. Deux ans plus tôt, le confrère de Ferguson partageait la même opinion sur Brosseau et ne craignait pas d'écrire qu'il « was the finest boxer in Canada, [...] one of the best Canada ever developped », *The Montreal Star*, 6 août 1958, p. 40.

organise, pour le 3 novembre 1952, un banquet en l'honneur de Ferguson. Parmi les huit cents personnalités du monde de la politique, des affaires et du sport qui se rendent à l'hôtel Windsor, on retrouve le promoteur de boxe Alex. Moore, le frère d'Eugène, William « Bill » Brosseau, Clarence Campbell, l'écrivain Leslie Roberts, le vice-président des Dodgers de New York, les ex-champions poids lourds Jack Dempsey et Jack Sharkey. Pour l'occasion, le maire Camillien Houde prononce un discours. Le 10 juin 1964, Brosseau côtoie de nouveau Ferguson lors d'une soirée pour souligner la retraite de Dennis White, « supervisor of amateur boxing in this province ». Lorsque, le 16 mai 1967, « la loge israélite B'Nai Brith » organise, au Château Champlain, une grande soirée sportive pour rendre hommage aux chroniqueurs sportifs Charles Mayer et Elmer W. Ferguson, Brosseau, accompagné de sa fille Huguette, se mêle aux nombreux invités. Le tout Montréal sportif est là. Brosseau peut parler de boxe avec Robert Cléroux et Raoul Godbout et de hockey avec Maurice Richard. Brosseau fréquentait également d'autres journalistes sportifs. Le 25 mars 1940, il assiste aux funérailles de Louis-A. Larivée, chroniqueur sportif au journal *Le Canada* et que les gens du milieu considéraient comme « une autorité dans les choses de la boxe ». En août 1947, on le voit photographié en tête du cortège funèbre qui conduit Horace Lavigne, responsable des pages sportives à *La Patrie*, au cimetière[4].

Si l'on scrute les entrevues données aux journaux par Brosseau entre 1940 et 1968, nous percevons chez lui un changement d'attitude par rapport à la boxe professionnelle et amateur. À mesure que les années passent, il paraît plus sévère envers le professionnalisme et privilégie désormais la boxe amateur. En janvier 1942, il admet déjà être « un fervent de la boxe chez les amateurs », mais il ne condamne pas encore la boxe professionnelle. Il recommande plutôt à ceux qui veulent s'y risquer « d'avoir un *maître* dans la matière », sinon ils n'arriveront à rien. Huit ans plus tard, lorsqu'il est interrogé par un journaliste du magazine *Le Sport illustré* de Montréal, il partage toujours les mêmes idées. « Les principaux conseils qu'il donne aux jeunes qui veulent réussir dans la boxe sont d'apprendre la théorie du pugilat et de la mettre en pratique, de demeurer chez les amateurs au moins

---

4. Archives de Clément Brosseau, lettre de Léo Dandurand, 26 septembre 1952 ; *The Montreal Star*, 11 juin 1964, p. 62 ; *Journal de Montréal*, 17 mai 1967, p. 36 ; S. F. Wise et Douglas Fisher, *Les grands athlètes canadiens*, Don Mills, Ontario, General Publishing Co., 1976, p. 308-309 ; *La Presse*, 25 mars 1940, p. 16 ; *La Patrie*, 24 août 1947, p. 102.

trois ans, soit après avoir eu le temps de se familiariser parfaitement avec tous les styles. » Avant de passer chez les professionnels et pour savoir s'il est vraiment prêt à faire le saut, il suggère au jeune boxeur de s'adresser « à un expert absolument désintéressé ». Condition indispensable, il faut toujours être en parfaite forme physique si l'on veut s'adonner sérieusement à la boxe. Pour Brosseau, une « bonne conduite », une vie régulière, huit heures de sommeil, l'abstinence d'alcool et de tabac augmentent les chances de succès. Au printemps de 1959, à 63 ans, le discours a changé. Catégorique, il déclare à *L'Événement Journal* que « tous les jeunes qui veulent faire de la boxe » devraient ne jamais quitter les rangs amateurs et ignorer le professionnalisme. Cinq ans avant son décès, il exprime les mêmes réticences à l'endroit de la boxe professionnelle. La jugeant dangereuse, « il n'a jamais voulu que ses quatre fils » s'y adonnent[5]. Il insiste sur les « nombreux dangers qu'elle comporte, les victimes qu'elle a faites, les yeux et les cerveaux qu'elle a endommagés ». Selon lui, la boxe professionnelle est plus dure en 1963 qu'elle ne l'était à l'époque de ses beaux jours comme professionnel. « Les combats sont plus longs, les adversaires plus redoutables et, pour de grosses sommes d'argent, on risque souvent trop. » Chez les amateurs, on frappe moins fort et l'adversaire est moins habile à profiter de la moindre erreur[6].

À la même époque, il garde des liens d'amitié avec Frank DeRice, un promoteur de boxe de Portland, dans le Maine, qu'il avait connu à Montréal en 1919. C'est d'ailleurs lui qui, après avoir pu apprécier les qualités de boxeur de Brosseau lors de ses visites à Montréal, suggéra à l'American Legion de Portland d'organiser la fatidique rencontre du 11 novembre 1919, entre Brosseau et George Chip. DeRice, qui possédait plusieurs restaurants à Portland et à Montréal, s'intéressait aussi bien à la boxe professionnelle qu'à la boxe amateur. Lorsqu'il songe à ouvrir une école de boxe amateur à Montréal, au printemps 1963, il demande à Brosseau d'en devenir le responsable. « Je sais, dit-il, que sous [la] direction [de Brosseau] les jeunes apprendraient vraiment la boxe, que ceux qui n'auraient pas de talent pour réussir se verraient conseiller par lui d'abandonner cette

---

5. Il n'a pas toujours partagé cette idée. En 1931, parlant de son fils aîné André qui, à 6 ans, pèse déjà 65 livres, il déclare : « Il fera un boxeur ! et un bon », *Le Miroir*, Montréal, 15 mars 1931, p. 6.

6. *Le Petit Journal*, 4 janvier 1942 ; *Le Sport illustré*, mars 1950, p. 16-21 ; *L'Événement Journal*, 20 mai 1959 ; *La Presse*, 6 avril 1963 et 28 février 1967.

Frank DeRice en compagnie de Brosseau. DeRice connaissait Eugène au moins depuis 1919. Il lui demanda au printemps de 1963 de diriger une école de boxe amateur à Montréal. Celui-ci refusa, alléguant qu'il ne voulait pas que des promoteurs de boxe professionnels sans scrupules viennent lui ravir ses jeunes élèves avant qu'il ait eu le temps de bien les former, ne voyant en eux « qu'une simple source de revenu ». (Archives de Clément Brosseau.)

discipline, que ceux qui ne sont pas capables de s'imposer des sacrifices, [...] se verraient eux aussi dire d'accrocher les gants. » La réponse de ce dernier confirme ses griefs envers la boxe professionnelle. « Je ne veux pas commencer à enseigner à des jeunes qui me seront enlevés avant qu'ils aient acquis toutes les notions nécessaires à la pratique de ce sport. [...] Je ne veux pas entraîner un jeune dans une carrière dans laquelle il végétera parce qu'il ne terminera pas son apprentissage avant de se lancer chez les professionnels. L'idée de DeRice est excellente, mais il ne pourra jamais convaincre les jeunes de bien apprendre le métier avant de signer un contrat avec des gens qui, pas toujours, mais trop souvent, ne voient en un jeune pugiliste qu'une simple source de revenus. » C'est la boxe qu'il voudrait leur enseigner et non « cette façon de se lancer farouchement à l'attaque et d'échanger coup pour coup avec l'adversaire jusqu'à ce que l'un des deux tombe. Cela je n'en veux pas. » Espérant le faire changer d'avis, DeRice revient à la charge avec son projet quelques semaines plus tard. La réponse reste négative. Brosseau « soutient [toujours] qu'il est ridicule de se dépenser pour apprendre le métier à quelqu'un qui signera ensuite avec le premier beau parleur. » Ne pouvant convaincre l'ancien champion, DeRice abandonne son projet. Brosseau accepte cependant de donner des leçons de boxe au fils de son ami désireux de monter dans l'arène[7].

Son manque d'enthousiasme envers la boxe professionnelle n'empêche pas Brosseau de suivre avec intérêt la carrière des vedettes locales et internationales. En 1950, il déplore même ne pouvoir assister « assez souvent » aux séances de boxe professionnelle. Il assiste cependant aux grands combats qui ponctuent l'histoire de la boxe au Québec dans les années 1940-1960. Ainsi, *Le Devoir* du 9 juin 1959 publie une photo de lui avec la légende suivante : « L'ancienne vedette canadienne-française de la boxe, Eugène Brosseau, fut le premier à acheter ses billets pour le combat de championnat mi-lourds que se livreront Archie Moore et Yvon Durelle, le 15 juillet prochain. » Cette rencontre, qui suscite énormément d'intérêt, remise deux fois, aura finalement lieu le 12 août. En 1940, le journal *Le Sport* n'a pas à le prier longtemps pour obtenir son opinion sur les vedettes de l'heure. Sur Yvon Robert, idole des amateurs de lutte, attiré par une carrière de boxeur, son jugement est sévère. « Tout d'abord, il est trop vieux pour songer à aller bien loin, et de plus il est taillé pour faire un champion lutteur [...]. Il n'a pas le physique voulu : ses muscles sont trop atrophiés. Dans la boxe, la souplesse musculaire passe avant la force brutale[8]. » Les événements donneront raison à Brosseau. La carrière de boxeur d'Yvon Robert ne durera pas deux mois[9].

---

7. *La Presse*, 13 avril 1963, p. 24 ; 27 avril 1963, p. 18 et un article du même journal, non daté, trouvé dans les archives de Clément Brosseau, publié à l'occasion des funérailles de DeRice. Clément Brosseau, le fils d'Eugène, nous a également fourni des informations sur les relations de son père avec Frank DeRice.

8. *Le Sport*, 13 septembre 1940, p. 5 ; *Le Sport illustré*, mars 1950, p. 16-21 ; *Le Devoir*, 9 juin 1959, p. 12.

9. Sur la courte carrière pugilistique d'Yvon Robert voir *La Presse*, 30 juillet 1940, p. 18 ; 1er août 1940, p. 25 ; 3 août 1940, p. 40 ; 27 août 1940, p. 19 ; 29 août 1940, p. 24 ; 30 août 1940, p. 25 ; 5 septembre 1940, p. 31 ; 6 septembre 1940, p. 24 ; 7 septembre 1940, p. 43 ; 11 septembre 1940, p. 20 ; 12 septembre 1940, p. 26 ; 17 septembre 1940, p. 13 ;

Il croit que Laurent « Larry » Bouchard, un poids lourd montréalais au « physique merveilleux », qui frappe bien, a un avenir devant lui, contrairement à Oliver Shank, un autre poids lourd, né à Edmonton, Alberta, qui « frappe très fort » mais n'a pas l'étoffe d'un bon boxeur. Maxie Berger se débrouille bien, mais malheureusement « n'a aucune *couleur* dans l'arène » et offre un spectacle terne. Comme on peut le constater par cette remarque, pour Brosseau, il faut, en plus d'être un bon boxeur, avoir un certain sens du spectacle si l'on veut captiver son auditoire. Son regard se porte ensuite sur Dave Castilloux. Brosseau admire ce merveilleux boxeur et serait même à l'origine de son établissement à Montréal en 1936. Il s'intéressera à lui tout au long de sa brillante carrière qui se poursuit jusqu'en 1948. Il vaut la peine de s'arrêter quelques instants sur ce Franco-Américain. Il naît à Gaspé en 1916. Ses parents émigrent aux États-Unis vers 1919. C'est là, le 18 février 1935, qu'il livre son premier combat comme professionnel. Il sera champion canadien chez les poids plume, les poids légers et les poids mi-moyens. Le 28 août 1946, lors d'un combat contre Johnny Greco, les deux hommes établissent un record d'assistance et de recettes. En 1945, le magazine *Ring* le classe au deuxième rang mondial chez les poids légers et le considère comme l'un des meilleurs poids plume

21 septembre 1940, p. 39 et Pierre Berthelet, *Yvon Robert. Le lion du Canada français. Le plus grand lutteur du Québec*, Montréal, Trustar, 1999, p. 128-132. À la fin du mois de juillet 1940, Robert annonce « qu'il a déserté, momentanément du moins, la lutte pour s'entraîner à la boxe ». Il croit qu'il peut faire plus d'argent à la boxe. Il s'entraîne sérieusement au camp Maupas, à Val-Morin, sous la tutelle de son professeur de lutte et ami Émile Maupas. Il paie même de sa poche la venue au Québec de Mickey McAvoy, l'un des entraîneurs du champion Joe Louis pour l'aider à se préparer à son combat contre Natie Brown, de Washington. Contrairement à l'opinion d'Eugène Brosseau, les témoignages de personnes respectées dans les milieux pugilistiques laissent espérer au champion lutteur une carrière enviable comme boxeur poids lourd. Ainsi, l'ancien champion mondial des poids lourds, Jack Dempsey, choisi comme arbitre pour le premier combat de Robert, déclare : « C'est un athlète qui a du talent pour la boxe [...]. On pourrait en faire un boxeur de mérite. Il y aurait du travail pour en faire un as mais on y parviendrait. » Ernest Métivier, arbitre et juge de la Commision athlétique de Montréal depuis sa fondation en 1922 et directeur de la section de boxe de l'Association athlétique Sainte-Brigide pendant 12 ans, après une visite à Val-Morin, se dit surpris par les qualités de boxeur démontrées par Robert. Il croit qu'aidé « par des entraîneurs tels que Maupas, Sylvio Mireault et Mickey MacAvoy Yvon peut connaître de remarquables succès dans la boxe. Il frappe bien des deux mains. Il possède une excellente défense » et sait encaisser. Brosseau a su se montrer plus perspicace que les deux « connaisseurs » que nous venons de citer et, après deux combats non concluants, Robert retourne à la lutte où il excelle.

Dave Castilloux, l'un des grands boxeurs du Québec. Il sera champion canadien des poids plume, des poids légers et des poids mi-moyens. Brosseau admirait ce boxeur et serait même à l'origine de l'établissement de ce Franco-Américain à Montréal, en 1936. (Feuille publicitaire distribuée par le poste de radio CKAC, vers 1950.)

au monde. En 1940, Brosseau se désole de son peu de succès auprès des foules. « Il faut croire, dit-il, qu'il lui manque quelque chose que la foule aimerait lui voir posséder. » Il n'ajoute aucune précision sur ce « quelque chose ». En 1942, il qualifie Castilloux de « boxeur superbe ». Il faut savoir que, cette année-là, Castilloux s'était, comme Brosseau 25 ans plus tôt, enrôlé dans la Royal Canadian Air Force. Pour l'occasion, *La Presse* du 7 février titre : « Mauvaise nouvelle pour les Allemands. » En 1950, il le range parmi « ses idoles ». Cependant, cette admiration ne l'empêchera pas d'être, par deux fois, le second d'un adversaire de son idole. Au mois de juillet 1935, il accepte de conseiller Tony Rojas qui doit affronter Castilloux, au stade Delorimier le 24 au soir. Finalement, Rojas s'étant blessé au pied, Castilloux, qui se bat pour la première fois à Montréal, impressionne les amateurs en battant facilement le champion poids coq du Canada, Frankie Martin. Le 18 janvier 1945, Pit Audet et Brosseau secondent Bobby Gunther, un boxeur noir de Detroit, au Forum. Cette aide s'avère insuffisante car Gunther reçoit « une vraie leçon de boxe » de Castilloux qui le met hors de combat au sixième round[10].

Laissant les boxeurs locaux, Brosseau commente ensuite rapidement les talents des poids lourds qui défrayent la chronique sportive internationale. Au moment où on l'interroge, au mois de septembre 1940, Joe Louis, de son vrai nom Joseph Louis Barrow, champion mondial des poids lourds, règne sur le monde de la boxe depuis sa victoire sur l'ancien docker James J. Braddock, le 22 juin 1937. Selon Brosseau, le « Bombardier Noir » n'a pas d'opposition solide devant lui. Sur Tony Galento, surnommé « Deux Tonnes », que Louis battit, à New York, le 28 juin 1939, le jugement de *Gentleman Gene* est sévère : « une nullité ». L'obscur Godoy ne mérite pas plus de considération. Le Montréalais ne croit pas non plus au talent de Buddy Baer, frère de l'ancien champion du monde, Max Baer, qui, lors d'un combat, avait pourtant expédié le champion noir hors de l'arène et que Louis avait vaincu après une lutte acharnée. Il ne se montre pas plus charitable avec le Galois Tomy Farr, « un zéro ». Sur Bob Pastor, qui résista au champion pendant onze rounds, le jugement est aussi péremptoire : un homme « fini ». Il n'est pas plus tendre pour l'ancien champion, l'Allemand Max Schmeling, trop vieux pour un *come back*. Seul Bill Conn trouve grâce à ses yeux. Ce champion mondial de la catégorie des mi-lourds depuis le mois de juillet 1939 rêve d'arracher son titre à Joe Louis. Il y parvint presque le 18 juin 1941, au Yankee Stadium, dominant le boxeur noir pendant douze rounds, ce dernier réussissant à conserver son titre grâce à un ralliement de dernière minute. Brosseau le trouve excellent et apprécie sa connaissance approfondie de la boxe. « Il a des chances, dit-il, de devenir champion du monde s'il peut prendre du poids[11]. »

En janvier 1942, interrogé par *Le Petit Journal*, ses commentaires ne concernent que des boxeurs montréalais. Sur Castilloux, nous l'avons vu, son opinion n'a pas changé. Il le croit assez talentueux pour le titre mondial de sa catégorie. Harry Hurst, boxeur d'origine britannique, établi à Montréal, qui s'était battu contre Castilloux et se battra deux fois contre

---

10. *La Presse*, 17 et 22 juillet 1935, p. 17 ; 18 juillet 1935, p. 15 ; 20 juillet 1935, p. 40 ; 16 juillet 1935, p. 16 ; 25 juillet 1935, p. 19 et 21 ; 7 février 1942, p. 33 et 18 janvier et 19 janvier 1945, p. 18 ; *Le Sport*, 13 septembre 1940, p. 5 ; *Le Petit Journal*, 4 janvier 1941 ; *Le Canada*, 20 janvier 1945 ; sur Dave Castilloux, voir aussi le dossier conservé au Panthéon des sports du Québec.

11. *Le Sport*, 13 septembre 1940.

Jonny Greco, devrait, selon lui, patienter encore un an avant de tenter sa chance sur la scène internationale. Au contraire, Maxie Berger, qui possède « un beau record [...], ne devrait pas attendre s'il veut conquérir le championnat mondial de sa classe ». Ce boxeur juif était le fils d'un immigrant polonais. Il avait développé ses talents au YMHA de l'avenue du Mont-Royal et c'est sans doute à cet endroit que Brosseau le rencontra. Populaire dans le Bronx et au Québec, il se bat en plusieurs occasions dans des combats où le titre mondial est en jeu. À la fin de 1939, *La Presse* l'incorpore à son tableau d'honneur des « vedettes [québécoises] de l'année sportive » en compagnie, entre autres, de Dave Castilloux, du lutteur Yvon Robert et du joueur de hockey Toe Blake. Cette année-là, la Commission athlétique de Montréal le reconnaît comme le champion mondial des mi-moyens juniors. Une chose est sûre, plusieurs le considèrent alors comme l'un des meilleurs boxeurs de sa catégorie au monde. L'année suivante, le même journal écrit qu'il « a acquis plus de poli, plus de finesse dans son art. Il n'est pas loin maintenant de la perfection en fait de boxe ». En 1974, l'écrivain Mordicai Richler, qui le fréquentait, lui donnera un petit rôle dans le film *The Apprenticeship of Duddy Kravitz*. Lors de son décès, il écrira quelques pages sur ce compatriote[12].

En 1950, parcourant le dernier quart de siècle de l'histoire de la boxe au Québec, Brosseau dresse le palmarès de « ses idoles » : Léo Kid Roy, Al Foreman, Georges Chabot, Dave Castilloux et Florian Lebrasseur qu'on nomme Al McCoy aux États-Unis. Ce Franco-Américain est le cousin de Dave Castilloux et fut son professeur de boxe au début de sa carrière. Lui aussi serait à Montréal grâce à une initiative de Brosseau qui l'aurait incité à quitter Waterville, dans le Maine, en même temps que son cousin. Au niveau mondial, parmi les plus grands, il place deux Français et un Américain : Marcel Cerdan, Laurent Dauthuille et Sugar Ray Robinson. Contrairement à la majorité des connaisseurs qui accorderaient leurs suffrages à des poids lourds, Brosseau donne les siens à des boxeurs mi-moyens et moyens, catégories où il s'illustra de si brillante façon. Il avait sans doute assisté au combat de Cerdan contre Billy Walker, disputé à Montréal, le 7 octobre 1947. À la suite de sa défaite rapide, 2 minutes 40 secondes après

12. *La Presse*, 29 décembre 1939, p. 21 ; 17 juin 1940, p. 20 ; Mordicai Richler, *On Snooker. The Game and the Characters Who Play It*, Toronto, Vintage Canada, 2001, p. 96-101.

le début du combat, Walker déclara: «Cerdan n'est pas seulement un ouragan qui se déchaîne avec une violence incroyable, c'est aussi une proie qui se dérobe avec une rapidité déconcertante[13].» En 1948, Cerdan remporte le championnat du monde des poids moyens. Robinson portera le même titre en 1950. Auparavant, de 1946 à 1950, sa domination de la catégorie des mi-moyens fut incontestée. À Paris, Laurent Dauthuille[14] attire des assistances records. Brosseau eut de nombreuses occasions de l'admirer car il vint plusieurs fois se battre dans la métropole et on le considère comme «l'un des boxeurs les plus populaires dans l'histoire de la boxe à Montréal». La première fois, le 21 février 1949, dans un combat organisé par notre vieille connaissance Raoul Godbout, il affronte au Forum Jacke LaMotta, le taureau du Bronx. Arrivés quelques jours avant la rencontre, les deux hommes s'entraînent à la Palestre nationale devant des foules de plus de 600 personnes. Les paris favorisent nettement LaMotta, mais Dauthuille le bat de façon décisive. Après sa victoire, il avoue, entouré par un groupe de Français euphoriques, avoir rencontré «le plus dur adversaire de sa carrière». Ce combat lui rapporte 10 000$, une petite fortune en 1949. Le 13 septembre 1950, à Detroit, LaMotta prend dramatiquement sa revanche lors d'une rencontre pour le titre de champion mondial des poids moyens. Après avoir été dominé par Dauthuille pendant une grande partie du match, le taureau du Bronx le met K.-O. dans les dernières secondes du quinzième et dernier round. Dauthuille ne se remettra jamais de cette défaite crève-cœur. Le 28 juillet 1952, lors de sa dernière apparition au Forum de Montréal, toujours à l'instigation de Raoul Godbout, il perd par mise hors de combat technique face au boxeur noir de Chicago, Johnny Bratton, ancien champion mondial des mi-moyens[15].

Au mois de mai 1959, un journaliste de *L'Événement Journal* frappe à la porte du 4262, rue De Lanaudière. Il veut connaître l'opinion de Brosseau sur le champion des poids lourds, Floyd Patterson. Notre retraité des

13. Alexis Philonenko, *op. cit.*, p. 352.

14. Sur Laurent Dauthuille, voir les quelques pages que lui consacre Alexis Philonenko dans *L'Archipel de la conscience européenne*, Paris, Bernard Grasset, 1990, p. 205-206.

15. *Le Sport illustré*, mars 1950, p. 16-21; *La Presse*, 1er octobre 1947, p. 3; 4 octobre 1947, p. 58; 7 octobre 1947, p. 21; 8 octobre 1947, p. 26; 18 février 1949, p. 28; 19 février 1949, p. 34; 21 et 22 février 1949, p. 18; 23 février 1949, p. 31; 24 juillet 1952, p. 28; 25 juillet 1952, p. 20; 26 juillet 1952, p. 3; 27 juillet 1952, p. 22; 29 février 1952, p. 32 et 30 juillet 1952, p. 30.

postes répond « Très bon, mais [il] ne se compare pas aux bons boxeurs d'autrefois [...] Je dirais qu'il est aussi bon que Joe Louis. » À son avis, Jack Sharkey est le meilleur boxeur « qu'il ait jamais vu » et Jack Dempsey « était simplement un démolisseur d'hommes ». Le 31 janvier 1965, interviewé par *The Montreal Star* sur l'issue du combat Floyd Patterson-George Chuvalo, au Madison Square Garden, il se montre beaucoup plus modeste. Il répond : « I don't know much about either [...]. Only what I read in the paper. » Cette remarque semble indiquer un certain désintérêt pour un sport qui l'avait toujours passionné et qu'il avait pratiqué avec ferveur. Pourtant, quelques années auparavant, il suivait avec beaucoup d'attention la carrière de Robert Cléroux qui, selon lui, deviendrait « un grand boxeur ». Le 28 février 1967, moins d'un an avant son décès, la flamme brûle encore et il déplore qu'après avoir connu de si beaux jours « la boxe soit pratiquement inexistante à Montréal ». Pour lui, Montréal « est une bonne ville de boxe » et seuls manquent à sa popularité du moment quelques bons boxeurs locaux qui, il en est persuadé, lui redonneraient son lustre d'antan[16].

Brosseau, nous l'avons déjà dit, aime tous les sports et il a brillé dans plusieurs d'entre eux : baseball, course à pied, course en canot, hockey, natation qu'il pratique toujours à sa retraite, ski aquatique. Comme aviateur et propriétaire d'une moto, il pratiquait à l'époque deux activités que la majorité des contemporains rangeaient sous la rubrique sportive. Rien de surprenant alors de retrouver dans son entourage immédiat plusieurs personnes entretenant des liens étroits avec divers domaines de la sphère sportive. Ainsi, son frère William — Bill pour les intimes — tâte-t-il du journalisme sportif. De 1933 à 1942, il tient une chronique régulière au poste CKAC intitulée *Allo ! Allo ! Les sports*. Comme son frère Eugène, il pratique avec ferveur plusieurs sports : la boxe, le baseball, la crosse, le rugby. Sa préférence va toutefois au hockey. Tout jeune, il suit déjà les exploits du Canadien. Au début des années 1930, il occupe le poste de chronométreur et de juge des buts de « nos glorieux ». Au mois de novembre 1931, il devient gérant du club de hockey Le Champêtre, de la Ligue Mont-Royal intermédiaire, qui joue ses parties à l'aréna Mont-Royal. Au moment où il en prend la direction, ce club n'a connu que des défaites. Dès son

16. *L'Événement Journal*, 20 mai 1959 ; *The Montreal Star*, 31 janvier 1965 ; *La Presse*, 28 février 1967.

Portrait du frère d'Eugène Brosseau, William « Bill » Brosseau, réalisé par Al. Labelle, « l'artiste » de l'hebdomadaire du dimanche *Le Miroir*. Amateur de sport et très actif dans le milieu sportif montréalais, « Bill » Brosseau s'intéressait tout particulièrement au hockey. En 1931, il écrit des articles sur ce sport dans *Le Miroir*, journal fondé par Adrien Arcand. À cette époque, il est « gérant » du club de hockey Canadien junior, chronométreur pour la Ligue nationale de hockey et songe à devenir promoteur de boxe. Il aide également son frère Eugène à promouvoir la carrière du boxeur Arthur Giroux. (*Le Miroir*, Montréal, 1er février 1931, p. 15.)

arrivée, il en fait une équipe gagnante qui attire des milliers de spectateurs. En janvier 1937, il achète le Canadien Sénior qui joue ses parties de hockey au Forum. Il encourage aussi le club de hockey féminin La Canadienne et sera le maître de cérémonie de sa quatrième fête annuelle. Lorsqu'il s'agit de parler de hockey, il est intarissable. Selon lui, ce sport est le plus beau, le plus vite et le plus intéressant. C'est, dit-il, « un des meilleurs exercices physiques pour le développement d'un jeune homme. » Les directeurs et les professeurs des collèges classiques devraient travailler à le répandre parmi leurs étudiants. Il leur conseille de suivre l'exemple des universités et des collèges américains où « l'on met autant de travail et de temps à développer des athlètes » qu'on en met pour l'apprentissage des matières scolaires. Contrairement aux nombreux anglophones qui défendent le sport amateur, « Bill » Brosseau, comme plusieurs Canadiens français, prend carrément le parti du sport professionnel. C'est sans gêne qu'il recommande « aux jeunes écoliers » qui ont des aptitudes dans « n'importe quelle branche de sport » de les développer, car « le sport est aujourd'hui [en 1930] une profession [...] très payante [...] [où] il se paie des salaires équivalant à des premières positions dans tous les genres d'affaires ». Dans le même esprit, il se félicite que les gens d'affaires responsables de l'introduction du hockey professionnel au Canada et aux États-Unis l'aient « bien développé sur le côté sportif et très bien administré du côté financier ». Au

Banquet à l'hôtel Windsor, en l'honneur du marathonien Gérard Côté qui s'est couvert de gloire en 1940 en remportant le marathon de Boston et le championnat national des États-Unis, à Yonkers, dans l'État de New York. À l'extrême gauche, nous apercevons Eugène Brosseau et à la même table, à l'avant-plan, à droite, Elmer W. Ferguson, du *Montreal Herald*. Cette cérémonie était présidée par le frère d'Eugène, Willie « Bill » Brosseau. (Photo du 8 février 1941, archives de Clément Brosseau.)

mois d'octobre 1936, il devient président « d'une nouvelle organisation », les Variétés sportives. Siègent, entre autres, au conseil d'administration de cette entreprise deux vieilles connaissances de son frère Eugène : Ernest Métivier et le docteur Gaston Demers. « Cette société prend le contrôle absolu de l'organisation [appelée] la Reine des Sports de la Province de Québec » et elle souhaite, dans un avenir rapproché, organiser « plusieurs événements sportifs qui atteindront même le domaine international ». Deux mois plus tard, dans le cadre de ses responsabilités présidentielles, il accompagne à New York la reine des sports, Gertrude Allard. Le 8 février 1941, à l'hôtel Windsor, entouré d'une brochette de politiciens, il joue le rôle de maître de cérémonie lors de la remise du trophée Jos Cattarinich au coureur Gérard Côté, de Saint-Hyacinthe, vainqueur des deux principaux marathons des États-Unis : celui de Boston et le championnat national des États-Unis à Yonkers, dans l'État de New York. À cette occasion, T.-D. Bouchard, ministre de la Voirie et des Travaux publics dans le gouvernement d'Adélard Godbout et maire de Saint-Hyacinthe, déclare que le double exploit de Côté montre « qu'avec le courage et la détermination voulue les Canadiens français peuvent atteindre les sommets [...] dans les sphères économique, industrielle et sportive ». Bill semble aussi, parfois, avoir prêté main-forte à son frère dans son rôle de manager de boxeur[17].

Une des sœurs d'Eugène, Corinne, épouse Jules Dugal, qui joue un rôle important dans l'histoire du club de hockey Le Canadien et qui sera aussi gérant général de la piste de courses Montreal Jockey Club. Les fils d'Eugène excelleront au hockey. Clément, Bernard et Roger jouent pour l'école Saint-Stanislas. Les deux derniers occupent des postes de défenseurs pour le club d'Oka et Bernard sera même pressenti par un club professionnel. À 19 ans, sa fille Huguette est « une jeune sportive bien plantée », qui brille à la natation, au volleyball et au tennis[18].

Après son retrait du monde de la boxe, en 1935, Brosseau suit avec beaucoup d'intérêt de nombreux sports : la crosse, sport qui avait connu ses beaux jours avant la Première Guerre mondiale et que certains nostalgiques tentaient de maintenir en vie durant les années 1930, le football, particulièrement apprécié par les anglophones, et le hockey, presque devenu une religion nationale. Il adorait le baseball et ne manquait pratiquement jamais une partie des Royaux. Du mois de mai au mois d'octobre, aimant beaucoup la marche, il se rendait à pied, chaque dimanche, au stade Delorimier, à l'angle des rues Delorimier et Ontario, applaudir, entre autres, les exploits du fameux Jackie Robinson. Membre à vie de la MAAA, il descendait souvent à son édifice, rue Peel, pour y pratiquer la natation. Il nageait également au Montreal Swimming Club, situé sous le pont Jacques-Cartier[19].

---

17. *La Presse*, 28 décembre 1928 ; 19 novembre et 7 décembre 1931 ; 7 décembre 1931, p. 22 ; 14 décembre 1931, p. 23 ; 19 décembre 1931, p. 55 ; 21 décembre 1931, p.25 ; 7 octobre 1936, p. 32 ; 7 décembre 1936, p. 24 ; 11 décembre 1936, p. 33 ; 17 décembre 1936, p. 31 ; 11 janvier 1937, p. 15 ; 24 avril 1937, p. 36 ; 1er mai 1937, p. 37 ; 13 novembre 1940, p. 20 ; 7 février 1941, p. 23 et 10 février 1941, p. 21.

18. *La Presse*, 22 août 1940, p. 24 ; 29 mars 1941, p. 42 et 18 avril 1941, p. 31 ; *Le Sport illustré*, mars 1950, p. 16-21.

19. Toutes ces informations sont tirées de l'entrevue du 16 avril 2004 avec Clément, Huguette et Pauline Brosseau.

Brosseau était entré au service des postes canadiennes le 9 avril 1914, à l'âge de 18 ans. Même au sommet de sa carrière de boxeur, il continue d'y travailler. Ses employeurs semblent plutôt conciliants avec la vedette du ring et par la suite avec le manager de boxeurs professionnels ou le *matchmaker* de boxe du club de hockey Le Canadien. Il ne paraît pas avoir eu trop de difficultés à obtenir des « horaires flexibles » lui permettant de s'entraîner, de voyager et de boxer dans différentes villes des États-Unis. Devenu manager, ses supérieurs font toujours preuve de la même

Brosseau vers la fin de sa vie. On le voit feuilletant son fameux *scrapbook* dans lequel sa mère avait rassemblé des articles de journaux de Montréal, d'Halifax et de San Francisco concernant les combats de son fils. La photo suivante le montre chez lui devant des souvenirs rappelant sa carrière, dont une grande photo prise lorsqu'il était champion amateur d'Amérique (1916-1917). Enfin, sur la dernière photo, il apparaît dans la pose du boxeur. (Archives de Clément Brosseau.)

compréhension et lui accordent du temps pour s'occuper de ses poulains. Avec le temps, Brosseau voit ses responsabilités augmenter. Au début de l'année 1950, il est « chef » de la section des sacs vides au bureau central des Postes et il dirige une vingtaine d'employés. En 1956, à 60 ans, souffrant de « bronchial asthma » selon *The Montreal Star*, il prend sa retraite après 42 ans de « loyaux services[20] ».

De son vivant, les talents de boxeur de Brosseau sont reconnus au niveau canadien. Au début de l'année 1953, il est nommé au Panthéon des immortels de l'Amateur Athletic Union of Canada ; le 13 juin 1956, il entre au Temple de la Renommée du Canada. Quelques jours avant sa mort, le Club Médaille d'or de la Palestre nationale le choisit comme invité d'honneur pour le mois de février 1968[21].

Tracer un portrait intime d'Eugène Brosseau se révèle presque impossible. Toutes les personnes qui l'ont fréquenté s'entendent pour le décrire comme un homme discret et peu bavard. Un homme à qui l'on pouvait confier un secret sans craindre de le voir partager par tout le voisinage. Tous parlent de son honnêteté, de son intégrité, de l'excellence de son jugement, de sa politesse « proverbiale », de son calme. Plusieurs vantent sa prudence, son sens de l'économie, sa sagesse dans la gestion de l'argent gagné pendant sa courte carrière de boxeur professionnel. Il a su, dit-on, bien placer son argent et il mène « son petit train de vie bien régulier sans avoir à s'inquiéter du lendemain ». George Kennedy se plaisait à dire que, pour les choses financières, Eugène était « fin comme un renard ». Le journaliste Louis-A. Larivée compare à ce sujet la carrière de Mike McTigue qui vit dans l'angoisse et l'inquiétude du lendemain, sans le sou après avoir gagné un quart de million de dollars, à celle de Brosseau qui a conservé et fait fructifier l'argent qu'il avait amassé durant ses années de gloire. Selon lui, « Eugène a probablement encore le premier dollar que George [Kennedy] lui a fait gagner lorsqu'il a fait ses débuts au parc Sohmer » le 22 janvier 1919[22].

Avec ses enfants, Brosseau n'était pas plus disert que dans son milieu de travail. Ceux-ci affirment qu'il était un bon père qui les aimait et s'in-

---

20. *Le Sport illustré*, mars 1950, p. 16-21 ; *Le Petit Journal*, 1er juillet 1951 ; *The Montreal Star*, 6 août 1958, p. 40.

21. *Parlons sports*, 15 octobre 1955, p. 8 ; *La Presse*, 25 janvier 1968.

22. *L'Illustration*, 10 juin 1933, p. 31 et 11 septembre 1935, p. 17 ; *Le Canada*, 22 novembre 1938, p. 6 ; *La Presse*, 13 avril 1963, p. 24.

Brosseau dans sa cour arrière, au 4262, rue De Lanaudière, avec l'une de ses filles dans les bras. (Photo prise au mois d'août 1945, archives de Clément Brosseau.)

téressait à leur avenir. Ils ajoutent qu'il aimait leur mère, avec qui il a partagé 47 ans de sa vie. Homme discipliné, il exigeait de ses fils et de ses filles discipline et ordre.

Il s'intéressait aux événements politiques internationaux et nationaux. Selon ses proches, il se tenait constamment au courant de la vie politique au Québec et au Canada, mais en parlait peu. Pour se renseigner, il écoutait la radio et plus tard la télévision. Mais sa principale source d'information demeurait *Le Devoir* qu'il lisait assidûment. Il admirait Henri Bourassa, le fondateur de ce quotidien nationaliste, et possédait presque tous ses discours et ses nombreux textes publiés en brochures. On peut donc raisonnablement penser que cet ancien boxeur partageait le nationalisme du petit-fils de Louis-Joseph Papineau, qui réclamait l'indépendance du Canada par rapport à la Grande-Bretagne, une plus large autonomie pour le Québec au sein de la Confédération et défendait l'idée de deux peuples fondateurs et, par conséquent, la dualité culturelle. Il semble également partisan du Bloc populaire car, dans un coffre où il conservait précieusement des photos, des coupures de journaux et des articles de magazines concernant sa carrière, on retrouve un long article du *Devoir* coiffé du titre

Brosseau, debout, appuyé sur un arbre, à Saint-Philippe de La Prairie, à la ferme de ses beaux-parents. Il aimait y passer ses vacances. (Archives de Roger Brosseau.)

« M. Maxime Raymond expose le programme du Bloc populaire[23] ». On nous dit aussi, que, à l'instar de Bourassa, il était profondément croyant. Il appartenait, depuis le 12 avril 1929, à l'Archiconfrérie universelle de la prière et de pénitence en l'honneur du Sacré Cœur de Jésus[24].

23. *Le Devoir*, 11 octobre 1943, p. 1-2.

24. Entrevue du 16 avril 2004 avec Clément, Huguette et Pauline Brosseau ; *Règlement de l'Archiconfrérie de prière et de pénitence en l'honneur du Sacré Cœur de Jésus*, Imprimerie du Sacré Cœur, Bergeville, Québec, s.d.

Un autre trait peu fréquent chez la gent pugilistique, Brosseau aimait beaucoup l'opéra. Décidément, ce boxeur est plutôt atypique : il a fait des études universitaires, lit *Le Devoir*, partage certaines idées d'Henri Bourassa et adore l'opéra. Tous ces faits nous font regretter la discrétion des sources existantes et des témoins sur les aspects plus personnels de la vie de notre boxeur gentilhomme. Il semble qu'une fois retiré de la boxe il voyageait peu. Il préférait passer ses vacances chez des parents du côté maternel, à Saint-Philippe de La Prairie, où, l'automne venu, il adorait aller ramasser des « noix longues », fruits de l'arbre que les botanistes appellent le noyer tendre[25].

Même si, un an avant son décès, Eugène est toujours « droit comme un piquet », pour reprendre l'expression des gens qui l'ont connu à cette époque, et qu'il paraît plein de vigueur et d'énergie, il souffre depuis longtemps d'emphysème. Il fit même un séjour à l'hôpital Voghel, au carré Saint-Louis, pour subir un traitement contre cette maladie. De plus, depuis ce fameux soir de novembre 1919, son bras gauche demeure plus ou moins paralysé. Ses enfants racontent, entre autres, qu'il avait de la difficulté à tenir un clou ou une vis de sa main gauche et que, lorsqu'il prenait l'un de ses quatorze petits-enfants, il le tenait du bras droit[26].

Malgré les apparences, la maladie qui le minait depuis plusieurs années est sans doute responsable de sa mort à 72 ans. Il s'éteint au matin du 19 janvier 1968, à l'hôpital Sainte-Jeanne-d'Arc, rue Saint-Urbain. *La Presse* nous dit qu'« il était paralysé depuis deux mois [...] à la suite d'une congestion pulmonaire ». Le *Montréal Matin* parle « d'hémorragie cérébrale ». Ses enfants pointent du doigt son emphysème. Les funérailles ont lieu le mardi 23 janvier, à l'église de l'Immaculée-Conception, sur la rue Papineau. Ce grand athlète repose depuis cette date au cimetière de la Côte-des-Neiges[27].

---

25. Entrevue du 16 avril 2004.

26. *Ibid.*

27. *La Presse*, 20 janvier 1968, p. 15 et 49 ; *Le Journal de Montréal*, 20 janvier 1968, p. 35 ; *Le Devoir*, 20 janvier 1968, p. 18 ; *Le Dimanche matin*, 21 janvier 1968, p. 67 ; *Le Nouveau Samedi*, semaine du 27 janvier au 2 février 1968, p. 36-37 ; *The Montreal Star*, 19 janvier 1968.

Conclusion

La carrière d'Eugène Brosseau se déroule dans un contexte particulier qui la rend possible et la colore. Brosseau est un Montréalais et un Canadien français. Il boxe à l'époque du capitalisme triomphant où le laisser-faire économique est roi et où le développement de nouvelles technologies permet l'apparition des loisirs de masse. Or, le sport naît et se répand en milieu urbain où les technologies et la densité démographique rendent possible l'arrivée de nouvelles formes de divertissements et la possibilité de profits intéressants pour des promoteurs dynamiques et imaginatifs qui connaissent la recette pour attirer les foules. Comme le dit Alex Moore, il n'organise pas des combats de boxe pour les beaux yeux des boxeurs, mais pour faire de l'argent dont une partie revient aux athlètes et à leur manager.

Lors de la naissance de Brosseau, la ville connaît un très fort taux de croissance grâce, surtout, à l'arrivée de ruraux canadiens-français et d'immigrants en provenance d'Europe. En 1901, Eugène a six ans, Montréal compte près de 270 000 habitants. Vingt ans plus tard, au moment où se termine sa carrière de boxeur professionnel et commence celle de manager, la métropole en compte environ 620 000. À sa naissance, en 1895, la population montréalaise se compose, pour l'essentiel, de Canadiens français, environ 63 %, et de 33 % de Canadiens anglais. Avec les vagues d'immigration qui commencent en 1903, pour atteindre un sommet en 1913, cette population se diversifie. Ce sont d'abord des Juifs qui s'installent dans la métropole. À peine plus de 800 en 1881, on en compte déjà plus de 30 000 en 1911. Ils seront près de 46 000 en 1921. Ils se regroupent dans quelques quartiers, dont celui de Saint-Jean-Baptiste où le jeune Brosseau passe les premières années de son enfance. Il sera donc amené très tôt à les côtoyer et il entretiendra d'excellentes relations avec plusieurs d'entre eux. Il ne faut pas oublier qu'avant de gravir les échelons sociaux cette nouvelle communauté juive se compose d'artisans et de petits commerçants qui fourniront à la boxe de nombreux et excellents candidats, formés pour la plupart par la YMHA, créée à Montréal en 1909. Par la suite viendront les Italiens. De leur communauté sortira un fort contingent d'athlètes du ring.

Lorsque Brosseau vient au monde, une culture sportive émerge chez les Canadiens français. Dans les années 1890, le slogan *Emparons-nous du sport*[1] pourrait être celui d'une partie de la bourgeoisie francophone qui revendique plus de pouvoir au nom d'une majorité en pleine expansion démographique et économique. Cette conjoncture favorise la création d'associations sportives plus stables et plus ambitieuses. En 1895, voulant concrétiser cette orientation encore fragile, le lieutenant-gouverneur Adolphe Chapleau offre un monumental trophée « de six pieds de haut », qui se veut « la profession publique de ce principe que, chez l'homme, le corps et l'esprit doivent recevoir un entraînement égal ». Cette impressionnante pièce d'orfèvrerie symbolise aussi « la protestation du patriote ardent qui se désole de voir ses compatriotes négliger l'athlétisme quand la race qui l'entoure lui emprunte la conception nette, la fermeté de propos, l'ambition, l'énergie, le courage et l'assurance dans les différentes poursuites de l'activité sociale[2] ». À cette époque, nous pouvons parler d'une participation populaire, surtout comme spectateurs et avec une nette préférence pour les sports professionnels : baseball, boxe, courses de chevaux, lutte, tours de force, bientôt rejoints par le hockey. Alors que la mise sur pied d'organisations sportives omnisports s'inspire surtout de modèles anglophones qui privilégient le sport amateur, les promoteurs de sports et de divertissements commerciaux trouvent leurs modèles aux États-Unis. Brosseau livre son premier combat professionnel pour le Club athlétique canadien, club fondé en 1905, dont la majorité des actionnaires sont francophones et qui s'inspire des grandes organisations américaines de sports professionnels de New York, de Boston et de Chicago. Ce club investit, entre autres, dans la lutte, le baseball, le hockey, la crosse, la boxe et établit de bonnes relations avec de grands promoteurs d'outre-frontière.

---

1. Ainsi, en 1898, dans un article de *La Presse* sur la chasse à courre, on proclame : « Les Canadiens français s'emparent de ce sport. » *La Presse*, 17 septembre 1898, p. 1.

2. *La Presse*, 31 août 1895, p. 1.

Brosseau commence sa carrière de boxeur à La Casquette, l'une des nombreuses organisations que se donnent les francophones entre 1890 et 1910. Son père, comptable, est peut-être à l'origine de son goût pour les sports. En effet, les membres de cette profession occupent de nombreux postes d'administrateurs aux bureaux de direction des nouvelles associations sportives créées par des Canadiens français. Dans les premières années d'existence de l'AAAN, on en dénombre cinq. On retrouve également plusieurs comptables siégeant au conseil d'administration du Montagnard.

On le sait, même si Brosseau œuvre dans une organisation qui dit privilégier « le vrai sport », c'est-à-dire le sport amateur, des accusations de professionnalisme planent sur lui dès le début de sa carrière. Il faut rappeler qu'au Québec la boxe tisse des liens étroits et multiples avec le monde pugilistique des États-Unis, paradis du sport professionnel. D'abord, de nombreux boxeurs américains, en particulier des Franco-Américains, paraissent dans les arènes de Montréal et de Québec. De plus, les promoteurs et les clubs de boxe d'ici entretiennent des relations suivies avec leurs confrères américains. Cela est particulièrement vrai des deux clubs qui engagent Brosseau au début de sa carrière professionnelle. Ainsi, le Club athlétique canadien et le Club olympique possèdent leurs propres représentants aux États-Unis et leurs administrateurs se rendent fréquemment à New York conclure des ententes avec d'importants promoteurs américains. De très nombreux boxeurs américains, parmi lesquels de grandes vedettes, visitent régulièrement la métropole du Canada, généralement comme athlètes, mais, à l'occasion, comme arbitres ou juges lors de combats et même comme membres de troupes de théâtre. Les boxeurs locaux, l'hiver venu, pour gagner leur vie avec leurs poings, traversent chez l'Oncle Sam et nous reviennent au printemps. En outre, tous les combats importants se déroulant en sol américain sont abondamment commentés dans la presse populaire des principales villes du Québec. Enfin, un boxeur québécois rêvant d'une certaine renommée et surtout d'un titre mondial devra, assez rapidement au cours de sa carrière, affronter les meilleurs pugilistes américains.

L'influence américaine domine le monde de la boxe à Montréal. Cependant, cette ville, qui revendique son statut de ville française, attire plusieurs athlètes de France. Ordinairement, les boxeurs de l'Hexagone soulignent leur surprise et le bonheur de se trouver dans une ville française. Cette présence française dans le monde du sport à Montréal est visible non seulement dans la boxe, mais également en éducation physique et tout particulièrement dans le domaine de la lutte. Comme professeur de boxe à la Palestre nationale, Brosseau rencontre régulièrement monsieur et madame Helbert, tous deux hébertistes, formés dans les meilleures écoles d'éducation physique de France. Au début du xxe siècle, les gymnases français développent de nombreux et excellents lutteurs. À la même époque, Montréal devient un des hauts lieux de la lutte en Amérique du Nord[3]. Il n'est donc pas étonnant de voir des vedettes telles qu'Émile Maupas, Raymond Cazeaux, Raoul de Rouen, Constant le Marin, Maurice Deriaz et Salvador Chevalier envahir les arènes de la métropole dans les années 1900-1920. Formés à la lutte gréco-romaine, ils viennent s'initier à Montréal, dans leur langue, au style libre particulièrement prisé par les Américains dans l'espoir de percer aux États-Unis. Constant le Marin devient si populaire chez nos voisins du Sud que les villes de Boston, New York, Chicago et Kansas City se l'arrachent. Nos « cousins » d'outre-Atlantique nous envoient aussi quelques champions boxeurs. Émile Pladner, champion de France, vient se battre à Montréal. Auparavant, Brosseau avait reçu une invitation du manager de Pladner à se rendre à Paris avec Arthur Giroux pour un combat. Voulant faire plaisir aux amateurs francophones de Montréal qui réclamaient « depuis longtemps » la présence du Français André Routis, Brosseau, alors *matchmaker* du Canadien, fait venir ce champion mondial des poids légers pour une rencontre au Forum à l'été de 1929[4]. Ce dernier se déclare très heureux de se retrouver dans une grande ville française. Les Montréalais verront aussi plusieurs fois le champion poids mouche d'Europe Eugène Huat. Enfin, lorsque le fameux Georges Carpentier vient au Québec en 1920, il est l'objet d'un véritable engouement. Dans la matinée du 12 mai, le maire de Montréal, accompagné de plus de 5000 personnes, l'attend sur le quai de la gare Bonaventure. En soirée, 8000 spectateurs le voient donner quelques leçons de boxe au nouvel aréna Mont-Royal. Certains citoyens demandent même au maire de déclarer le jour de son arrivée fête civique ! Quelques mois plus tôt, alors qu'on parlait dans les journaux de la possibilité de sa venue en sol québécois, il avait été question à plusieurs reprises d'une rencontre entre l'illustre Français et Brosseau qui revenait dans le ring après plusieurs mois

3. Gilles Janson, « Montréal, un haut-lieu de la lutte au début du xxe siècle », *Cap-aux-Diamants*, n° 69, printemps 2002, p. 38-42,

4. *La Presse*, 12 juin 1929, p. 24.

CARPENTIER ARRIVES IN AMERICA

Carpentier and wife photographed on board the La Savoie reaching New York.

Match with Carpentier Would Test Brosseau's Mettle

TORONTO, March 25.—The Globe publishes a special despatch from Windsor, Ont., to the effect that negotiations have been begun by the army and navy veterans of Windsor to secure an option for the first appearance in Canada of Georges Carpentier, challenger for Dempsey's title. If plans materialize, it is expected that Carpentier will box Eugene Brosseau, of Montreal, at Windsor some time in July.

[illegible] many admirers would like nothing better than to see the two hitch up even if it were only for an exhibition. France's ring idol and the one from French Canada would make a match that could not be beaten for popularity even if there was some difference in weight.

EUGENE BROSSEAU
Canadian Middleweight boxing champion.

Article illustré de photos et commentant l'éventualité d'une rencontre entre Georges Carpentier, champion d'Europe des poids lourds et immense vedette en France, et Eugène Brosseau. Lors de la venue de Carpentier à Montréal, au mois de mai 1920, certains citoyens, emportés par leur enthousiasme, demandent au maire de déclarer le jour de son arrivée en sol montréalais fête civique ! Dans la première moitié du xxe siècle, les vedettes de la lutte et de la boxe formées en France seront nombreuses à se produire à Montréal. Ainsi, les amateurs montréalais auront le privilège, en 1947, de voir Marcel Cerdant, qui l'année suivante décrochera le championnat mondial des poids moyens, titre que Brosseau espéra remporter durant toute sa carrière professionnelle. (*The Montreal Daily Star*, 25 mars 1920, p. 6.)

d'absence. À cette occasion, on croit même à la possibilité d'une tournée de Brosseau en France[5].

Le développement du sport et de la boxe en particulier s'insère dans le contexte de la montée de la société de consommation et de développement d'une culture de masse qui prend sa source chez les voisins du Sud. Les progrès de la technologie et des villes plus densément peuplées

5. *Le Soleil*, 9 décembre 1919, p. 3 ; *La Presse*, 3, 23 février, 17 avril, 3, 4, 11,14 mai 1920, p. 6 ; 13 février 1920, p. 3 ; 14 février 1920, p. 16 ; 30 avril, 7 mai 1920, p. 8 ; 1er, 8 mai 1920, p. 18 ; 5 mai 1920, p. 5 ; 10 mai 1920, p. 9 et 12 mai 1920, p. 10.

permettent la création de nouveaux moyens de diffusion et de publicité. Par exemple, les journaux à grand tirage assurent une large publicité aux combats de Brosseau et sont à l'origine de sa popularité croissante et de son statut de vedette chez l'ensemble des amateurs de sport et d'idole chez de nombreux Canadiens français. Ces médias de masse jouent le même rôle publicitaire lorsqu'il s'agit de promouvoir la carrière des boxeurs dirigés par Brosseau. Celui-ci comprend d'ailleurs très tôt l'importance d'une bonne couverture journalistique pour le succès de ses entreprises. Il excelle à maintenir le suspense en alimentant la polémique autour de ses hommes. L'exemple le plus parlant demeure la rencontre entre Georges Chabot et Léo Kid Roy. Dès le mois d'avril 1927, Brosseau commence à fournir de la matière et alimente les chroniqueurs sportifs des grands journaux par ses interventions incessantes auprès de la Commission athlétique de Montréal et de différents acteurs du monde sportif. Le soir du combat, six mois plus tard, l'immense foule qui envahit le Forum justifie cette stratégie. Horace Lavigne reconnaît son génie à cette occasion lorsqu'il écrit : « [...] il a créé un courant dans l'opinion publique qui a tout balayé sur son passage[6]. » Quelques jours après le combat, il tient à remercier « tous les journaux pour la bonne publicité[7] ». Brosseau écrit régulièrement aux grands quotidiens montréalais pour annoncer ses projets ou défendre les prétentions d'un de ses poulains. Il cultive d'excellentes relations avec les journalistes sportifs et, fréquemment, il se présente en personne à leurs bureaux accompagné de l'un de ses hommes. Ainsi, au mois de juillet 1932, il rencontre un journaliste de *La Presse* avec sa nouvelle merveille, le boxeur noir Albert Ladou. L'année suivante, les deux hommes se retrouvent à nouveau dans les bureaux du plus grand quotidien de langue française d'Amérique pour contester la décision des juges lors d'un combat contre Roger Bernard[8]. On pourrait ainsi multiplier les exemples.

Les nouvelles technologies débordent largement le domaine des journaux. Le chemin de fer permet les rencontres d'équipe de crosse, de hockey ou de baseball de villes souvent éloignées les unes des autres. Brosseau peut, en quelques semaines, se rendre à San Francisco et en Oregon, s'y couvrir de gloire et en revenir. Grâce à la TSF, les journaux montréalais annoncent la nouvelle de ses succès sur la côte du Pacifique dès le

6. *La Patrie*, 21 octobre 1927, p. 6.
7. *La Presse*, 25 octobre 1927, p. 20.
8. *La Presse*, 4 juillet 1932, p. 17 et 25 juillet 1933, p. 14.

Avant l'arrivée et la popularité de l'automobile et de l'avion, le chemin de fer joue un rôle important dans le développement du sport. C'est grâce à lui que Brosseau peut se couvrir de gloire à Boston et à San Francisco et se battre à Portland, dans le Maine, à Halifax et à Québec. Au Québec, il faut attendre le début des années 1920 pour que l'automobile devienne un bien de consommation courant. On voit ici Brosseau arpentant une voie ferrée vers les années 1916-1920. (Archives de Roger Brosseau.)

lendemain. Le téléphone facilite également la diffusion de ses exploits et l'organisation de ses projets. La possession d'une automobile qui se propage au Québec dans les années 1920 et l'amélioration des routes qu'exige ce nouveau phénomène permettent aux citoyens les plus aisés d'accompagner leurs idoles, parfois jusqu'à New York. En 1931, on voit l'avion perturber la campagne publicitaire du promoteur Armand Vincent lorsque le champion Al Brown utilise ce moyen de transport pour atterrir à Montréal quelques heures avant sa rencontre avec Eugène Huat, empêchant Vincent de l'exhiber comme réclame pendant les jours précédant le combat[9]. Pour ce même spectacle, Vincent refuse à deux postes de radio locale le droit de diffusion, de crainte d'une influence néfaste sur l'assistance[10]. Alors qu'à la fin du XIXe siècle les combats avaient lieu les samedi et les dimanche après-midi pour profiter des heures d'ensoleillement et du temps de loisir des travailleurs, l'électricité, qui se répand rapidement au début des années 1900, permet la présentation de spectacles pugilistiques en soirée, sur semaine, dans les gymnases, les théâtres, les arénas, les salles municipales, etc., maintenant éclairés à la lumière électrique. Dès 1897, un an après l'invention du cinéma par les frères Lumière, les fervents de boxe du Québec pourront voir les combats des championnats mondiaux de poids lourds sur les écrans, et cela, jusqu'à l'arrivée de la télévision en 1952. À l'hiver 1931, des perfectionnements dans le système de réfrigération produisant la glace artificielle rendent possible la présentation de spectacles de boxe et de lutte pendant la saison de hockey au Forum. On peut maintenant placer un plancher sur la glace et chauffer le Forum sans craindre de transformer la patinoire en piscine.

À travers la boxe s'expriment aussi les aspirations et les frustrations identitaires des Canadiens français. Lorsque Brosseau apparaît sur le ring pour la première fois en public, en 1915, le mouvement nationaliste, nourri des déceptions à l'égard de la Confédération de 1867, est bien vivant, ranimé par les attaques contre la langue française au Nouveau-Brunswick, au Manitoba et dans les Territoires du Nord-Ouest et la pendaison de Louis

9. *La Presse*, 23 octobre 1931, p. 25.

10. *La Presse*, 19 octobre 1931, p. 21.

11. Sur le nationalisme canadien-français dans le sport, voir mon article : « Le sport comme enjeu national chez les Canadiens français, 1890-1920 », dans Michel Sarra-Bournet (dir.), *Les nationalismes au Québec, du XIXe siècle au XXIe siècle*, Québec, Presses de l'Université Laval, 2001, p. 57-76.

Riel en 1885. Le règlement XVII qui, en 1912, limite de façon draconienne l'enseignement du français dans les écoles bilingues de l'Ontario, suscite pendant de nombreuses années énormément d'émotion au Québec. Dans ce contexte, la crise de la conscription, en 1917, exacerbe les tensions entre le Canada anglais et le Québec français[11]. Les victoires de Brosseau à Boston et l'invitation qu'il reçoit pour aller boxer à Toronto à la suite de ses victoires servent de prétexte pour répondre aux attaques des « fanatiques » de l'Ontario, et particulièrement à Mgr Fallon qui condamne l'« agitation » des Canadiens français contre le règlement XVII. Sans craindre l'exagération, l'évêque de London déclare en février 1915 que « l'objet ultime » de cette agitation est « de faire de l'Ontario une province française au sein d'une république française occupant les rives du Saint-Laurent[12]. Cette conjoncture explique l'article du journal *Le Canada* qui craint que les policiers de la Ville Reine n'empêchent Brosseau « ce bilingue, de rosser ses rivaux[13] » et qui se réjouit des succès de ses compatriotes non seulement à la boxe mais aussi à la crosse et au hockey, prouvant par le fait même que « les bilingues » savent très bien se défendre face aux « Anglais ». Durant toute la carrière de Brosseau, de 1915 à 1921, ses victoires deviennent le symbole de la revanche des Canadiens français qui, souvent, se sentent humiliés et méprisés par les « autres » Canadiens. Brosseau nourrit cette symbolique lorsqu'il dit que « l'honneur de la race lui fit mettre les gants » et qu'il « voulait avant tout que les Canadiens français soient aussi bien représentés dans la boxe qu'ils l'avaient été dans les autres sports[14]. » Les défaites du boxeur sont aussi ressenties comme des défaites collectives. Ses victoires à Boston en avril 1916 et 1917 concourent à la création de cette portée symbolique. Soulignant l'événement, Charles Saint-Père écrit que Brosseau a prouvé que les Canadiens français sont de « vrais hommes » et que ses succès aux États-Unis rejaillissent « sur toute la race[15] ». Il n'est pas étonnant que son entrée chez les professionnels en janvier 1919 suscite chez ses compatriotes énormément d'espoir. Pour *La Patrie*, c'est le début d'un temps nouveau « pour les nôtres[16] ». Brosseau, grâce à son intelligence,

12. Robert Choquette, *Langue et religion. Histoire des conflits anglo-français en Ontario*, Ottawa, Éditions de l'Université d'Ottawa. 1980, p. 172.

13. *Le Canada*, 7 avril 1916, p. 2.

14. *Le Miroir*, Montréal, 15 mars 1931, p. 6.

15. *Ibid.* ; *Le Canada*, 10 avril 1917, p. 2.

16. *La Patrie*, 22 janvier 1919, p. 6.

à son jugement, à sa science de la boxe, à son sang-froid, à son courage, à la puissance de son coup de poing, va prouver aux « autres nationalités » qu'il appartient à un peuple qui n'est pas inférieur. L'excellente performance des boxeurs canadiens-français aux championnats du Québec, organisés par la MAAA en avril 1922, joue le même rôle que les victoires individuelles de Brosseau quelques années plus tôt. *La Presse* juge l'événement si important qu'elle lui consacre un éditorial où elle tente de démontrer « que, dans ce domaine tout comme dans les autres, les Canadiens français peuvent [...] se distinguer et obtenir une large part des premières places ». Pour l'éditorialiste, la boxe aide « la race » à conserver sa virilité et la met « en état d'accomplir sa glorieuse destinée[17] ». Dans cette optique, la terrible défaite que subit Brosseau aux mains du caporal Jack Bloomfield le 6 septembre 1920 prend les allures d'une défaite nationale. « Ce fut [...] un spectacle tragique au possible [...]. C'était quelque chose comme un désastre. Brosseau, le héros de tant de combats [...] était vaincu[18] », et pour les chroniqueurs sportifs des quotidiens francophones, sa défaite était aussi celle des siens.

Un autre aspect intéressant se dégage de la biographie d'Eugène Brosseau. Souvent des commentaires à la radio ou à la télévision, des articles de journaux ou de revues, des romans et des essais à caractère politique ou historique, soulignent la xénophobie des Canadiens français, leur peur de l'autre, leur racisme et surtout cette forme particulière de racisme qu'est l'antisémitisme. Pour certains, la société canadienne-française « tricotée serré », repliée sur elle-même, souffrirait d'une allergie à l'altérité. Nos recherches pour rédiger la présente biographie ne confirment pas cette vision des choses, du moins dans le cas de Brosseau et de son entourage. Nous l'avons vu, dès son enfance, Eugène côtoie des membres de la communauté juive de Montréal en pleine expansion démographique. Il fréquente des entraîneurs, des promoteurs et des boxeurs juifs. À l'automne de 1915, dès les premiers mois de sa carrière, il entraîne le Juif new-yorkais Johnny Lustig. Lui-même aura recours à un entraîneur d'origine juive, Jack Thomas, pour le préparer à son combat contre Jack Bloomfield en septembre 1920. En de très nombreuses occasions, les dirigeants du YMHA, avec lesquels il entretient d'excellentes relations, font appel à son expertise comme arbitre ou comme juge lors de leurs tournois de boxe. Alors qu'il

17. *La Presse*, 11 avril 1922, p. 6.

18. *La Presse*, 7 septembre 1920, p. 7.

est professeur de boxe à la Palestre nationale, ses élèves participent une quinzaine de fois à des tournois organisés par le YMHA. Seul le club Sainte-Brigide peut se vanter d'avoir inscrit à ses programmes de boxe plus d'hommes formés par Brosseau. Plus tard, à sa retraite, il admire l'excellent boxeur Maxie Berger, fierté de la communauté juive de Montréal. Ernest Métivier, que connaît bien Brosseau pour l'avoir, entre autres, accompagné aux Jeux olympiques de Paris, en 1924, jouit de la même considération chez les « Hébreux » montréalais, pour reprendre une expression des journalistes de l'époque. Armand Vaillancourt, son grand ami, son ombre diraient certains, avait, comme l'écrit *Le Canada*, « des amis dans toutes les nationalités. Dans les cercles hébreux, qui comptent plusieurs pugilistes, on l'estimait autant que chez les Anglais[19] ». Pensons également à l'amitié qui lie Georges Chabot au boxeur Al Foreman, ce Juif d'origine britannique. Foreman « aime bien les Canadiens français » et veut apprendre leur langue car « la plupart de [ses] amis sont des Canadiens français[20] ». Brosseau développe aussi des liens de camaraderie et même d'amitié avec de nombreux Irlandais du monde de la boxe. Plusieurs d'entre eux seront ses entraîneurs. Le boxeur Patsy Cline, fils d'Irlande, est l'un de ses amis. Sa sollicitude envers le boxeur noir Albert Ladou prouve, s'il en était encore besoin, son ouverture envers des gens de toutes les origines. Ladou joue souvent le rôle de *baby-sitter* pour ses enfants ; il les berce, les promène au parc La Fontaine et habite avec la famille Brosseau. À la même époque, un autre boxeur canadien-français, Lou (Lucien) Brouillard, né au Québec et habitant Worcester, semble exempt de préjugés envers les Noirs. Alors qu'il doit se battre à Montréal contre Joe Gans, son manager américain, Cecil P. Dodge, déclare que Brouillard « refuse de rencontrer un nègre ». Ce dernier n'hésite pas à le contredire et annonce que « Gans est le bienvenu ». Il parvient même à convaincre Dodge de retirer ses objections. Comme plusieurs de ses camarades de gymnase, *Gentleman Gene* semble à l'aise dans la grande ville qui met en contact des populations diversifiées et permet d'apprivoiser l'autre et d'être apprivoisé par l'autre.

Comme on peut le constater, plusieurs aspects de la vie en société se dévoilent à travers une histoire du sport : effets de l'urbanisation, influence des nouvelles technologies, développement de nouvelles formes de sociabilité, apparition des loisirs commercialisés, rôle des médias, influences

19. *Le Canada*, 30 mai 1921, p. 2.
20. *La Presse*, 20 octobre 1928, p. 64.

américaines et françaises, nationalisme, relations avec « l'autre » et la liste pourrait s'allonger. Malheureusement, au Québec, l'histoire du sport est négligée. Seuls quelques pionniers se sont aventurés à défricher ce champ de recherche. En première ligne se trouve Donald Guay qui, par ses nombreuses études et tout particulièrement celles portant sur les courses de chevaux et sur le hockey[21], a montré l'éclairage que projette l'histoire du sport sur les faits sociaux et culturels qui, parmi d'autres, structurent la vie des hommes en communauté. En terminant cette biographie, nous exprimons le souhait que, comme en France, en Angleterre et aux États-Unis, pour ne nommer que ces pays, les chercheurs des universités québécoises investissent de façon significative ce champ de recherche et contribuent par le fait même à enrichir notre connaissance de la société québécoise.

---

21. *Histoire des courses de chevaux au Québec*, Montréal, VLB éditeur, 1985, 249 p. et *L'Histoire du hockey au Québec. Origine et développement d'un phénomène culturel*, Chicoutimi, Les éditions JCL, 1990, 293 p.

Bibliographie

Entrevues

Entrevue avec Bernard et Roger Brosseau, fils d'Eugène, 8 septembre 2000.

Entrevue avec Clément Brosseau, fils d'Eugène, 1er décembre 2000, 16 octobre 2002.

Entrevue avec Clément, Huguette et Pauline Brosseau, enfants d'Eugène, 16 avril 2004.

Sources manuscrites

Procès-verbaux de la Commission athlétique de Montréal, 1926-1929. Service de gestion des documents et archives de la Ville de Montréal.

Règlement pour interdire les représentations de pugilat, 10 janvier 1887. Service de gestion des documents et archives de la Ville de Montréal.

Registre des baptêmes, mariages, sépultures de la paroisse Saint-Jacques [Montréal], 11 septembre 1888.

Registre des baptêmes, mariages sépultures de la paroisse Saint-Jean-Baptiste [Montréal], 8 décembre 1895.

Brevet d'aptitude décerné à Joseph-Omer-Eugène Brosseau, par le Bureau des médecins vétérinaires, 9 septembre 1914. Archives de Clément Brosseau, fils d'Eugène Brosseau.

Liste des étudiants, 1914-1916. Service des archives de l'Université de Montréal, Fonds de l'École de médecine vétérinaire.

Procès-verbaux du Bureau de direction de la Palestre nationale, 1918-1925. Service des archives et de gestion des documents de l'Université du Québec à Montréal, Fonds de la Palestre nationale.

Contrat de mariage de J. O. Eugène Brosseau et Marie-Louise Denault, 10 mai 1921. Greffe du notaire Henri-Rodolphe Carreau.

Journaux

Journaux dépouillés systématiquement

Le Bulletin des sports (organe de La Casquette), 1915-1917.
Le Canada, 1914-1938.
Le Devoir, 1910-1959.
La Patrie, 1914-1960
La Presse, 1884-1968.

Journaux consultés à l'occasion

L'Autorité, Montréal, 1915.
Le Canadien, Québec, 1834-1835.
Le Dimanche matin, Montréal, 1968.
L'Événement Journal, Québec, 1950.
The Evening Echo, Halifax, 1920
The Gazette, Montréal, 1919-1920, 1922, 1968.
The Halifax Herald, 1920.
L'Illustration, 1931, 1933.
Le Journal de Montréal, 1967-1968.
The Lewiston Sun, Lewiston, Maine, 1920.
La Mascotte, Montréal, 1900.
La Minerve, Montréal, 1897.
Le Miroir, Montréal, 1930-1933.
The Moncton Transcript, 1920.
Le Monde illustré, Montréal, 1897.
The Montreal Herald, 1916, 1919-1920, 1931.
The Montreal Star, 1916-1917, 1919-1920, 1958, 1964-1965, 1968.
The Morning Chronicle, Halifax, 1920.
The Morning Oregonian, Portland, Oregon, 1917.
The National Police Gazette, New York, 1916.
News, Toronto, 1916.
Le Nouveau Samedi, Montréal, 1968.
Parlons sport, Montréal, 1955.
Le Petit Journal, Montréal, 1951.
Portland Evening Express and Advertiser, Portland, Maine, 1919.
Portland Sunday Telegram, Portland, Maine, 1919.
The San Francisco Call and Post, 1917, 1920.

The San Francisco Examiner, 1917.
Le Soleil, Québec, 1897, 1919.
Le Sport, Montréal, 1940.
Le Sport illustré, Montréal, 1899.
Le Sport illustré, Montréal (journal différent du premier), 1950.
Le Stade, Montréal, 1920.
The Standard, Montréal, 1920-1921.
La Tribune, Sherbrooke, 1919, 1934.
La Vérité, Montréal, 1897.

Sources imprimées

Débats des Communes, Ottawa, 11 février 1881.
Official Programme of the Great International Boxing Tournament, San Francisco, novembre 1917.
Règlements de l'Archiconfrérie de prière et de pénitence en l'honneur du Sacré Cœur de Jésus, Imprimerie du Sacré Cœur, Bergeville, Québec, s.d.
Report Canadian Olympic Committee 1924 Games held in Chamonix and Paris, France, compiled and edited by J. Howard Croker, s.l., n.d.
Statuts du Canada, 44 Vict., chap. 30, 21 mars 1881.

Ouvrages et articles

BERTHELET, Pierre, *Yvon Robert. Le lion du Canada français. Le plus grand lutteur du Québec*, Montréal, Trustar, 1999.

CHEMIN, Michel, *La Loi du ring*, Paris, Découverte Gallimard, 1993.

CHOQUETTE, Robert, *Langue et religion. Histoire des conflits anglo-français en Ontario*, Ottawa, Presses de l'Université d'Ottawa, 1980.

ELIAS, Norbert et Eric DUNNING, *Sport et civilisation, la violence maîtrisée*, Paris, Fayard, 1994.

FLEISCHER, Nat, *The 1965 Ring Record Book and Boxing Encyclopedia*, New York, Published by The Ring Book Shop, 1965.

FONTAINE, Patrice, *Dictionnaire La Presse des sports du Québec*, Montréal, Libre Expression, 1996.

GLADU, Michel, *Les Seigneurs du ring. Des origines à Lucas*. Montréal, Trait d'union, 2004.

GUAY, Donald, *Histoire des courses de chevaux au Québec*, Montréal, VLB, 1985.

GUAY, Donald, *Introduction à l'histoire des sports au Québec*, Montréal, VLB, 1987.

GUAY, Donald, *L'Histoire du hockey au Québec. Origine et développement d'un phénomène culturel*, Chicoutimi, Les éditions JCL, 1990.

GUAY, Donald, *La Conquête du sport. Le sport et la société québécoise au XIXe siècle*, Montréal, Lanctôt éditeur, 1997.

HIETALA, Thomas R., *The fight of the century. Jack Johnson, Joe Louis, and the struggle for racial equality*, New York, Londres, M. E. Sharpe Inc., 2002.

JANSON, Gilles, *Emparons-nous du sport. Les Canadiens français et le sport au XIXe siècle*, Montréal, Guérin, 1995.

JANSON, Gilles « Sport et modernité : *Le Devoir*, 1910-1920 », dans *Le Devoir, un journal indépendant (1910-1995)*, Québec, Presses de l'Université du Québec, 1996, p. 79-92.

JANSON, Gilles, « Le sport comme enjeu national chez les Canadiens français, 1890-1920 », dans Michel Sarra-Bournet (dir.), *Les Nationalismes au Québec, du XIXe siècle au XXIe siècle*, Québec, Presses de l'Université Laval, 2001, p. 57-76.

JANSON, Gilles, « Montréal un haut-lieu de la lutte au début du XXe siècle », dans *Cap aux Diamants*, nº 69, printemps 2002, p. 38-42.

JANSON, Gilles, « La boxe au Québec (1822-1922) : de l'illégalité à la légitimité », dans *Bulletin d'histoire politique*, vol. 1, nº 2, hiver 2003, p. 87-100.

LAGORCE, Guy et Robert PARIENTE, *La Fabuleuse Histoire des Jeux olympiques*, Paris, Éditions de La Martinière, 1992.

LAMONDE, Yvan, *Histoire sociale des idées au Québec, 1896-1929*, Montréal, Fides, 2004.

LINTEAU, Paul-André, *Histoire de Montréal depuis la Confédération*. Montréal, Boréal, 1992.

LINTEAU, Paul-André, René DUROCHER, Jean-Claude ROBERT et François RICARD, *Histoire du Québec contemporain, tome I, De la Confédération à la crise (1867-1929)* et *tome II, Le Québec depuis 1930*, Montréal, Boréal compact, 1989.

METCALFE, Alan, *Canada learns to play. The emergence of organized sport, 1807-1914*. Toronto, McClelland & Stewart Inc., 1989.

OHL, Paul, *La Machine à tuer*, Montréal, Libre Expression, 1981.

PHILONENKO, Alexis, *L'Archipel de la conscience européenne*, Paris, Bernard Grasset, 1990.

PHILONENKO, Alexis, *Histoire de la boxe*, Paris, Bartillat, 2002.

RAUCH, André, *Boxe, violence du XXe siècle*, Aubier, 1992.

RICHLER, Mordicai, *Dispatches from the Sporting Life*, Toronto, Alfred A. Knopp Canada, 2002.

RICHLER, Mordicai, *On Snooker. The Game and the Characters Who Play It*, Toronto, Vintage Canada, 2001.

ROBERTS, Randy, *Jack Dempsey, the Manassa Mauler*, Urbana et Chicago, University of Illinois Press, 2003.

ROXBOROUGH, Henry, *Canada at the Olympics*, Toronto, The Ryerson Press, 1963.

RUDETZKI, Maurice, *La Boxe*, Paris, Presses universitaires de France, coll. « Que sais-je », n° 1544, 1974.

SAMMONS, Jeffrey T., *Beyond the ring. The Role of Boxing in American Society*, Urbana et Chicago, University of Illinois Press, 1988.

SOCIÉTÉ D'HISTOIRE DES CANTONS-DE-L'EST, *Les Maires de Sherbrooke, 1852-1982*, Sherbrooke, 1983.

TACHÉ, Étienne-Paschal, « Du développement de la force physique chez l'homme » dans J. Huston, *Répertoire national ou recueil de littérature canadienne*, vol. IV, Montréal, Lovell et Gibson, 1850, p. 362-401.

WISE, S. F. et Douglas FISHER, *Les Grands Athlètes canadiens*, Don Mills, Ontario, General Publishing Co., 1976.

Index[1]

* Les entrées de l'index suivies de pages entre parenthèses proviennent des notes de bas de page et des légendes accompagnant les illustrations.

C

D

E

F

G

M

N

O

P

Q

R

S

T

Table des matières

CET OUVRAGE EST COMPOSÉ EN MINION CORPS 11
SELON UNE MAQUETTE RÉALISÉE PAR JOSÉE LALANCETTE
ET ACHEVÉ D'IMPRIMER EN MAI 2005
SUR LES PRESSES DE AGMV-MARQUIS
À CAP-SAINT-IGNACE
POUR LE COMPTE DE DENIS VAUGEOIS
ÉDITEUR À L'ENSEIGNE DU SEPTENTRION